桐华

著

TONGHUA

步步惊心

CS

湖南文艺出版社

HUNAN LITERATURE AND ART PUBLISHING HOUSE

博集天卷

CS-BOOKY

式微，式微！胡不归？

微君之故，胡为乎中露！

式微，式微！胡不归？

微君之躬，胡为乎泥中！

目 录
Contents
上

目 录
Contents
上

不思量，自难忘

本来没有打算为再版写序，我的倾诉欲好似都已融入故事中，所以，故事结束后，我总觉得无话可说。

可无杀编辑建议我写个自序，她说这是你的第一个故事，是它出版五年后的再版，根据它改编的电视剧正好也要上映，难道你就不想和喜欢这个故事的人分享一下你的心路历程吗？

她的话打动了我，所以，有了这篇纪念五年再版的序。

2005年5月16日，刚到美国不久的我，旧日生活已结束，新的生活还没开始，很闲，很无聊。一时冲动，我在线写了《步步惊心》的第一节，检查完错别字后，立即贴到网上。

大概贴到第三节的时候，开始有人留言，本来还在担心没有人看的故事，却渐渐地受到了很多读者的喜欢。我对这个故事越来越严肃认真，吃饭睡觉都在思考故事。我不是专业写手，我高中是理科，大学是商科，平时从不玩弄文墨，我完全不知道这个故事该怎么写，只是凭着一种激情和认真。当时的我没有想到我能写完一部四十万字的故事，没有想到它会出版，更没有想到它会被拍成电视剧。

2005年8月，我签署了《步步惊心》的出版合同，合同上很多名词我都没看懂，我也不关心，我的心态是完全不在乎钱，觉得写故事很快乐，快乐完了，故事还能变成一本书，已经是我最大的收获，甚至大半年后，我才弄明白什么叫版税。这种心态让我无所畏惧，永远以故事为第一，再弱势时都很强势，可以对出版商说不，但同时也让我吃了很多苦。

2005年10月30日，我将全稿发给了出版商，等待出版。本来承诺春节前出版，可书商对它的市场没有什么信心，所以出版时间一拖再拖。其间，发生了很多事情，总而言之，我的第一次出版很艰难，我是个不喜欢诉苦的人，所以不多提了。

2006年4月，《步步惊心》正式出版。因为出版商陷入财务纠纷，与合作伙伴闹翻，《步步惊心》成为牺牲品，书的上市没有任何宣传，含下册的整套书不能在新华书店等主营渠道销售。某个角度来说，这应该是注定失败的一本书，但那一年，凭着读者的口耳相传，这本书成为畅销书，在那之后，依旧是凭着读者的口耳相传，成为常销书。

曾有读者在网上说，你知道我是怎么开始看这本书的吗？是我在新东方上课时，给我们讲课的老师强烈推荐的。

有读者说，她去买书，问《步步惊心》在哪里，营业员不知道。她找了半天，发现书放在最不起眼的角落，她买了一套，然后趁着营业员不注意，偷偷摸摸地把剩下的两套书搬运到了最显眼的地方。

六年时间，发生了很多事情，难过有，欣喜有，但不管何种，都只是漫长人生中的一朵浪花，可你们所做的，我一直铭记。

我无法向那位老师，那个悄悄搬运书的朋友，以及推荐书给你们的朋友，把书推荐给别人的你们当面道谢，只能在这里，告诉你们，没有你们的喜欢，没有你们的支持，一切都不会发生。

谢谢你们！

桐华

2011年9月10日

[第一章]

梦醒处，已是百年身

正是盛夏时节，不比初春时的一片新绿，知道好日子才开始，所以明亮快活，眼前的绿是沉甸甸的，许是因为知道绚烂已到了顶，以后的日子只有每况愈下。

正如我此时的心情。已是在古代的第十个日子，可我还是觉得这是一场梦，只等我醒来就在现代社会，而不是在康熙四十三年；仍然是芳龄二十五的单身白领张晓，而不是这个才十三岁的满族少女马尔泰·若曦。

十天前，我下班后，过马路时没有注意来往车辆，听到人群的尖叫声时，已经晚了，感觉自己向天空飞去，却看到另一半身体仍挂在卡车上，恐惧痛苦中失去了意识，等醒时已经在这具身体前主人的床上了。

据丫鬟说，我从阁楼的楼梯上摔了下来，然后昏迷了一天一夜，而对于我醒后一切都忘记了的"病情"，大夫说是惊吓过度，好好调养，慢慢就能恢复。

走了没多久，我的额头上已经见汗。姐姐的陪嫁丫鬟巧慧在旁劝道："二小姐，我们回去吧，虽说已经过了正午，可这会儿的热气才最毒，您身体还没有完全好呢！"

我温顺地应道："好！姐姐的经也该念完了。"

我现在的名字是马尔泰·若曦，而这个白得的姐姐叫马尔泰·若兰，是清朝历史上颇有点儿名气的廉亲王八阿哥允禩的侧福晋。不过，现在八阿哥还未封王，只是个多罗贝勒，而且也无须避讳雍正的名字而改名，所以应该叫胤禩。

这个姐姐的性格说好听了是温婉贤淑，说难听了是懦弱不争，一天的时间里总是要花半天念经。我猜恐怕是不太受宠，至少我在这里的十天，从未听到八阿哥来。不过从这十天来看，她对这个妹妹是极好的，从饮食到衣着，事无巨细，唯恐我不舒服。我心里叹了口气，如果我不能回去，那我在这个时空也只有她可以依靠了，可想着未来八阿哥的下场，又觉得这个依靠也绝对是靠不住的。不过，那毕竟是很多年后的事情，现在暂且顾不上。

回到屋中时，姐姐果然已经在了。正坐在桌旁吃点心，见我进屋，她带点儿嗔怪地说："也不怕热气打了头。"

我上前侧坐在她身旁笑说："哪就有那么矜贵呢？再说，我这么出去转了转，反倒觉得身体没有前几天那么重了。"

她端详着我说："看上去气色是好了一些，不过现在天气正毒着，可别在这个时候再出去了。"我随口应了一声"知道了"。

冬云端着盆子过来半跪着服侍我洗手，我暗笑着想，知道是知道了，照不照做下次再说。巧慧拿手巾替我擦干手，又挑了点儿琥珀色的膏脂出来给我抹手，闻着味道香甜，只是不知道什么做的。

洗干净手，正准备挑几块点心吃，突然觉得奇怪，抬头看，姐姐一直盯着我，我心一跳，用疑问的眼神看回去。她又突然笑了："你呀，以前最是个泼皮的性子，阿玛的话都是不往心里去的，摔了一跤倒把人给摔好了，温顺知礼了！"

我松了口气，复低头去看点心，一边笑问："难不成姐姐倒希望我一直做泼皮？"

姐姐拣了块我爱吃的芙蓉糕递给我："再过半年就要去选秀女，也该有点儿规矩了，哪能一直混吃胡闹呢？"

一口芙蓉糕一下卡在喉咙里，大声地咳嗽起来。姐姐忙递水给我，巧慧忙着帮我拍背，冬云忙着拿帕子，我连着灌了几口水，才缓过劲来。姐姐在一边气笑着说："才说着有规矩了，就做这个样子给人看，可没人和你抢！"

我一边擦着嘴，一边心里琢磨，该怎么办？告诉她我不是你妹妹若曦？肯定不行！心思百转千回，竟没有一个主意。只能安慰自己，不是还有半年的时间吗？

我若无其事地问姐姐："上次听姐姐说，阿玛在西北驻守，我是三个月前才到这里，难道是因为选秀女的原因，阿玛才把我送过来的？"

"是啊！阿玛说额娘去世得早，你又不肯听姨娘的话，越管越乱，想着你倒还肯听我几句，所以送来，让我先教教你规矩。"

这段时间我是早上吃了饭就去溜圈子，晚上吃了饭又去溜圈子，这是我现在唯一能想出来的锻炼方法。虽说简单，但效果很是不错，越来越觉得这个身体像是自己的了，不像初醒来的几天，总是力不从心的感觉。

也曾用言语诱使巧慧领我到真若曦摔落的阁楼，立在楼上，几次都有冲动跳下去，也许再一睁眼就回到现代，可更怕现代没回去，反倒落下残疾，而且心底深处其实隐隐明白后者的可能性更大，车祸后昏迷前看到的恐怖一幕，并不是幻觉。至于我的灵魂为什么会到这具古人的身体里，我也不知道，只能既来之，且安之。

巧慧陪我溜完一大圈子，两人都有些累，假山背后正好有块略微平整的石头，巧慧铺好帕子让我坐，我拖她坐到旁边。太阳刚下山，石头还是温的，微风吹在脸上，带着点凉意，很是舒服。

我半仰脸，看着头顶的天空，天色渐黑，蓝色开始转暗，但仍然晶莹剔透，看上去是那么低，好似一伸手就能碰到它。我心想，这的确是古代的天空，在北京的时候唯一一次看到类似的天空是在灵山上。想起父母，心中伤痛，并非伤痛自己的死亡，而是伤痛父母白发人送黑发人的悲痛，不过幸好还有哥哥，他自小就是父母的主心骨，有他在，我也可略微放心。

正在伤感，听到巧慧说："二小姐，你的确是变了呢！"

这句话这几天姐姐老说，我由开始的紧张到现在的不太在意，仍旧看着天空问："哪里变了？"

"你以前哪能这么安静，总是不停地说，不停地动，老爷说你是匹'野马驹子'，你摔了之前，常劝主子少念经，衣服穿得鲜亮点儿，我们还庆幸着终于有个人劝劝了，可现在你也不提了。"

我侧头看向巧慧，她却一碰我的目光就把头低了下去。

我想了想："姐姐现在这样很好。"

巧慧低着头，声音略颤着说："很好？都五年了，别人后进门的都已有了。"

我不知道该如何给她解释，难道告诉她八阿哥将来下场凄凉，现在越亲近，将来越受伤？叹了口气，道："远离了那些事情对姐姐未尝不是件好事，姐姐现在心境平和，知足常乐，我看不出来哪里不好。"

巧慧抬头看我，似乎想看我说的是不是真心话，最后侧过了头说："可是府里的那些人……"

我打断她的话说："抬头看看天空，看看这么美丽的天空，你会把那些不开心的事情都忘了的。"

她有点儿反应不过来，愣愣地抬头看了下天，又看看我，还想说什么，我半仰着头看着天一动不动，她终是把话咽了回去，也随我呆呆地看着天空。

突然传来一阵笑声，从假山侧面转出两个人来，领先的身量较矮，略微有点儿胖，大笑着对后面一个说："这小丫头有意思，十三四岁的小姑娘，怎么说起话来竟像已经历世情的人，不合年龄的老成！"

巧慧一看来人，立即站起请安："九阿哥、十阿哥吉祥！"

从到这里以来还没见过外人，我一时愣在那里，看到巧慧请安才突然反应过来。这个年代尊卑有别，幸亏古装电视剧没少看，也急忙学着她的样子躬身请安，心里却直为刚才他所说的话打鼓，我又忘了我现在的年龄是十三，而非二十五了。

前面笑着的那个少年也不说话，只是用手摸着下巴上下打量我。我心想这个应该是十阿哥，侧后站着的那个身板格外挺直的，应该是九阿哥。

九阿哥平平地说了声："起吧！"

我和巧慧直起身子。我心里一边想着原来在康熙鼎鼎有名的诸子中，我首次见到的不是贤王八阿哥，而是传说中的毒蛇老九和草包老十，一边琢磨刚才的话有哪句不妥当，好像没说什么不敬的话，即使被他们听去了，应该也没什么吧？

十阿哥笑问："你是马尔泰家的？"

我道："是！"

他好像还想说些什么，九阿哥催道："走吧，八哥还等着呢！"

十阿哥一拍脑袋，急忙从我们身边走过，大嚷着："是啊，我一看热闹就把正事给忘了，走，走，走！"

等他俩走过，我抬头看着他俩的背影，想着刚才十阿哥的样子，感叹"古人诚不我欺"，真是有点儿像草包，不禁笑起来，笑容刚绽开，正对上十阿哥回转的脸，一下子有点儿僵，以下犯上不知道什么罪。正惴惴不安，不想他竟朝我做了个鬼脸，我没忍住，扑哧一下又笑出来。他朝我咧着嘴笑了笑，回过头，追着九阿哥而去。

往回走时，巧慧不说话，不知道是因为刚才有点儿被吓着了，还是对我不满。我也一直沉默着，心内暗暗琢磨刚才的事情，如果我那可怜的历史知识属实，十阿哥的肠子可没有几道弯，只怕刚才的事情他肯定会随口告诉八阿哥。至于八阿哥会怎么反应，我完全不知道，以他贤王的称号想来应不是小气之人，不过还是先给姐姐说一声，有个准备总是好的。心里拿定了主意，也快到了，放慢脚步，对巧慧说："我总是希望姐姐过得好的，你放心吧！"说完也没有管巧慧什么反应就快步进了屋子。

姐姐侧卧在榻上，小丫头跪在脚踏上给捶腿，我做了个噤声的手势，在正对着姐姐的椅子上坐下。姐姐堪称美人，下巴尖尖，我见犹怜，肤色尤其好，细白嫩滑，在灯下看来更是晶莹如玉，要搁到现代，恐怕追姐姐的人不排一个营也肯定有一个连。

姐姐睁开眼睛，看我正在打量她，让丫鬟扶起来，靠着垫子坐好，笑问："你现在是越发静了，回来了也不说话，我有什么好看的？"

我也笑着说："姐姐若不好看，这好看的人只怕也不多了。"

丫头端水给姐姐，我看姐姐轻抿了两口，复递回给丫头，又半眯着了。

我淡淡道："我刚才在园子里碰到九阿哥和十阿哥了。"

姐姐等了一会儿见我没有下文，睁眼看了我一眼，对旁边的丫头说："你们都下去给姑娘准备沐浴用品。"

丫头们都退了出去，我站起，走到她身边坐下，把傍晚的事情都说了一遍。姐姐听完也不说话，只是看着屋子一侧绘着草原骏马的琉璃屏风发呆，过了好久，她叹道："妹妹，你真长大了！你现在不像是个十三岁的小姑娘，倒是像一跤摔大了十岁。"我心想，的确是摔大了。

丫头进来禀报，热水和沐浴用品都备好了。姐姐推我："你去沐浴吧！"

我拿眼瞅着她，不动弹。

她看着我，似伤又似怜，对我说："你长大了，懂得为姐姐考虑，姐姐很高兴，可在姐姐这里，你就什么都不要多想地过日子，只要不做太出格的事情，想笑想闹都随你意。"她替我理了一下耳边的乱发，温柔地说："以后……以后到了宫里，你想要……也不可能了！"

她话后的意思，我隐约明白，心情刹那就变得沉重，我低低应了声"嗯"，跟着丫头去沐浴。

那日过后，虽想着没说什么越矩的话，可心里还是担着一层心事，不过三天过去，见没什么动静，这心就渐渐放回平处去了，只是告诫自己，以后一定要谨言慎行，姐姐并不受宠，我不能再给她惹麻烦。

中午睡起午觉，去给姐姐请安，看周围的丫头婆妇都一脸喜气，姐姐脸上反是淡淡的，不禁问："怎么了？"

姐姐没有接话，笑了一下，但还未展开却又收了回去，涩涩的。巧慧倒是开心地回道："爷身边的小厮刚过来传话，说爷晚上过来用膳。"我一时不知说什么好，只好沉默地坐着，姐姐看我不说话，许是以为我害怕，就微笑着说："没什么紧要的事情。"又转向冬云吩咐，"回头给小姐打扮妥当了，晚上虽是平常的家宴，可今儿是姑娘头回见爷，礼数是断断不能缺的。"

古代的梳头、画眉、穿衣，我是一点儿不会，由得丫头们张罗，我乖乖做木偶人就好，心里却一刻不曾闲，想着来这里前，看过的清宫戏中，这位八王爷一直是雍正的死对头，能让雍正视作对手，恨得寝食难安的人，肯定绝非一般，心里倒开始企盼晚上，觉得像是去见偶像，而且是面对面的私下会晤。

等打扮停当，才知道古代的女人有多遭罪，头上的，脚上的，到处都密不透肤，和裹粽子差不了多少，偏偏还是大夏天，要多难受有多难受。我在凳子上不停地扭着，晚膳的时间早过，可八阿哥却迟迟不来，刚开始的那股子新鲜劲渐渐消失，越发坐不住，站起来，从丫头手里抢过扇子，一阵猛扇，姐姐皱眉说："哪就那么热了？"

我一边扇着扇子，一边说："要是再不来，我就回去换衣服，真是活受罪！"话音还未落，就看见帘子挑了起来，三个人鱼贯而入。走在前面的二十二三岁，身材颀长，着月白色长袍，腰间系着碧色腰带，上悬着同色玉佩。面若美玉，目如朗星，我暗赞，这八阿哥长得虽有点儿阴柔了，但真是个美男子。

他看见我，眼里几丝惊诧，神情微怔，瞬即恢复如常，嘴边噙笑地转开视线看向姐姐。此时满屋子的丫头仆妇已经都俯下了身子，我这才反应过来，忙也俯下身子，唉，我好像还未习惯这拜来拜去的规矩。

他微笑着扶起姐姐，说了声："都起吧！"笑对姐姐说，"有点儿事情耽搁了，回头我和九弟、十弟还有事情商议，所以就一块儿过来，因是一时起意，也来不及通知你。"

姐姐笑了笑说："这也不是什么打紧的事情。"

八阿哥、九阿哥、十阿哥都坐定后，丫头服侍着擦脸、洗手，姐姐转身出去吩咐外面的太监传膳。我在旁边仍站着，心里想着：姐姐啊！你怎么把我给忘了呢？九阿哥面无表情，十阿哥还是那一副痞子样，自打进门，就时不时地瞄我一眼，八阿哥嘴角带笑，像是有点儿累了，半阖着眼休息。

姐姐进来后，微笑着说："可以用膳了。"八阿哥点点头，这才睁开眼睛，看着我笑问："这是若曦吧？前段日子说你身子不大好，现在可好些了？"

我回道："好得差不多了。"

八阿哥又笑说："你身子刚好，别站着了，坐吧！"

我看了姐姐一眼，见姐姐没什么反应，就坐了下来。

席间八阿哥时不时和姐姐笑说几句话，九阿哥默默地吃着，反倒是十阿哥，许是我和他恰好坐了个斜对面，他是边吃饭，边笑眯眯地看着我，胃口极好的样子。我本来就因为天热没什么胃口，他又这么瞅个不停，我是越发地难以下咽，心想，我对他而言算不算是"秀色开胃菜"？

我偷瞅了一圈，看没人注意，立即抬眼狠狠盯了回去，十阿哥正边吃边瞅得开心，冷不防我这一盯，立即愣住，筷子含在嘴里，竟忘了拿出来。我盯了几秒钟，看着他那个傻样又觉得可笑，抿嘴笑了一下，复低头去吃饭。低头时眼神不经意一扫，发现姐姐、八阿哥和九阿哥都看着我。我心一跳，再不敢抬头，快吃了两口饭，可一下子又呛住，侧着身子，扶着桌沿一边低着头咳，一边对姐姐摇手表示没事。听到十阿哥大笑，可我是再不敢去看他，装做若无其事的样子漱口，接着吃饭，只感觉脸上火辣辣的。

好不容易挨到用过晚饭，八阿哥略坐了会儿，就和九阿哥、十阿哥一同起身。

婆子在门口问："要给爷晚上留门吗？"

八阿哥淡淡说："不用了。"

等他们一走，我立即开心地跳起来，嚷嚷着让巧慧赶紧给我换衣服。姐姐笑帮我打着扇子，"怎么偏你这么怕热呢？我们可都好好的。"

我笑嘻嘻地不说话，你们自小到大被裹粽子裹习惯了，我却是穿小吊带裙过夏天的人。

八阿哥他们走了，我和姐姐都挺开心，丫头婆妇的脸上却没一丝喜气，我琢磨了会儿，明白过来，不过看姐姐不在乎的样子，也就不再多想。

第二章

同来何事不同归

　　我坐在离湖不远的大树下读宋词。昨天和姐姐特地要了宋词，因为以前偏爱宋词背了不少，两相映照着读能认识不少繁体字。

　　想想我在现代也是寒窗苦读十六年，自认为也是个知识女性，可到了古代，竟变成了半文盲。

　　前日，因平时负责书信往来的太监不在，我就自告奋勇给姐姐读信，可一封信读来竟是一小半不认识。在我"什么，什么"的声音中，信还没读完，姐姐已笑软在榻上："你说要读信，我以为几年不见，倒是长进了，没想到，的确是长进了一点儿，会用'什么'代替不认识的字了。"姐姐笑得太厉害，短短一句话，断断续续说了半天才说完，我也是又羞又恼呆在当地，当即决定，不行，我要脱掉文盲的帽子，坚决要做知识女性！

　　想到这里，不禁自嘲地笑笑，幸亏是落在这具小姐身体里，吃穿不愁，否则只怕要生生饿死我这手不能提、肩不能扛的人。

　　看书看累了，赏了会儿风景，觉得有些无聊，眼角一扫看见草丛里几只蚂蚁，突然想起小时候掏蚂蚁洞的事情，不禁来了兴致。随手捡了根小树枝，挡住蚂蚁的路，不肯让它走，走两步，就被我拨回去，走两步，又被我拨回去。

　　正玩得开心，一个人偷着乐，忽觉得耳边呼哧呼哧地喘气声，一侧头，就看见十阿哥蹲在我旁边也正在看蚂蚁，我瞪了他一眼，再看旁边还有一双靴子，顺着靴子往上瞅，正对上八阿哥似笑非笑的眼睛，赶忙站起请安。

十阿哥从地上站起，一副意懒的样子，笑对八阿哥说："看这鬼丫头的样子，我还当什么好东西呢！看来我是太看得起她了。"

我当着八阿哥的面，不敢回嘴，只心想，让你看得起也不见得是荣幸。

八阿哥笑问："读宋词呢？"

我看了一眼躺在地上的书，"是！"

十阿哥插嘴道："在看蚂蚁呢，摆了个读书的样子给人看罢了。"

我侧头看着他，也不过十七八的样子，在我面前倒成了大爷："你不知道'一花一世界，一树一菩提'吗？我看的是蚂蚁，可又不是蚂蚁。"

十阿哥这个草包果然有点儿愣，不知道该怎么回答，看向八阿哥。

八阿哥笑点头，"老十，你可要好好读书了！"又笑问我，"你看佛经？"我忙答道："只是听姐姐念多了而已。"

他笑了笑，转望着湖边，过了一会儿说："念的是多！"

我琢磨了下，看他仍然是脸带笑意，辨不出他究竟是什么意思，只能淡淡回道："求的只是心平气和。"

他没有说话，只是笑看着湖面。

旁边的十阿哥等了半天，好像插不上话有些无趣，走过去捡起地上的书问："这些字你都认识？"

我看着他挑衅的目光很想说，都认识，可事实搁在那里，只好说："认——识！是它们认识我，我不认识它们，不过我们正在彼此熟悉中。"他又是一阵暴笑。不知道为什么，我一看到十阿哥那副痞子样就有点儿暴躁，总是想到什么就说什么，不经大脑的。

八阿哥笑问："那你如何让自己认得它们呢？"

我随口说："自己猜！"

十阿哥笑叫："这也行？我们都不用请先生了，自管自己猜就行了。"

八阿哥笑叹着摇摇头："走吧！"提步，先行了。

十阿哥忙把书扔还给我，追了上去，刚走几步，又转身问我："我们去别院遛马，你去不？"

我一听大是心动，自来了这里还没出过院门呢！颇有点谄媚地跑上前去："我这样能去吗？还有我姐姐那里怎么说？"

他说："这有什么不能去的，给你找匹温驯的老马，不要跑得太快就成。至于你姐姐那里，关我什么事？"

我看他又摆起谱来了，有心想刺他几句，可是又惦念着这难得的出门机会，只好——忍——

看他走得倒是不快，可我要小跑着才能跟上，我装做突然想出个好主意的样子说："八贝勒爷说的话，姐姐准是听的。"

他看我一眼说："那你自己去和八哥说呗！"

我觉得能听见自己磨牙的声音，怎么这个老十是个顺竿子就往上爬的主呢？恼道："是你请的我，你要负责到底，要不我就不去了！"

他斜睨了我一眼，一副你爱去不去的样子。我转身就往回走，他连忙拉住我说："得！得！我去说，行了吧！"

我这才笑看了他一眼，甩掉他的手，跟着他疾步快走。

八阿哥看到我跟着十阿哥一块儿来了，有些意外。十阿哥没等他开口，赶着说："八哥，我看这丫头在府里待得怪无聊的，就让她和我们一块儿去骑马。"

八阿哥淡淡一笑："去就去吧！"

到了门口，小厮们迎上来："马车已经备好。"

八阿哥不说话，头里领着就上了马车，十阿哥也纵身一跳就上去了。一个小厮跪到地上给我做脚踏子。这马车的高度，要放现代，我肯定手一撑也就上去了，可如今，裹着粽子衣，行动不便，还真需要点儿助力，但是跪着的小厮不过十二三岁，一脸稚气。我盯着他的背，这脚是怎么也踏不到他背上去。

十阿哥在车厢里嚷嚷："磨蹭什么呢？"

八阿哥正好坐在侧对面，似看破我的顾虑，几分意外地盯了我一眼，把手伸过来。我松了口气，让小厮让开，拉着八阿哥的手就着力，爬上了车。

十阿哥嚷："麻烦！"身子却往里挪了挪，示意我坐到他旁边。

我趴在窗口，往外看，道路两侧店铺林立，街道上的人熙来攘往，马车过处，人们都主动站到路边让路，所以人虽多，马车的速度却不算慢。我看着外面"咦"了一声，可转念一想又明白了，只是摇了摇头。

十阿哥探出窗户向后张望了一会儿，又缩回来，纳闷地问我："你刚才看见什么了？"

我愣了一愣，笑着说："看着什么不告诉你。"又看向窗外。

他恨恨地瞅了我两眼，不理我，可过了会儿终究是没忍住，又问道："你刚才究竟'咦'什么？"

我转回头，目视前方，不理他。十阿哥推了推我，我说："告诉你可以，不过你得给我点儿好处才行。"

他惊叫："问问你看到什么而已，还要给你好处！"

"话可不是这么说的，是我看见有趣的玩意儿，你要听当然要给点儿好处，难道你听说书的时候都不付钱的吗？"

我说完，又掀开帘子向外看去。过了一小会儿，感觉手里多了样东西，一看是张银票，他说："可以讲了吧？"

我把票子扔回给他："哼！"

"那你到底要什么？"

我心想逗着你玩的，还真不知道要什么，突然想起《倚天屠龙记》，笑着说："我这会子也想不起来要什么，这样吧，你以后答应我一个要求就行了。"看他想张嘴，我又接着说，"绝对不会是什么你做不到的事情，再说，你一个阿哥答应我一个小丫头的要求，又能有什么难呢？"

他有点儿不甘，不过终于笑着说："好！我答应你！"

我拍了拍手笑说："你可记好了，我可是有证人的。"

上车后，八阿哥就一直闭目养神。这会儿听到我的话，睁开眼睛，看了十阿哥一眼，又笑看着我，"记住了，可以说了！"

"嗯，嗯！"我清了清嗓子说，"街上人虽很多，可马车行得很平稳，看见的路人都老远就让开了，但我们并没有表明贝勒爷坐在里面，我当时有点儿疑惑这是怎么回事，所以就'咦'了一声。"

"那你摇头呢？"

"后来又想，这样的马车，绝非一般人能坐的，这又是在天子脚下，升斗小民也是多有见识的，所以即使不知道究竟坐的什么人，可知道让道总没错的。至于说摇头，只是因为我想到自己成了狐狸而已。"

"狐狸？"十阿哥疑惑地看着我，又转头看向八阿哥。

八阿哥笑着说："狐假虎威。"

十阿哥反应过来，刚要笑，又顿住，嚷道："就这样呀，这就换了大清国堂堂皇子的一个要求。"

我看着他懊恼的样子，实在忍不住，低头笑起来，一抬头看见八阿哥正看着老十也在笑，只不过这次的笑和以往好像很不同，我盯着他思索，哪里呢？八阿哥一侧眸，正好对上我探究的目光，我没想起什么尊卑身份需要回避，仍盯着他研究。我们俩就这么静静地看着对方，最后还是我有些抵受不住，低下了头。心里想，果然厉害，不愧是玩心眼长大的人，想当年我盯着我们班男生看的时候，无人敢正面迎我锋芒。

到了别院，十阿哥命人帮我选马，一边不住嘴地唠叨："不行！不行！太大！""不行！牙口太小，性子还不定。"搞得马夫无所适从，满额头的汗。

八阿哥淡声吩咐："去把'玲珑'牵来。"

马夫立即如释重负，擦着额头的汗去牵马。

只看马厩旁边另造了一个小马厩，只有一匹马在里面悠闲自得地吃草，马儿通体青色，额头正中一抹雪白，很是漂亮。虽不知道它到底有多名贵，可看这独自一马享受总统套房的待遇，肯定不会差就是了。

十阿哥笑："你可真好运气，八哥今日竟舍得把玲珑给你骑。"

我也笑，不过是苦笑，出门时想的是挺有趣，可真对着马了，我脑子里全是马蹄子一撅，正中我肚子的画面。战战兢兢地走到玲珑面前，距离五步远，就再不肯动弹。

十阿哥急得嚷："你到底骑是不骑？"

我也着急，对着他嚷："你去骑你的呀！你管我做什么？"他又不肯走，非要在一旁等我。

八阿哥已经出去遛了一圈，望见我们两个还在马厩旁边磨蹭，掉转马头，策着马过来，看我盯着马瞧，他微笑着说："马是用来骑的，不是用来看的。"

我干笑:"我不会骑马。"

八阿哥怔怔地看着我,似乎很意外。我一下被他的神情吓住了,难道我这具身体的前主人会骑马?正忐忑不安,盘算着怎么解释,他却已经神色如常,目光凝视着远处,似有思绪悠悠。

十阿哥在马上捂着肚子笑:"看你耀武扬威的,竟然连马都不会骑,你是满人吗?你阿玛怎么教你的?"

我涨红着脸不说话,气鼓鼓地走到一旁,心里恨恨地想,我本来就不是满人,不会骑马有什么大不了!

八阿哥从远处收回视线,淡淡说:"不会骑也没什么,你若想玩,就让人牵着马,带着你走几圈。"说完,他一扬马鞭,策着马疾驰而去,速度快如闪电,略显文弱的身子倒透着与他气质不合的矫健与肆意。

十阿哥翻身下马,命马夫牵好马,他在一旁护着我坐到玲珑的背上。我看他难得的细致,倒是有些感激,正想说"谢谢",他却翻身坐到自己的马上,看着玲珑叹气:"可惜呀!大材小用!骏马配蠢材!"

我立即吞下嘴边的"谢谢",看他手里握着缰绳,我猛地一鞭子抽到他的马上。马儿驮着他狂奔出去,他猝不及防,失声大叫,身子在马上摇摇晃晃,不过,我可不担心他,他们是马背上得天下的民族,这点儿意外不算什么。

果然,他一边驭马,一边还有余力回头骂我。我捂着肚子大笑,对着他做鬼脸,你个小屁孩,敢在我面前得瑟!

八阿哥在远处听到我们乱成一团的叫声笑声骂声,望向我们,胯下的马儿却未减速,看不清楚他的神情,只看到呼啸的风吹得他的长袍忽高忽低。

骑完马,回去的路上,我精神很好,虽没真正骑马,可是能出来走走,感觉整个人从里舒畅到外。一路上,十阿哥和我斗嘴说笑,八阿哥却好似累了,一直闭着眼睛养神。偶有夕阳透过起伏的窗帘照到他脸上,倒有种宝玉生辉的感觉,不禁觉得人比人气死人,这八阿哥要家底有家底,要样貌有样貌,简直人生事事如意。

回家后,我兴冲冲地给姐姐讲骑马的事情,等从姐姐口中试探出真若曦不会骑马,我心头的大石总算落地。

因为八阿哥派小厮事先打过招呼，姐姐没说什么，可脸色不是很好看，不过因为玩得开心，我觉得还是很值得。只不过姐姐的样子着实奇怪，两位爷带我出的门，肯定出不了差错，她也不像是介意我出去玩了，倒好似是听到我说"骑马"后才变了颜色。难不成觉得女孩家骑马太粗野？怕我摔伤？

自从骑马后，十阿哥隔三差五地总会来看看我。

为了不做文盲，我开始练习写毛笔字。唉！我的毛笔字不提也罢，那是我心头一痛。这几日已经不知道被十阿哥嘲笑了多少次，我也由刚开始的脸红耳热到现在的坦然受之。

不过，睚眦必报是我对十阿哥的原则，所以，没过几天，我问他"旮旯"怎么写，他也回答不上来，我们互相嘲笑对方几次，彼此作罢。

这段时日若说我有大的收获，那就是我和十阿哥的争吵友谊飞速发展。借用巧慧的话说："十爷是隔几日不被小姐刺几句，心里就窝得慌。"

我窃笑，他一小屁孩和我斗？不过这么一来二去，我觉得他已经不是那个我心中的草包了，也许胸无城府、文墨不通、莽撞冲动、有时蛮不讲理，可我觉得他更像我在现代的朋友，我不用去揣度他心底的意思，他会直接把自己的喜怒哀乐呈现在脸上，我也可以直接把喜怒哀乐告诉他。

我趴在桌上，又练了几个字，觉得再难集中精神，索性搁笔。透过珠帘隐隐看到姐姐正在听一个小太监说什么，然后挥了挥手，小太监就下去了。

我走出去，让丫头给我端茶过来，姐姐对我说："晚上贝勒爷要过来一块儿用膳。"

我喝了口茶，问："十阿哥也过来吗？"

姐姐道："不知道，说不准的事情。"

她突然沉默了一会儿，吩咐丫头们都下去，坐到我旁边。

我觉得架势不对，可又猜不出她想说什么，只好沉默着。姐姐看着我

欲言又止。我实在忍不住，只好问："姐姐，我们姐妹之间还有什么话不能说吗？"

姐姐点点头，像是下定决心，问："你对十阿哥有意思吗？"

"啊？"我有点惊，忙道，"这什么和什么呀？我们俩只是玩得来而已。"

姐姐看我脸上的神色不是装出来的，松了口气说："没有就好！"紧接着又严肃地说，"咱们满人虽没有汉人那么多规矩，可你一个姑娘家有些分寸要把握好了。"

我有点儿气又有点儿好笑：气的是，说了几句话，玩了几次，还都是在别人的眼皮子底下，就好像我要做什么见不得人的事情了；笑的是，姐姐和当年找我谈早恋问题的高中老师可真是像。

八阿哥来时，我和巧慧正在院子里踢毽子，我已经踢了四十下，我现在的最高纪录就是四十，我想着要冲破纪录，所以明明看见了他，却装做没看见，继续踢。巧慧和别的仆妇要请安，八阿哥做了个噤声的手势，大家只好都呆愣在当地看我踢毽子。

四十五，四十六，四十七……

唉！终是受不了这诡异的气氛，自己停了下来。装做刚发现八阿哥的样子，慌忙请安，一院子的仆妇丫鬟这才纷纷请安。

八阿哥笑看着我赞道："踢得不错！"

我笑了一下，没有说话。心里想，虚伪！这里的丫鬟踢得好的简直像全身上下到处都能踢毽子，而我只会用右脚踢，这也能是好？

仆妇们挑起帘子，八阿哥率先进去，我随后跟着进去，还不忘转头对巧慧说："记住了，四十七下！"站定了，发现正对八阿哥站着，姐姐正低头帮他挽袖子，我四周看看，不知道该干什么，就只好看着姐姐和他发呆。

姐姐挽好袖子，一抬头看我正盯着他们，脸一红道："杵在那里干什么？"

我这才觉得是有些不太对，脸有些烧，转过头讪讪地说："就是不知道干什么，才杵在这里的。"

八阿哥笑说："这么多椅子，你不知该做什么？"

我心想，这是赐座了，忙找了把椅子坐下。姐姐说："你也擦洗一下，准备用饭。"

　　吃过饭，漱完口，撤了桌子，丫鬟们又端上茶来。
　　我想着上次八阿哥虽来用了膳，可很快就走了，看这次不急不忙的样子，今晚怕是要歇在这里了。正在胡思乱想，听到八阿哥说："再过几日就是十弟十七岁的生辰，因不是什么大生日，宫里大概也就随便意思一下，我们哥儿几个却想借这个机会私底下好好热闹一下，十弟还未有自己的府邸，所以我琢磨着就在我这里办。"
　　姐姐想了一下说："我没有操办这个的经验，不如问问嫡福晋的意思。" 八阿哥喝了口茶说："她现在身子不方便，再说这也是十弟自己的意思。"
　　姐姐看了我一眼道："那就我来办了。"
　　八阿哥缓缓说："既是私底下，你也不要有太大压力，大家只是找个地方热闹一下而已。"
　　"太子爷来吗？"姐姐问。
　　"帖子肯定是要下的，来不来说不准。"
　　姐姐点点头，没有再说什么。

　　姐姐垂目不语，八阿哥看着前方也不说话。我端起茶盅要喝，却发现已经喝完，只得又放下，丫鬟上来添水，我摆了摆手，她又退下去。我觉得气氛越来越怪，只好站起，干巴巴地说："贝勒爷若没什么事情吩咐，若曦先行告退。"
　　八阿哥刚抬手，姐姐忙道："这么早就睡吗？"
　　我笑回："不睡，回去临帖。"
　　姐姐立即说："这才吃了饭多大会儿就临帖，回头胃疼！"
　　我心想，反正我是现在不能走，只好干笑两声，复又坐下。招了招手让丫鬟添水，八阿哥嘴角含笑地看着我们。
　　连我都看出来姐姐的意思了，没有道理他这个人精不明白，可我琢磨不出来他是否不悦，只好放弃。

沉默，沉默，一直沉默！

我修身养性的功夫不能和他二人相比，实在无法忍受。我站起道："我们下棋吧！"

姐姐摇头说："不会！"

我看向八阿哥，八阿哥点点头，对旁边的丫鬟说："拿围棋！"

我忙叫道："我不会下围棋，我们下象棋吧！"

八阿哥却摇头说："不会！"

我"啊"了一声，不知道该怎么办，只好又坐回椅子上。

沉默，又是沉默，还是沉默！

跳棋，军棋，扑克，官兵捉贼，仙剑奇情……我发现我想的已经对解决现在的状况毫无帮助，赶快扯回了思绪。

"我们下围棋吧！"

八阿哥问："你不是不会下吗？"

我诧异地反问："不能学吗？谁生下来就什么都会？"

"若曦！"姐姐的语气略带警告。我有些泄气，真没劲！这里怎么说个话都得先考虑身份？

八阿哥想了想，嘴角的那丝笑容最终变成了一个笑脸，说："那好！"我有些恍惚，想起那次在马车上的笑眸，突然明白，原来当时觉得不同是因为他的眼睛，上次他的眼睛也在笑，平时他的笑从未进到过眼睛里。

现在的这个笑，倒是眼睛也在笑的，我心情忽地就好了，也笑笑地看着他。

八阿哥粗粗讲了规则，让我执白先行，说边学边下。

小时候爱慕虚荣时，为了做琴棋书画均有涉猎的才女，其实打过围棋谱，后来上了高中学习越来越忙，本来也没兴趣，就把这个极其费脑的围棋丢了，转而玩简单易学的扑克。

我想了想，惦记着那句"金角银边草肚皮"，就找了一角落子。姐姐侧坐在我身边，看我下棋。我本来有意让姐姐多学一点儿，可看她不是很有兴趣的样子，只好作罢，自个儿埋头琢磨。

一会儿的工夫，棋盘已经是大半片黑色山河。我心里有点儿郁闷："贝勒爷也不让让我？"

八阿哥说："你怎么知道我没有让你？"

我哭丧着脸说："让了都这样，这要不让……"

他问："还继续下吗？"

我说："下！"既然已经输了，只能尽量争取少输一点儿。腹中只能割舍，让黑子吃吧。守着两个角，绞尽脑汁地搜寻当年一些残存的记忆，最后不知道是我想出来的方法真起了作用，还是他让了我，反正我的两个角是做活了。

八阿哥看着棋盘问："你学过下围棋？"

我说："看别人下过，知道一点点！怎么样？"

他戏谑地看着我："不怎么样！不过知道'壮士断腕'，不作无谓纠缠，也不错了。"

我笑了一下，没再说话。

看时间差不多了，心想八阿哥今天肯定要歇在这里的，于是站起说："若曦告退！"

八阿哥点点头，姐姐也不好再阻拦，只能站起吩咐丫鬟们准备浴汤。我做了个福，就退了出来。

黑甜一觉，睁眼时，天已大亮，想着贝勒爷应该已经上朝去了，叫丫头服侍着洗漱。弄妥当后，去给姐姐请安。

进屋时，看见姐姐望着窗外发呆。我挨着坐下，想着昨晚的事情，也是闷闷的。

静了一会儿，姐姐头没回地问道："想什么呢？"

我往她身边挤了挤，挽着她的膀子反问道："姐姐在想什么？"

她不吭声，只看着窗外，过了会儿才说："没想什么。"

一时间两人都沉默不语，我脸挨着姐姐的肩，也看向窗外。

姐妹俩坐了很久，姐姐打起精神笑说："我要去佛堂了，你自己出去玩，别在屋子里闷着。"

我点点头，特意叫了巧慧，陪我出去走走。她是姐姐的陪嫁丫头，自小服侍姐姐，姐姐的事情她应该一清二楚，今日，我就打算和这丫头斗智斗勇了，非把姐姐的事情挖个里外明白不可。

本以为要诱骗威胁，摆下鸿门宴好好套话，不想我才旁敲侧击了几句，巧慧就全招了。虽然她嘴里说的是因为看我性子没以前野了，告诉我也不打紧，但我看她是想让我劝一下姐姐。

"主子出嫁前和老爷手下的一个军士很是要好，主子的马术就是他教的。他虽是个汉人，可骑术极好，在整个军营是有名的。可是后来，主子却嫁了贝勒爷。初嫁贝勒爷时，主子虽说不怎么笑，但别的都正常。三个月后，还怀了小阿哥。可没想到紧接着就从北边传来消息说，那个军士死了，当时主子就晕了过去，强撑了几天，终是病倒了，然后孩子也没了，后来病虽好了，可身子却一直很弱。从那后，主子就每日诵经，平常待人越发冷淡，嫡福晋虽说比主子晚进门两年，可现在已经怀上小阿哥，主子却仍然……"

我气问："姐姐就没有求过阿玛吗？"

巧慧苦笑着回答："怎么没有？主子在老爷的书房外跪了三天三夜。可老爷说，做梦都不要再想了，她是定给了阿哥的，再胡想大家都不用活了。"

我又问："这事情，贝勒爷知道吗？"

巧慧肯定地说："不知道！老爷当时处理得极为隐秘，府里头也只有老爷、主子和我知道！"

我却想起了八阿哥初闻我不会骑马的表情，觉得只怕阿玛、巧慧都错了。

一夜辗转，梦中全是万里草原、西风烈胡马嘶。早上起来时，姐姐已在佛堂念经，看看眼前的小经堂，想想梦里的广袤天地，只觉心闷。随手抽了本宋词，去园子里闲逛。

一座精巧的亭子坐落在小山坡上，三面都是翠竹，另一面连着长廊弯下山坡。我沿着长廊走进亭子，背向长廊，面朝修竹而坐，一手支着头，一手拿着宋词，随意翻到一页，开始读。

重来阊门万事非，同来何事不同归？

梧桐半死清霜后，头白鸳鸯失伴飞。

原上草，露初晞，旧栖新垅两依依……

想到姐姐，一阕词没有读完，人已经痴了。

突然，手中的书被夺走，一个欢快的声音嚷道："看什么呢？人来了，都不知道？"

我被唬了一跳，从石凳上跳起，见十阿哥正看着我。他捉弄我成功，正在开心，可见到我眼中含泪，脸带愁苦，又有几分惊怕，本来的欢快表情僵在脸上。他身旁的九阿哥，和另一位年约十四五岁的俊朗少年也都有些愕然。

我俯下身子请安，顺便整了一下脸部表情，再抬起头时已是一脸淡然。十阿哥还傻在那里，九阿哥愕然的神色却已褪去，对我说："这是十四爷。"

我想着，十四爷啊！康熙众多儿子中唯一的大将军，一直想见的人物，可现在时候不对，实在高兴不起来，只沉默着又给他行了个礼。

一时大家都无语。我看十阿哥已经缓过劲来了，就问："十阿哥怎么在这里？"

他说："我们去见八哥，老远看你坐在这里一动不动的，就拐过来，看你干什么呢？"

他停了一下，看了看我脸色，问："是谁给你气受了吗？"

我淡然一笑："我姐姐可是这府里的侧福晋，你看谁能给我气受？"

他用卷着的书拍了拍旁边的石桌子，刚想张口，九阿哥道："走吧，八哥要等急了！"

十阿哥深深地看了我一眼，把书放在桌上，阴沉着脸从我身旁走过，九阿哥转身随着十阿哥沿长廊而下。十四阿哥却笑嘻嘻地走到桌边瞟了眼桌上的书，冷不丁问了句："多大了？"

我疑惑地回道："十三了。"

他笑点下头，转身离开。

我等了等，看他们走远了，捡起桌上的书也往回走。

虽说心里苦闷至极，但日子总是一日日过的。

这几日姐姐很是操劳，贝勒爷虽说过不用太紧张，可毕竟十几个阿哥，再加上个皇太子，哪能不紧张？我帮不上什么忙，反倒很是轻闲，再加上心里烦，哪也不愿去，整天窝在屋中胡思乱想。叹一回姐姐，想一回自己，选秀女前面又是一条什么路等着我？虽知道历史的大走向，可自己的命运却操纵在他人手里，自己一点儿也把握不了。

冬云端着一碗银耳汤进来，笑说："病的时候，整日往外跑，叫都叫不住，现在身体好了，反倒整天赖在床上。"

我起来，坐到桌边，端起汤就喝，不是说把悲伤溺毙在食物中吗？

冬云一面看着我喝汤，一面道："明天晚上就是十阿哥的生辰了，小姐备了礼没有？"

我一下子停住，心想，怎么忘了这茬儿了？心里开始琢磨，送什么呢？

想了半日，都没好主意。姐姐看到我苦恼的样子，笑着说："已经替你备好了。"

我心想，那怎么能算呢？十阿哥是我在这里交的第一个朋友，那些金饰玉器再珍贵，毕竟不是我的心意。

不过，苦恼归苦恼，有事情琢磨还是好的，至少我不那么烦了，而且开始期待明天的盛宴。想想，多少个历史上有名的人物！而且齐聚一堂！简直就是全明星豪华阵容！

第三章

少年不识愁滋味

　　第二日，早早爬起床，吩咐冬云一定要把我往漂亮里打扮，倒不是为了争奇斗艳，就是好玩。

　　衣服、首饰，一套套、一件件地看，又一套套、一件件地否决，床上、桌子上、地上都摊满了。我和冬云从清晨折腾到下午，全身美丽工程才总算搞定。冬云对我连眼睫毛、眼睑这些地方都不放过，已经快要抓狂。这里的化妆工具和当年我那一大包化妆工具来比实在太小儿科，不过经过我不懈的沟通说明，冬云的一双巧手，再加上这个马尔泰·若曦本就五官长得不错，认真打扮打扮倒也挺能唬人。

　　巧慧看到我，都很是看了一会儿，叹道："二小姐真长成个大姑娘了。"

　　我温婉含蓄、含羞带怯地低头一笑，巧慧大叫道："天哪！小姐，这是你吗？"

　　我又抬起头，向她眨眨眼睛，笑问："你说呢？"
　　巧慧笑道："现在是了！"

　　日渐西沉，我一切准备妥当，姐姐派来接我们的太监也正好到了。太监在前领路，两个丫鬟在身后相伴，一路袅袅婷婷地行去。

　　已经立秋，白天虽还有些热，傍晚却不冷不热刚刚好。姐姐挑了湖边的一块空地举行晚宴。戏台子就搭在湖上。湖边的几株金银桂正在开花，

微风从湖面吹来时，浮动着若有若无的暗香。

我到时，姐姐正坐在湖边阁楼里看戏牌，头一抬，看见我也是一愣，不说话，只用眼睛上下打量我，最后笑叹道："竟比那画上的人还美！"

我笑说："姐姐这是夸我，还是夸自己？我们可是有六分相像呢！"

姐姐笑骂："贫嘴！"

我问："人还没有到吗？"

姐姐说："头先小厮来说，爷和九阿哥他们一道过来，这会子应该要到了。"话音还未落，就远远看见一队人行来。姐姐忙站起，走出暖阁，在前面候着，我也跟着出去，站在她身后。姐姐一面看着前边，一面说："旁边你没见过的两位是十一阿哥和十二阿哥。"

正说着，一队人已经到了。姐姐上前请安，我也随后跟着，起身时，看见八贝勒、九阿哥、十阿哥都是一愣，反倒是以前没有见过的十一阿哥和十二阿哥虽多看了两眼，但面色如常。

大家走进阁楼后，各自坐定，我站在姐姐身边。八阿哥笑说："今儿晚上就图个乐子，没有那么多规矩，坐着吧！"我这才在姐姐身后坐了下来。

十一阿哥说："上次喝酒，十三弟逃了，这次可不能放了他！"

十阿哥兴奋地接道："等的就是他！"

八阿哥笑道："你可喝不过那个'拼命十三郎'。"

大家都哄笑起来。

我心想，看来这个时候，因为太子地位稳固，众阿哥之间没什么根本矛盾，彼此的关系还好。

姐姐笑听了一会儿，看到小太监在外面伸脖子向里看，忙站了起来，对八阿哥说："女眷到了，我去安排一下。"八阿哥点了下头。

姐姐领着我出了阁楼。不知道他们在讲什么，只听到身后十阿哥的嚷嚷声和一屋子的笑声。我听着，心中满是感叹，如果可以选择，我宁愿什么都不知道地跟着傻乐。

南北两个阁楼，南边的是给贝勒阿哥休息用的，北边的是给女眷休息的地方。姐姐还要接待宾客，让巧慧陪我去北边先歇着，待会儿看戏时再来叫我。进了阁楼，里面两个十四五岁的秀丽女孩正在笑谈，听到声音都抬头看向我们，其中穿湖绿宫装的女孩看是我，先是惊愕地打量了我一番，然后撇撇嘴瞪了我一眼。

巧慧上前请安，她也不理，自顾说话，倒是旁边的小姑娘有点儿过意不去地道："免了！"

我心想，这是什么时候结的官司？上二楼找了个靠窗的位子坐下来，问巧慧："怎么回事？"

巧慧委屈地小声道："二小姐结的梁子，倒霉的却是我。"巧慧看我一脸茫然，知道我的病还没好，解释道："郭络罗·明玉，人称明玉格格，是嫡福晋的妹子。"

我心里想了想，大概有些明白。以前的若曦行事无法无天，只怕是因为觉得自己姐姐不受宠，找了对方的碴儿。可对方的额娘是和硕公主——顺治堂兄安亲王岳乐的女儿、康熙的堂妹，阿玛是明尚额驸，姐姐又是嫡福晋，岂能让若曦讨了便宜？

巧慧在我耳边继续说："小姐从楼上摔下来时，只有她在场，她说是小姐自己脚滑摔下来的，我们私下里想肯定和她脱不了干系。"

我无奈地叹口气，倒不知道该说什么。若没有她，也许我就真死了，可究竟是真死了好，还是借尸还魂的好？想来能活着毕竟是好的。

让巧慧取了些点心来，一面吃，一面向窗外打量。看到太监、小厮们簇拥着三个人向南阁行去。其中一个正是俊朗的十四阿哥，走在他旁边的阿哥和他个头差不多，一身宝蓝袍子，眉目英挺，但又比十四阿哥多了两分不羁，我猜大概就是他们刚才打趣的"拼命十三郎"。走在十三、十四阿哥前面的男子穿着藏青长袍，脸色略微苍白，眉目冷淡。我疑惑地想这位是谁呢？竟然能走在十三和十四阿哥前面，猛然间反应过来，除了大名鼎鼎的四阿哥，还能有谁？我立即激动地站起来，从窗户使劲探出去，想把未来的雍正看得更清楚一些。

八阿哥迎了出来，向他请安，然后侧身让四阿哥先行。落在后面的十四阿哥突然停下，抬头看过来，十三阿哥随着他的目光也看过来，然后就看到抓住窗棂，半个身子探在外面的我。

我赶忙缩回来，站直了身子，冲着他们傻笑。偷窥被逮了个正着，的确有点儿尴尬。

两人都面无表情、目不转睛地盯着我，我在窗边，俯了俯身子，做了个请安的样子。十四阿哥嘴角一挑，笑起来，对十三阿哥说了句话，大概告诉他我是谁，十三阿哥朝我笑了笑，两人转头进了屋子。

天色全黑，宫灯被一盏盏点亮，虽不如电灯明亮，但朦朦胧胧中反多了"雾里看花"的美。人都聚在楼下，楼上就我和巧慧坐着，娇笑声从楼下传来。我趴在窗口，随意地看着底下的丫鬟、小厮们忙碌，一边有一搭没一搭地和巧慧说话，一边扔糕点去喂湖里的鸳鸯。

巧慧低声叫道："小姐！"

我"嗯"了一声回头看她，却见她低着头，恭敬地站在我身后，我疑惑地转回头向对面看去，看见四阿哥、八阿哥长身玉立，正并排站在对面阁楼的窗口。隔窗望去，烛火一明一灭之间，两人的脸忽隐忽现。我下意识地站起，心想着，这玉般的美貌少年，今日并排相站，但终有一日要持戈相对、你死我活。虽对着良辰美景，一丝哀伤却从心里泛起。巧慧在身后拽我衣袖，这才发觉我竟只是痴看着对面，忙挤了个笑容出来，俯下了身子请安。对面的两人同时抬了抬手，我缓缓起来，侧身站在巧慧身旁。

一个小厮快步走到八阿哥身旁，低声说了些什么，八阿哥又和四阿哥说了几句。四阿哥点点头，两人遂一前一后地下去了。过了一会儿，丫鬟来说开席了，我问："太子爷不是还没有到吗？"

她笑回道："刚才太子爷遣了人来说，他刚办完事，要先换了衣服才来，让大家别再等了，先开席吧！"我点点头，随她下楼。

同桌的是两个年纪和我差不多大的小姑娘。我到时，两人正在谈笑，看我来，彼此欠了欠身子。坐定后，我环视四周，看见最前方正中的桌子空着，我猜该是留给太子爷的。左侧依次是八、九、十、十四阿哥，右侧依次是四、十一、十二、十三阿哥。

一个太监托着木盘，搭着大红缎子，上放戏单，站在四阿哥桌旁。四阿哥没有看，只朝太监吩咐了几句，只看他捧着盘子走到十阿哥桌前回话。十阿哥听完没说话只点了点头，拿起戏单草草一看，接过笔钩了下，递还给太监。太监这才转回四阿哥桌前，四阿哥也钩了一下。小太监捧着盘子又请八阿哥点戏，八阿哥挥挥手，让他下去。

不一会儿的工夫，戏台上已经咿咿呀呀地唱起来。此时京剧还未诞生，唱的是昆曲。只可惜在三百多年后，昆曲早已不再如此盛行，我所知道的也就《西厢记》、《牡丹亭》那极有名的几出而已，再加上昨晚刚和冬云学的《麻姑拜寿》。不过看了行头，也知道这一出是《武松打虎》，暗道，是十阿哥点的戏，只图热闹。刚演到武松骑在虎身上提拳要打，一个太监高声喊道："太子到！"一下子，台上台下全拜倒在地上。我从人群中望过去，一个身穿黄绫长袍、面容端秀的人缓缓走来。

等太子坐定，大家才敢起来。我随着众人起身，坐回桌前。太监又捧了戏单过来，躬身站在太子桌前，太子朗声道："今儿是给十弟做生日，让寿星先点吧！"

十阿哥站起来回道："先头已经点过，就等二哥点了。"太子这才拿过单子细看。

这下我是完全不知道上面在唱些什么了，旁边的两个姑娘倒看得分外入神。

几个大阿哥时有说笑，酒喝得并不多。可自十阿哥往下，酒是像水一样往下灌，十阿哥和几个阿哥都站在十三阿哥桌边要他喝酒，他也不推拒，举杯就干。干完之后，大声道："我们可要多给今儿晚上的寿星敬几杯。"众阿哥又纷纷向十阿哥举杯。我心想，这人真是引火烧身。

台上的戏又换了一出，我仍是不知道在唱什么，吃也吃饱了，瞧到十阿哥起身离席。转眼看姐姐正在一面看戏，一面和别的福晋说话。我遂起身尾随十阿哥而去。巧慧要陪来，我说："你就在这里候着，我去去就回。"前面一个小太监打着灯笼领路，十阿哥歪歪斜斜地走着，我心想果然是喝不过十三阿哥，人家仍是神清气爽的，他却已经颇有醉意。看到前面的屋子，才明白过来他是要去小解。我忙转回身子往外走了一段等着。

过了一会儿，小太监陪着出来，看我站在那里，十阿哥紧走了两步上来，问："站在这里干什么？"

我说："给寿星送礼来了！"

他看我空着手，问："礼在哪里？"

我看了眼旁边的小太监，他吩咐道："你先回去吧！"太监扎了个安自去了。

我领头走着，十阿哥跟在身后，又问："礼呢？"我不理他，自顾走着，他随我进了湖边的水榭。离戏台有一段距离，那边虽灯火通明，却只隐约看得见戏台上的人。我站定，指了指连着栏杆的木长凳，对十阿哥说："请寿星上坐。"

他一脸困惑，还有点儿不耐烦，但还是走过去靠着栏杆坐下。

我面向他站好，认真地请了个安。水榭里没有灯，只有天上的一弯半月，他坐在暗处，我不太能看得清楚他的脸，只听到他问："你的礼该不会就是请个安吧？"

我清了清嗓子，柔声唱道：

        ……
        寿香腾寿烛影高，
        玉杯寿酒增寿考。
        今盘寿果长寿桃，
        愿福如东海得寿比南山。
        青鹿御芝呈瑞草，
        齐祝愿寿弥高。
        画堂寿日多喧闹，
        寿基巩固寿坚牢。
        京寿绵绵乐寿滔滔，
        展寿席人人欢笑。
        齐庆寿诞中祝寿间妙。

尾音刚落，就听见水榭外的拍掌声音。

"我说十哥到哪儿去了呢！原来这里搭了个小戏台。"十四阿哥一面拍着手，一面进了水榭，身后跟着一脸笑意的十三阿哥。我请了安，一时有些尴尬，不知道该说什么。

十阿哥极是反常地没有出声反驳，只是站起来道："酒气有些上头，所以坐一下，回吧!"

十四阿哥绕着我走了一圈，边上下打量边道："什么时候也给我唱一出？"

我被他看得有些生气："十四爷生日的时候，如不嫌弃，若曦一定唱。"

他笑了两声，对十三阿哥说："十三哥，你要不要也订一出？"十三阿哥只笑了笑，没说话。十三阿哥明明性格更疏朗，却不和十阿哥开玩笑，显然十四阿哥和十阿哥关系更亲密，所以玩笑无忌。

十四阿哥还想开玩笑，我的脸色渐渐难看起来，十阿哥紧着声道："十四弟!"

"呀！十哥着急了。"十四阿哥摆手笑说，"好，好，好！这就走吧！"

三人先后出了水榭。我一屁股坐下，想这算什么？

坐了会儿，估摸着再不回去，巧慧肯定要急了，遂起身往回走。看着前面歌舞升平，心里却一片苍凉。觉得那是一个更大的戏台，而我是一个看戏的。上演的是一幕悲剧，如果不动情，那么看完也就算了，可我现在却是看得入了戏，感同身受，却又无力回天。

正低头慢走，突然一个声音喝道："你长眼睛了吗？往人身上撞。"

我一吓，忙停下，抬头看，是郭络罗家的明玉格格，正俏生生地立在我前面约十步远的地方，身后跟着个小丫头。我没有心情理她，想快步从她身边走过，她行了两步挡在我身前，讥讽道："真是个'野人'，一点儿规矩没有。"

我侧走了一步，想绕过她，她也随着我侧走一步，仍旧挡在身前。

我有点儿烦，抬起头盯着她，想看看她究竟想干什么。她得意扬扬地笑说："听说你脑子摔坏了。"

我也笑说："有些人，不用摔，脑子也早就坏掉了。"

她收了笑容，气道："有娘生没娘养的野人！"

我盯着她，笑道："有些人倒是有娘养，却是连野人也不如！"

她有些急，看她越急，我却越是觉得好笑，真是个小姑娘，这两句话也值得急。想当年我和同桌吵架，荤素俗雅不忌，一边骂着还一边要笑得越坦然越开心，这样效果才越好。

看我笑眯眯地看着她，她突然脱口而出："和你姐姐一样，都是不知礼数的贱蹄子！"

说我贱没什么，只不过是我的骂人词典中的初级词汇而已，但说姐姐却不行。从我在这个世界刚睁开眼睛时，姐姐对我的细心体贴照顾爱怜娇宠，已经一点点、一滴滴渗进了我的血液中，她是我在这个时空中最在乎的人！我唯一的亲人！我冷冷地盯着她："你从哪里听来的话？"

她看我急，有些得意："从哪里听来的不重要，反正就是贱——蹄——"她有意地拖长声音。

我"啪"的一巴掌甩过去，将她的话打断在口中。

小丫鬟冲上来搀着她，叫"格格"。她捂着脸看着我，一脸不敢置信。我仍是盯着她，冷声问道："从哪里听来的？"

她突然推开丫鬟，冲过来想扇我。

可惜我气势是二十五岁的，身体却是十三岁的，所以接下来的场面，可以用"惨不忍睹"四字来形容。

见过女生打架吗？就是抓、掐、挠、抠、拧，外带扯头发。

因为脚穿花盆底，所以当我们摔在地上扭打起来后，我们还动用了"咬"。

只听到旁边小丫头哭喊着"格格，格格"，她试图分开我们，可是两个扭打在地上的女人，她根本不知道该怎么拉。最后只听到她大喊"来人呀，来人呀"，太监小厮丫鬟纷纷闻声而来，叫嚷着"别打了，别打了"，可惜地上的两个娇贵主子打得正欢，哪里会听？他们又不敢使大力，怕伤了哪个都不好交代。

本来就在酒宴旁边没有多远的地方，动静越闹越大，最后终于惊动了太子阿哥福晋格格们。几个小阿哥跑得快，很快就过来了，大阿哥们和太子爷随后也跟了过来。女眷一则走得慢，二则离得本来就远一点儿，所以过来得晚。

十三、十四阿哥当先跑过来，八阿哥和九阿哥紧随其后，十阿哥身子不太稳也晃悠着跑过来，四阿哥和太子爷比较矜持，所以走得慢一些。

十四阿哥人未到，声已先到，叫道："你们这是干什么，还不快住手！"

十三阿哥也叫："别打了。"

可谁听他的呢？我和明玉格格继续！没办法，十三阿哥、十四阿哥只好快走过来，准备动手强拉。

忽听得"扑通"一声，众人齐声惊叫。

原来我们俩打架的地方本就在湖边，这会子满地滚着扭打在一起，早昏了头，连着翻了几个滚就掉进了湖里。

我刚掉进湖里时还有几分窃喜，心想我在大学里可是考过蛙泳二百米的，明玉这个娇贵的格格肯定不会游泳，可紧接着就发现自己错了。

脚蹬花盆底，身穿美宫装，头戴重头饰，再加上还有一个人紧拽着我的衣服乱动，我和不会游泳没什么本质区别，只好闭着口气等人来救，心想应该很快的，岸上那么多人总不能看着我们两个被淹死。

可时间过得好像很慢，我觉得我胸里已经很闷了，越来越紧张，正觉得已经不行时，感觉一个人贴着我的背，手从我腋下穿过搂着我，拽着我衣服的手也被拉开，然后慢慢浮出水面。刚出水面，我就开始大口喘气，救我的人颇为诧异，大概没想到我竟然知道在水中闭气，意识完全清醒。

上了岸后，发现抱着我的是十三阿哥。十四阿哥正抱着明玉格格爬上岸，她已经完全昏迷，双眼紧闭，身体一动不动。

我虽然比她好，可也是身体无力，软倒在地上，靠在十三阿哥怀里只知道喘气。十阿哥冲上来，拉着我问："有事没有？"

我没什么力气地眨巴了下眼睛，这呆子！明明看到我眼珠子还在乱动，再有事能有多大的事？

明玉格格那边却已是叫声嚷声哭声一片，我看他们拼命地压她肚子，她仍没有反应，一旁站着的几个大阿哥都神色严肃。我心中有些害怕，不会闹出人命吧？

正想着，看明玉吐了几口水出来，慢慢睁开了眼睛，我心中一松。

姐姐这个时候刚到，看我坐在地上，扑上前来，只是摸我，手有些抖，我安慰她："我没事，没事的！"

她确定我安好无恙后，这才站起，又冲到明玉格格身边去查看。巧慧和冬云过来，从十三阿哥怀里接过我，扶我站起，又拿了披风把我裹起来。

八阿哥板着脸一丝笑容也没有，明玉格格的那个小丫鬟正站在他身旁，低着头回话，肯定是打我的小报告了。

四阿哥和太子爷沉默地站在一旁，虽然他们见多识广，估计对此等场面也是第一次见。

那厢明玉格格缓过劲来，用力搡开身边的姐姐，坐在地上号啕大哭起来。姐姐踉跄一下坐倒在地上，我一看用劲挣脱巧慧，冲了过去，姐姐厉声喝道："你想干什么？"

我这才狠狠地站住，姐姐高声问道："怎么回事？"

我裹着披风立在那里，轻蔑地看了一眼地上的明玉格格，"哼"了一声没有说话。

姐姐对明玉格格柔声说："别哭了，小心伤了身子。若曦欺负了你，告诉我，我替你做主。"边抽出绢子想替她擦眼泪。

她把姐姐的手狠狠打开，带着哭声喊道："你们都欺负我，你们都是……"

我厉声大喝："你再说一个字试试！"

她狠狠地盯着我，我也极其阴狠地盯着她，跟我比气势？

她终是把话吞了回去，张嘴又想哭，我上前两步喝道："不许哭！"

她坐在地上仰着头，张着嘴看着我，显然是从没见过这么不吝的主，有些吓傻了。

不过傻在当场的可不止她一个，姐姐，十、十三、十四阿哥他们都有些震，四阿哥、八阿哥、太子爷也都静静地看着我，鸦雀无声，落针可闻。

最后，太子爷轻笑了两声道："没想到十三弟在这里倒有个妹子了！"

大家这才回过神来，明玉格格依旧哭了起来。姐姐恨恨地看了我两眼，让巧慧、冬云扶我回去，自己忙着照顾明玉格格。

冬云熬了姜汤给我喝，巧慧服侍我泡热水澡。两个人都不说话，姐姐回来后也不理我，看来我今天晚上的样子的确很吓人。

本来想着，姐姐的气过去了，也就好了，可已经五天，任凭我是做低俯小、温柔可怜，还是装疯卖傻，姐姐都不和我说话，屋子里的丫头也凡事都静静来，悄悄去，人人都当我是"隐形人"。

我心想，自动禁足在屋，也不能换来原谅，索性出了门。

一路晃悠过去，只觉得路上碰到的太监小厮丫鬟仆妇们眼光都不对，待我比平时更多了几分恭敬和小心。我也不太在意，仍旧在园子里晃来晃去，远远瞅到十阿哥、十四阿哥的身影，忙追了过去。

"你们去哪里玩？"

他们回身见是我，都是一愣，只管瞅着我，我也歪着脑袋吊儿郎当地回看着他们。最后，十四阿哥扑哧一笑说："你这是什么样子？"

我咧了咧嘴说："破罐子破摔的样子！"

十阿哥嬉皮赖脸地道："我以为你对我就够凶的了，现在看来，对我还是很好的！"

十四阿哥摇头笑叹道："初见还以为是娇柔美佳人。"

我问："那现在呢？"

他抿着笑，反问道："你可知道你已'一战成名'？"

我心想，当时这北京城里最尊贵的少爷小姐们恐怕都在场，总是会有人替我宣扬宣扬事迹的，紧了紧嘴角，说："猜也猜得到。"

他笑道："这几天，全紫禁城的公子哥们谈笑的都是'拼命十三妹'！"我"啊"了一声，他接着道："连皇阿玛都开玩笑地问十三哥'什么时候认了个妹子？'"

我不敢置信地捂着嘴，瞪大眼睛看着十四阿哥。心想，天哪！连康熙都知道我了，十四阿哥看我的反应，越发笑得欢。

三人正笑闹着，看见一个小太监匆匆跑来，抹了抹额头的汗上前请安，然后对我躬身道："园子里转了好几圈可找着您了！贝勒爷说要见您，在书房等着呢！"

我心想审判结果终于要揭晓了，心里惴惴的。不是怕他对我怎样，而是怕会牵连姐姐。

十阿哥看我脸色忧虑，粗声道："现在知道怕了？"

十四阿哥却敛了笑，柔声说："别害怕！我会帮你说情的。"

我诧异地看他，他微微一笑，我低声道："那谢谢了！"

我们进去时，八阿哥正坐在桌前写字。只向十阿哥、十四阿哥点了点头，瞅也没瞅我一眼，继续低头写字。十阿哥、十四阿哥找了椅子各自坐了。我站在中间一动不动，低着头心想，又来了一个把我当"隐形人"的人。

过了好一会子，十阿哥、十四阿哥茶都喝完了一盅。八阿哥终于放下笔，封好写的东西，对旁边的太监道："把折子直接递到吏部。"太监揣好东西自去了。

八阿哥抿了口茶，对十阿哥和十四阿哥说："你们对今儿早上弹劾常授招抚广东海盗阿保位的事情怎么看？"

十阿哥嚷道："能怎么看？对这些海上横行的海盗岂能手软？不杀一儆百，其余将更猖狂！"

八阿哥没有理他，只是看着十四阿哥。十四阿哥想了会儿说："皇阿玛虽没发话，但我揣摩他心里早拿定了主意，只怕是赞许常侍郎如此做的。这二百三十七名海盗都骁勇善战，又对周边海域极为熟悉，个个都算是好汉。招抚他们为兵，既增加了海兵实力，让其他海盗心生忌惮，又扬了我大清威仪，知道但凡有本事的人，肯为国效力的，皇阿玛就会给他机会。"

八阿哥听完点了点头，看来十四阿哥所想的和他正好一样："那我就上个折子替常侍郎求情。"

后面他们又说了什么我是一概没听进去，只心里想着，政治、权谋！然后我就站啊、站啊、站……

天已经黑透，一个太监进来问是否该备膳。

八阿哥笑说："光顾着说话，竟忘了时辰！这么晚了，你们回去也得折腾，若是没打紧事，就在这里用膳吧！"

十阿哥和十四阿哥都笑说好，太监领了话转身出去。

八阿哥看着我，手指轻叩着桌子，脸上仍带着笑。

屋里静悄悄的，只听到低低的敲桌声音。我还是低头站着不动，拜当年军训严格所赐，我还就这么站了两个多时辰。

八阿哥转头对十阿哥和十四阿哥笑说："你们先去吧！我随后就到。"

两人站起后，十四阿哥径直去了，十阿哥却期期艾艾地说："我们还是一块儿走吧。"

八阿哥笑着深看了他一眼，道："你先去。"

十阿哥看了我一眼，终是走了。

八阿哥让屋里的太监也退了出去，然后走到我身前站定。

只觉得一股无形的压力压得我几乎要站不稳，低头看着他的鞋子，心"扑通，扑通"地跳，心思千回百转，却不知道自己想了些什么。

过了半日，他低声道："头抬起来。"

我心里一万个不愿意，可终是没胆，遂乖乖把头缓缓地抬了起来。脖子、下巴、嘴巴、鼻子，终于对上了他的眼睛，如深湖，好似清澈却不能见底，我很想转开视线，可不知为何却没有动，只是看着。

他面色沉静，带着丝探究盯着我，似乎从我脸上找寻着什么。

不知道过了多久，也许有一秒钟，也许一个时辰，他从嘴角渐渐逸出一丝笑来，然后这笑意慢慢地扩散到脸，最后眼睛里也盛满了笑。我却觉得我真的站不住了，不禁捂着胸口倒退了两步。他大声笑了起来，我心想，原来他笑的声音这么好听！像是微弱的电波流过心脏，让你的心麻麻的，酥酥的。

他嘲笑地问："你那天晚上的泼辣劲儿哪儿去了？"

我头有点儿蒙，不知道说什么好，只是傻站着。

他又笑了几声，提步往外行去，到了门口，回头笑道："你是还想再站吗？"

我一听，忙转身跟出去。他吩咐完太监送我回姐姐那里去，自转身走了。

站久了，腿有些僵，我一步一挪的，太监在前面提着灯笼领路。

我边走边琢磨，八阿哥这是什么意思，这就算完了？正走着，前面的太监忽躬身请安："十阿哥吉祥，十四阿哥吉祥！"

十阿哥看我脸含悲凄，急问道："怎么样？"

我咬着嘴唇，欲言又止，欲言又止，几次后终是低下头什么也没有说。

十阿哥抓起我的手，急道："走，我们找八哥去！"

我抽出手，幽幽看他一眼，然后目无焦点地凝视前方，脸上无限凄苦，缓缓摇了摇头。

"哈哈哈……"十四阿哥弯着腰，捂着肚子大笑，叫道，"天哪！"

十阿哥被他突然而来的笑给笑蒙了，带着怒气看着他。

"扑哧"一声，我也笑了起来。

十阿哥看看我，又看看十四阿哥，反应过来他被我捉弄了，突然一甩袖子转身就走，怒声道："我是白担了这个心！"

我和十四阿哥忙赶前拦住他。

我敛了笑意，软声道："下次不敢了，你就原谅我这一回吧！"

十四阿哥也连连作揖，十阿哥这才脸色和缓。

我转头盯着十四阿哥，问："是谁说要给我求情的？"

十四阿哥笑说："八哥是出了名的温润君子，待人接物从来都是彬彬有礼、温文尔雅。如果你进去时，他对你客客气气，一切正常，我倒是要好好想想该怎么求这个情。"他顿了顿，接着说，"后来，看你站的时间越长，我心想，得！这情不用求了！"

我听后无语，十阿哥却怪道："那你怎么不提醒我？"

十四阿哥笑说："等着看戏呗！"

十阿哥气道："好你个十四！你……"

十四阿哥截道："这人也看了，心也安了，该吃饭去了吧！否则八哥真该恼了。"

我说："我也饿了，回去了。"刚走了两步，想了想，又回身叫住他们，问："郭络罗额驸府是什么反应？"

十阿哥张嘴刚要说话，十四阿哥抢道："反正这事到这里就算揭过去了，你也不用再想了，赶紧回去让丫头好生给捶捶腿吧！"

回了屋子，姐姐看我进来，没有什么表情，只对旁边的丫鬟吩咐道：

"让厨房把饭菜热热，送过来。"

丫头应了声，自出去了。不一会儿，又进来赔笑回道："刚出门碰到小四子，他提了个食盒子，说是给小姐的，所以奴婢回来问问还要厨房热菜吗？"

身后一个小太监提着食盒子站着。姐姐看了眼小太监说："既有现备的，就不用热冷菜了。"

丫头转身接过食盒，打发了太监，服侍我用饭。

站了两个多时辰，早饿狠了，我忙开始大吃。

姐姐坐在榻上，只管盯着我，一脸若有所思。等我吃毕，姐姐淡淡道："洗洗早点儿歇着吧！"

我叹了口气，心想气还没消，可又无计可施，只得回房歇息。

第四章

人有悲欢离合

日子一天天过，我开始觉得生活无比沉闷，翻来覆去就那么些事情可做，姐姐又对我冷冷淡淡。整个贝勒府能去的地方我已荡了无数遍。我开始无比怀念深圳的纸醉金迷、狐朋狗友、灯红酒绿，而这里只有男人才能享受那些。

我百无聊赖地坐在石头上，对着湖面郁闷：

"唉！"

"唉！"

"唉！"

……

忽听到身后十四阿哥的声音："我赢了！"

回身看，见九、十、十四阿哥正站在身后，忙起身请安。十阿哥大声道："你怎么叹个没完没了的？你这几口气叹得我二十两银子没了。"

九阿哥加了句："还有我的二十两。"

我困惑地看着笑得合不拢嘴的十四阿哥。他笑道："我们打赌你究竟能叹多少口气，九哥赌你不超过二十声，十哥赌你不超过四十声，我赌你超过四十声。"

我想了想，问道："我叹了那么多声吗？"

三人异口同声地说："怎么没有？"

我努了努嘴，没有说话。

十阿哥问："你干吗叹气？"

我刚想回答，十四阿哥就说："先别说，我们再猜猜，还是二十两。"

我笑说："赌上瘾了！"

十四阿哥催道："九哥先猜。"

九阿哥摆摆手说："我猜不出来，你俩猜吧！"

十阿哥仔细地看看我的脸说："无聊。"

十四阿哥笑说："看来今日只能赚四十两了，我也猜是无聊。"

我板着脸摇了摇头说："不是无聊！"

两人都是一愣，疑惑地看着我，十阿哥问："那是什么？"

我严肃地说："是非常，非常，非常无聊！"说完，四人都笑了。

十四阿哥笑说："别再无聊了，快要过中秋节了，宫里有宴会。"

我算了算日子，说："居然要过中秋了。"续问道，"你们是要去见贝勒爷吗？"

十阿哥回说："是！不过姚侍郎正在书房，我不想见那聒噪老头子，所以在园子里先转转。"

我想了想说："待会儿我和你们一块儿去给贝勒爷请个安，可好？"

十四阿哥挑了挑眉毛说："无事献殷勤，非奸即盗！"

我瞪了他一眼，没有吭声。

进书房时，八阿哥看我和三位阿哥一块儿进来，也没什么特别的表情，只微笑着让我坐。

我笑了一下说："我的话很短，说完就走，站着就行了。"

他向后靠在椅背上，随手把玩着个鼻烟壶，嘴边带笑地说："你的事情，我帮不上忙。解铃还须系铃人。"

我愣了一下，沮丧地做了个福，道："若曦告退。"

他笑说："去吧！"我转身出了书房。

边走边想，救兵没搬到，看来只好自力更生。回屋时，姐姐还在经房念经。我在屋里一边绕着圈子，一边想怎么说呢？正想着，姐姐进了屋，看我在地上打圈子，没有理我，自去斜靠在榻上。

我忙跟着坐过去，默了半晌，幽幽地说："额娘去时，我才刚出生。从小到大，只知道，爹爹说我是'闯祸精'，姨娘讨厌我顽劣，别的兄弟姐妹，虽有个别还算要好的，可毕竟不是一个娘生的。只有姐姐，我俩是一个娘胎里的，姐姐对我又一向疼惜，妹妹有什么不对的，不管姐姐是打也好，骂也好，我都是听的。可姐姐对我不理不睬，我……我……"说着时，一面想到永远无法再见父母，一面也的确难过于姐姐这几天的冷淡，眼泪涌了出来，哭着说不出话来。姐姐听着，也是眼泪直往下掉，直起身搂住我，两人抱着又哭了一会子，才在巧慧、冬云的劝解下慢慢收住了眼泪。

姐姐一边用绢子擦着眼泪，一边说道："你以后可要把这暴烈脾气都改了，要不然自己的小命是怎么丢的，都不知道。"缓了缓又说，"你以为郭络罗家的明玉格格是好打的？这次若不是贝勒爷替你兜揽着，不管是嫡福晋还是额驸府都是放不过你的。"我听完，看姐姐如此难过，只知道点头答应。

自那天姐妹抱头哭完后，姐姐的气才算是全消，待我更是温柔体贴。因快要过中秋节，嫡福晋身子不便，所以府里过节的事情还是姐姐在操持，日日忙得不消停。

我心里的疙瘩没了，心情好过不少，又做起了富贵闲人。最令人开心的事情是，自上次在十阿哥和十四阿哥面前嚷嚷完无聊，他俩时有些新奇小玩意儿派人送过来，解了我不少闷，又时时猜测下次会送什么过来，惹得满屋子的丫头都跟着兴冲冲的，笑闹声不断。

转眼中秋将至，府里一片喜气洋洋。因为要入宫赴宴，姐姐每日都把规矩一讲再讲。何处更衣、何处燕坐、何处受礼、何处开宴、何处退息，让我一背再背，唯恐我当日举止不当。

至十五日下午，贝勒爷、姐姐都装扮妥当，我也收拾停当，一行人遂各自乘了轿子往紫禁城行去。

因上大学时选修卷轴画史课，故宫常有画展，所以我经常去，不过只熟悉绘画馆附近的几个地方。故宫太大了，从来没有逛完过。今日即将欣赏到这座宫殿的全盛状态，说不激动那是假的。

一道道门，一重重礼，一排排卫士，我已经完全晕了，精神高度紧张，唯恐行差踏错，根本顾不上看周围的环境。这才暗自庆幸，还好姐姐训练得好。

好不容易坐定，感觉脚有些发软。缓了缓劲，四处打量：悬灯万盏，亮如白昼，鼎焚龙檀之香，瓶插长青之蕊，银光雪浪，珠宝生辉。

暗自叹道：好一派皇家气象，根本不是现代的电视剧可以描摹万一的。

众位妃嫔阿哥福晋格格渐渐到齐，各自坐定。又等了一小会儿工夫，只见一队太监快步而来，各自按方向站定，一个声音远远传来——"皇上驾到"，大家都起身站定。又过了一会儿，才看见一个中等个头，身穿黄袍，帽饰美玉，面貌古拙，脸带笑意的中年男子缓步行来。

大家呼啦啦地全部跪倒在地上。我心想，千古一帝，康熙爷！

虽跪了一地的人，但一个大喘气的都没有。待康熙坐定，旁边太监高声叫道："起！"大家这才纷纷起身立着。

康熙笑看了一圈底下的人，说道："都坐吧！难得过节，都随意些。"众人齐应："嗻！"各自落座。

话虽这么说，但我看大家都是该守的礼一点儿也不敢差，不禁叹道，这就是普天之下莫非王土的天子威严。

酒过三巡，席上的气氛才有些活络。

几个小阿哥也开始互相逗起乐子来，纷纷相对举杯，其中十阿哥的吵吵声最是响亮。太子爷、四阿哥、八阿哥也自谈笑饮酒。

我正游目四顾，突然对上明玉格格的视线，她恨恨地盯着我。我立即冲她露了个无比灿烂的笑，心想，气死你！她越发恨恨地瞪过来，突然间，像是反应过来什么，抿抿嘴角，也朝我妩媚一笑。我立即感觉全身一股凉意，打个哆嗦，心叹道，果然还是笑面虎最可怕。

吃吃喝喝，饮饮停停，笑笑看看，虽没人搭理我，但我很是自得其乐。幸逢盛会，岂能不尽情享受？

正低头乐，突然周围变得很安静，一抬头，看见大家都看着我。听到太监说："马尔泰·若曦上前觐见！"

我一惊，一时反应不过来，突然一个激灵，忙起身，出席，上前，跪倒，边磕头，边脆声道："皇上吉祥！"

康熙道："起来回话。"

我一边立起，一边想，所为何事？康熙笑问："这就是'拼命十三妹'？"

侧旁的一个妃子赔笑说："真没想到，居然是个娇滴滴的小姑娘。"

众目睽睽，只觉得非常紧张。康熙看着我笑问："你见朕，很紧张？"

我觉得再不说话肯定不行，只得应道："是！"

康熙好像觉得颇为好玩，接着问："为什么？"

我想了想，回说："初次得见天颜，觉得威严无限，所以紧张。"

康熙"嗯"了一声，又问道："你觉得我很威严？"

我心想，天哪！怎么没完了？心里仔细思量着怎么回答，一个答不好，只怕就要玩完。

康熙见我没有立即回答，继续笑着问："你怕朕？"

我心想，只有暴君才希望人人怕他，自古明君要的都是人心服，再不敢迟疑，赶忙说："不是，皇上一代圣君，奴婢怎么会怕呢？只是奴婢第一次进宫，觉得天家气象威严，心里有些紧张。"

康熙笑着问："一代圣君？你为什么认为朕是一代圣君？"

我心里那个苦呀！为什么？历史早有评断，可又不敢直接照搬什么六岁登基，擒鳌拜，平三藩，收台湾，平定噶尔丹之乱……因为那是康熙晚年自己给自己的评价，我不敢抢他的台词。只好拼命琢磨，脑子飞速转了好几圈，冒出的竟然是高中课本上的《沁园春·雪》，心里也觉得很是贴切，顾不得那么多了，救命要紧，只好朗声说道：

> 惜秦皇汉武，略输文采。
> 唐宗宋祖，稍逊风骚。
> 一代天骄，成吉思汗，只识弯弓射大雕。
> 俱往矣，数风流人物，还看今朝。

康熙帝听完，点点头，笑说道："听惯了尧舜禹汤，今日这话倒是新

鲜！"

我心里大叹，怎么把尧舜禹汤给忘了呢？不过现在看来效果甚好，这个马屁算是拍得还不错。

康熙说道："看来你不是光知道'拼命'！"又对旁边的太监说："赏！"我又忙跪倒在地上，领完赏赐，退了下来。坐回位子，发现手心都是汗，抬头看，发觉太子爷和四阿哥正在仔细打量我，又赶忙把头低下。

这么一闹，康熙心情好似大好，众位陪着的嫔妃也跟着谈笑宴宴。

众位阿哥纷纷上前给康熙敬酒，说吉祥话。

九阿哥走回座后，只看得十阿哥走上前，端着酒说道："皇阿玛，吉祥话都让哥哥们说完了，我没什么好说的了，只恭祝皇阿玛身体安康。"说完一仰脖子喝了酒。

康熙摇了摇头，道："记不住文章词句，只有说俗话。"

康熙身旁一个容貌娇艳的妃子笑道："虽是俗话，但说得倒是实在！"

康熙点了点头，看着十阿哥，想了想说道："已经十七了。"

那妃子笑道："九阿哥在这个年纪已经立了福晋，也该给十阿哥立福晋了。"

她话音刚落，众位阿哥都很是注意地听了起来，十阿哥低着头一副思索的样子。

康熙说道："是到年纪了。"

妃子又笑说："前日静格格刚和我提起，小女儿明玉年龄差不多了，要我帮忙参详合适的人，我看和十阿哥倒是般配。"

十阿哥听到这话，猛然抬起头来看着康熙，满脸紧张，康熙点头道："是般配。"

康熙默想了会儿，看着十阿哥说："就立郭络罗·明玉为老十的嫡福晋吧！"

十阿哥早涨红了脸，赶忙高声说道："皇阿玛，儿臣还小……"

话还没有说完，康熙就打断道："十七还小？"

十阿哥急得直在头上乱挠，一面急声说："四哥、八哥都是先立的侧福晋，要不，也先给我立侧福晋吧！"

康熙板着脸道："胡闹！明玉做你的嫡福晋，还委屈了你不成？"

十阿哥急得不知道怎么回话，忙跪倒在地上说："儿臣不是这个意思！儿臣，只是，只是……儿臣，只是想……"

话未成句，八阿哥已经站起，面带微笑，态度从容地缓声说道："皇阿玛，儿臣看十弟只是感觉有些突然，一时半会儿反应不过来而已，等醒过神来，只怕高兴还来不及。"

十阿哥猛然回头瞪大眼睛盯着八阿哥，紫涨着脸，脸上几分急、几分怒、几分痛，更多的是哀求。

八阿哥也盯着他，嘴角仍然带着笑，叫道："十弟，还不快谢恩！"

十阿哥盯着八阿哥只是看，八阿哥仍然是一副温文尔雅的样子，眼睛幽暗深重，辨不明那里面盛着什么。

最后，十阿哥满脸的哀求、心痛、愤怒全部化去，只剩一脸漠然。他慢慢转回头，手紧抠在地上，慢慢地、重重地磕了三个头，脑袋触地的声音清晰可闻，高声说道："儿臣谢皇阿玛！"

八阿哥缓缓坐了下来。

我只觉得那三个响头，全磕在了自己心上。一声、一声、又一声，重重地压下来，压得我喘不过气来！早知道古代婚姻都是父母之命、媒妁之言，个人很难有自主权，可是真实面对这一幕时，才感觉到它的残酷。

我愤怒地盯着明玉，她也一直看着我，脸上几分凄楚、几分得意、几分不甘，还有几分恨。慢慢地，她脸上的凄楚、得意、不甘都消失，缓缓化为一个妩媚的笑容。她在我愤怒的目光中，婷婷站起，仪态端庄地上前谢恩。看着十阿哥和她并排跪着的身影，我只想大喊，为什么？为什么？他不是阿哥吗？他不是有最尊贵的身份吗？为什么这最尊贵的身份剥夺了他最珍贵的东西：自由！

想到姐姐，再看看眼前一幕，还有渐渐逼近的选秀日期。难道这就是这紫禁城中所有人的命运？一直隐藏着的恐惧全部涌了出来，我又会被指给谁？看着康熙身旁，年纪可做他女儿的妃子，看着宴席上一张张陌生虚伪的脸，我全身簌簌发抖，脑子里不可控制地想，我是会给这个老头做侧室，还是给那个少年做正妻？

我不知道后来又发生了什么事情，也不知道自己是如何出的宫门，只记得在府门前，轿子刚停，我就冲了出来，跑进了大门，身后一片惊叫声。

我只是跑着，飞快地跑着，拼命地跑着，用尽全身力气跑着。我觉得我要找个地方躲起来，要不然我也会莫名其妙地要嫁给一个人。

身后，丫鬟、小厮都在追我，姐姐边跑边喊："若曦，若曦……"

八阿哥一面快步走着，一面冷声吩咐侍卫抓住我。一个侍卫跳到前面拦住我，我想绕过他接着跑，他伸手拉住我。我拼命地挣扎，只想赶快挣脱他，快去找个地方躲起来。

听到八阿哥的声音远远传来："打晕她！"

我后脖子一疼，就什么也不知道了。

自从中秋宴后，我就很少说话。巧慧、冬云使尽浑身解数，我不为所动，每天不是坐在桌前临帖，就是找个地方发呆。

我第一次开始严肃审视自己在古代这个事实，我认真地思考着我可能的命运，我不停地一遍又一遍地问自己，我难道就这么坐等着一切的降临吗？

府里的丫鬟小厮们都用怪异的眼光偷偷打量我，我知道大家都在议论我为十阿哥发疯了，可是我不关心这些。

姐姐总是沉默忧伤地看着我。我自己一天天瘦下来，姐姐也一天天地瘦下来。

有时听到巧慧悄声地说："主子，你劝劝小姐吧！"

姐姐柔声回道："劝是没有用的，时候到了，她自然会想通，认命的！"我心想不会，不会。我永远不会想通，为什么我的命运会由他人随便一句话就决定？从小到大，我只知道我现在的努力决定明天的结果。"今日花，明日果"是我的座右铭。我不能接受自己的命运就是别人的几句话。不能，我不能！我痛恨老天，为什么要让我到这里。要么索性让我就出生在这里，这样我也许可以认命，可是我已经在现代社会活了二十五年，接受的教育是命运掌握在自己手里，现在突然告诉我，一切都是命，认命吧！我不能接受！

已是深秋，树上的叶子开始纷纷掉落，我经常站在树下，看着风吹过时，随风飘舞而下的树叶。

每一片都是一个舞者，它们在风中飘左、飘右、飘上、飘下，忽地打一个旋，像戏台上青衣、小旦的一个腰身轻摆，无限妩媚，最后终是敌不过地心引力，慢慢地，带着对风的无限眷恋落下。

八阿哥、十四阿哥站在我身旁，陪着我看了一会儿落叶的舞蹈。

我轻轻地说："它们都是忧伤的，不想落下，却最终逃不脱落下的命运。"

十四阿哥柔声说："你现在是'感时花溅泪，恨别鸟惊心'，等过几日，心情好了，就不会这么想了。"

我没有说话，只继续看着那风中飘舞的片片叶子。

十四阿哥等了一会儿，问："若曦，你真的很喜欢十哥，是吗？"

我随手抓住一片飞过眼前的黄叶，道："是的！我很喜欢他。他爽朗，活泼，能让我开心，最紧要的是他待我好。"我把放在手心的叶子用力扔起，半仰着头，看着它在风中的摇曳舞姿，"不过我的喜欢不是别人所想的那样，他只是我要好的朋友。"

十四阿哥诧异地问："那你为什么对十哥的婚事这么难过？外面的人都在说'十三妹因为十阿哥的婚事伤心疯了'。"

我转身看着他，道："我难过不是因为他的婚事，而是因为他的婚事是别人强加给他的，他并不想要。"沉默了一会儿，又问，"我难过是因为为什么自己的命运要听别人摆布，为什么不可以自己决定？"

话刚说完，十四阿哥倒抽几口冷气，瞪视着我。八阿哥紧盯着我，冷着脸，严肃地说："这些大逆不道的话，以后不许再说！"

我扯了扯嘴角，冷笑一声，侧过了头。他上前两步，一只手卡着我的下巴把我的脸扳向他，眼睛紧盯着我的眼睛，冷声问："听到没有？"

我扭了扭头想挣脱，却发现他手劲出奇的大，根本无法挣脱，只好倔犟地盯回他。

他慢慢加大了手上的力气，一字一顿地肃声问："听到没有？"

我不肯回答，只觉得越来越疼，他似要掐死我。十四阿哥叫："八哥！"

八阿哥不理他，只问我："听到没有？"

他的眼神冰冷，我恨恨地瞪着他，不甘愿地说："听见了！"

他盯着我，慢慢收回手，甩袖就走。

十四阿哥沉声说："你疯了？这个'别人'可是大清的天子，八哥也是为你好！"说完，匆匆转身，紧追八阿哥而去。

我就这么呆立在漫天飞舞的落叶中，凝固成了风中的一个画面。

巧慧来找我，她看着我叹气，温柔地扶着我的胳膊说："小姐，这里风大，我们回去吧！"

我随着她无意识地慢慢往回走。进屋时，姐姐看到我，忙迎了上来，拉过我的手，惊道："手怎么这么凉？"一边扶我坐下，一边紧着声吩咐巧慧快去拿热茶。

姐姐双手握住我的手替我搓手，她手心的暖意一点点、一丝丝地传给我的手，又渐渐从我的手传到我心里。我看着姐姐瘦削的脸孔，心里又是难过、又是温暖、又是委屈，忍不住抱着她大哭起来。

姐姐搂着我，一面拍着我的背，一面喃喃说道："哭出来就好，哭出来就好！"

哭了半日，觉得嗓子已经哑了，才慢慢收了眼泪。却仍是不肯起身，仍抱着姐姐。

姐姐也不说话，只是手有一下没一下地轻抚着我的背，过了半晌，我头窝在姐姐怀里，闷声问："是因为我打了明玉格格，她才要嫁给十阿哥吗？"

姐姐扶起我，拿绢子替我擦了擦脸，说："你打不打，她都是要嫁给十阿哥的。"她轻叹口气，"我们这样的人都不过是皇上手中的棋子罢了！你看着像是皇上临时起意，其实只不过是贵妃揣摩对了他的心意，寻了个合适的时候陪皇上演场戏罢了！"

我听后无语，心叹道，我是高估了自己，还认为是明玉以为我喜欢十阿哥，就抢了来报复我，不过这样也好，我对十阿哥的内疚之情总算减了几分。这些宫里的人啊！突然一个冷战，全身直冒冷气。想起先前说的话，一下子抱住姐姐，心里无限害怕地想着，不可以再乱说话了，绝不可再乱说话了，否则会害死姐姐的。

树上的叶子越落越少，我一点点地正常起来，至少表面上是。时而也会与丫鬟笑闹两句，只是饭仍然吃得不多。不是没有想过逃出府去。可如果我只是个丫头，也许逃也就逃了，大家找一找大概也就算了，可我是将军的女儿，八贝勒爷的妻妹，又是待选的秀女。这里整个天下都是爱新觉罗家的，我能跑到哪里去？再说，我还有姐姐，我若真走了，她只怕承受不住。

　　一日正在屋中临帖，巧慧说十四爷来了。我搁下笔，走出屋子，看十四阿哥正站在院内。

　　我上前请安，问："为什么不进屋子呢？"

　　他道："我们去园子里走走！"

　　我点了点头，巧慧拿了件水绿织锦绣花披风给我披上，又叮嘱不要站在风口，我答应后随着十四阿哥出了院子。

　　两人一路都是默默的，走了一会儿，我强笑道："你这是做什么？半天一句话也没有，会闷死人的。"

　　十四阿哥干笑了两声道："来之前好像满肚子的话，这会子倒不知道说什么。"

　　我立定，侧头看着他说："我已经没事了！"

　　他随我停下，叹了口气道："你没事了，可十哥还是很有事。"

　　我没说话，只用眼睛瞅着他。

　　他又叹了口气道："十哥自从中秋宴会之后，就没有上过朝。皇阿玛问了几次，八哥都回说是身体不适，再这样下去，皇阿玛要派太医去看了。"

　　我低头看着自己的鞋尖，问："那你想让我做什么？"

　　他回说："去见见他，然后劝劝他。"

　　我沉默了会儿，点点头答应了他："什么时候？"

　　他道："明日下朝后，我来接你进宫去见他。"

　　我说："好！"

我和十四阿哥坐在马车上，两人一路都沉默着。

出门时姐姐什么也没问，想来八阿哥已经遣人给姐姐打过招呼了。到了宫门口，下了马车，小厮伺候着换乘了轿子，半日后，轿子方停。

十四阿哥领我进了个院子，指了指正对着的门，道："我就不进去了。"

我点点头，正要提步，他又补道："过一阵子，我支开的太监们就会回来，尽量快些。"

我"嗯"了一声，上前掀帘而入。

一进门，是个花厅，屋中一股子酒味，却无人。我看了看侧旁一个拱门，上垂珠帘，于是分帘而入。珠串之间彼此碰撞，发出清脆悦耳的声音，侧卧在榻上的十阿哥眼睛不睁，吼道："我说了别来烦我，滚出去！"

我上前两步，站定看着他，起先想好的话却不知道该从何说起。他猛地睁开眼睛，一脸怒气，见是我，满脸怒气化为错愕，然后又是黯然，缓缓坐了起来。

我走到桌边的椅子前坐下，拿起桌上的酒壶摇了摇，里头还有些酒，又放下。静了会儿，我问："你就打算这么醉下去吗？醉了就能不娶明玉格格了？"

他默了一会儿道："我只是心里烦。"

我问："烦什么？"

他低头套鞋，闷着声音说："你看我在烦什么？"

这会子，我心里已经没有刚进屋的慌乱，倒是越发冷静："一烦是因为你不喜欢明玉格格，却要娶她。二烦是对我有好感，却不能娶我。"他站起来，也走到桌边坐下，倒了杯酒端在手里，凝视着酒杯发起呆来，过了半晌，他细声问："你肯做我的侧福晋吗？"

我一时愣住，所有准备的谈话内容中，可没有这一项。我忘了"二女共侍一夫"在古代的普及性了。

他抬起头，热烈渴望地看着我，重声道："我会待你很好的，我一定……"

我赶忙打断他："我不愿意。"

他紧咬着牙，看着我点了点头，猛然端起酒杯，一干而尽："我知道！即使让你做我的嫡福晋，你也不见得会答应，可我总抱着丝希望。现在……"他苦笑了声，"更是不可能了。"

我拿起桌上的一个酒杯捏在手里把玩着："你既然什么都已明白，那就索性做个明白人，不要再让贝勒爷他们担心，又招皇上生气！"

他又倒了杯酒，饮完说道："我已经任皇阿玛摆布了，难道连个脾气也不能发？"

我拿过酒壶给自己也倒了一杯酒："大事都已屈从，又何苦在这些小事上'亲者痛，仇者快'？"说完自己也喝了一杯。

喝得有些急，被呛住了，拿绢子捂着嘴咳嗽了两声。正拿绢子拭嘴，听见他柔声问："若曦，你喜欢过我吗？"

我抬头，看见他眼中企盼、紧张、害怕夹杂在一起。我低下头，手里揉着手绢，过了一会儿低声道："喜欢过的。"

他重重地释了口气，轻笑起来："若曦，我很开心。知道吗？我这几天一直想当面问你，可又怕是我不想听到的，所以不敢问。"他又喝了杯酒，"你放心吧！我会好好的。以后想着你曾经给我唱过曲子，曾经逗我开心，曾经为我难过，我已经觉得挺开心了。"

停了一会儿，他又慢声说："从小到大，所有人都觉得我蠢，不好好读书，不上进。可是他们哪知道，我已经尽力了，我再努力也没有办法像四哥、八哥、十四弟他们。他们读一遍就记住了，我读三遍也还是记不住。皇阿玛说什么话，他们很快就能明白，我却想破脑袋也不知道究竟什么意思，脾气又急，所以经常鲁莽闯祸。大家都明着暗着嘲笑我，只有八哥凡事护着我，时时提点我。"他沉默了会儿，轻声问，"若曦，你觉得我笨吗？"

我抿嘴笑了一下，道："笨！不笨能老让我欺负吗？"有意顿了一下，接着道，"可是我喜欢和你玩，就是因为你笨，因为我知道你高兴就是高兴，不高兴就是不高兴，说喜欢就绝对是喜欢，说讨厌也就是讨厌。不像那些人，说个话绕几圈，心里恨着，脸上却笑着，所以我在你面前也可以高兴就大笑，不高兴就生气给你看。你知道吗？我和你在一起很开心，很开心。"

我说话时，他一直看着我，等我说完后，他一下转过头，静了会儿，带着浓浓的鼻音轻声道："我也很开心。"

一时两人都静了下来，正沉默地坐着，听到外面十四阿哥的声音："该回去了！"

我站起来，拿起酒壶斟了两杯酒，自己拿了一杯，递给十阿哥一杯，我朝他举了举酒杯，一饮而尽后，将酒杯倒扣在桌上。他看我饮完，也一饮而尽。

我笑了一下，俯身行礼："若曦告退！"然后起身，挑帘出门而去。

第五章

酒入愁肠应易醉

今年冬天的第一场雪在无声无息中降临，头一天天色没有任何异常，第二日醒来时，已发现是一个粉妆玉琢的世界。

自从大学毕业后去深圳工作，已经三年多没有见过雪。今日冷不丁地看见这一片晶莹玉色，心里有一股说不出的惊喜和兴奋，兴冲冲地要去雪里走走。

巧慧见劝不住，只好由我，忙着给我寻斗篷雪帽。我挑了件大红羽绉面滚白兔毛的斗篷，戴了相配的雪帽，急急地踏雪而去。

巧慧直在身后叫："早些回来。"

雪飘飘荡荡地下着，虽不大，可天地间也是一片模糊，十步之外已看不太清楚。

我没有什么特别想去的地方，所以随性而走。四处无人，深一脚浅一脚地走着，想着这个世界虽大，可我和他们都不一样，只觉得颇有"天地之间我独行"的孤寂感觉。

正自顾走着，忽听到踏雪的声音，身后一人赶了上来，与我并肩同行。

我侧头一看，原来是八阿哥，身着黑色貂鼠毛斗篷，戴着个宽檐儿墨竹笠。我知道我应该请安，可不知为何就是不想理他，于是转回头，仍然径自走着。

他不说话，也不离去，只随我在雪地里走着。

雪仍在下，整个世界安静得只剩下我们踩雪的声音，我觉得这白茫茫天地之间好像只剩下了我和他。我们虽然没说话，可刚才独走时，那股子天地间只我一人的孤寂感渐渐消失了，只觉得心里很平静、很安详，可以就这么一直走下去，一直走下去。

突然，脚踩到雪下的一块石头上，脚下一个踉跄就要摔倒。心里正大叹倒霉，一只手已稳稳地扶住我。我站定后，没有吭声，提步就走。他也没有说话，只是握住我的手并没有放开。我甩了几下，见挣不脱，只好由他去。

他牵着我的手又走了一会子。我根本没有留意周围，只随他而行，早就不辨方向，再加上到处都是雪，根本不知道是在哪里。

正走着，八阿哥的贴身太监李福迎了上来。等看见他时，人已很近。我慌得忙要抽手，他却握得更紧，只听他吩咐："让书房里的人都退下去！"

李福躬身应是，转身快跑着走了。我又试着抽了几次手，可他仍是紧紧地握住。他牵着我继续前行，又走了一小会儿，我才发觉到书房了。

院门前只有李福守着，看我们过来，忙俯下身子。八阿哥没有理会，径直牵着我进了书房。

进屋后，他放开我的手，帮我把雪帽拿了下来，又要伸手帮我解斗篷。我一惊，忙跳后两步说："我自己就可以了。"

他笑了一下，没再理我，自顾解了斗篷、帽子，挂好。

屋里笼着火，很是暖和。我解下斗篷，挂好后，不知道该做什么，只得站着。

他倒了杯热茶递给我，我下意识地接过握在手中，暖着手。

他走到书桌前坐下，拿起一堆折子看了起来。我捧着茶，呆立不动。过了半晌，他抬头笑说："你很喜欢站着吗？"

我一惊，忙找了把离他最远的椅子坐下。他笑着轻摇了摇头，没有理我，继续低头看着折子，不时提笔写些东西。

我们就这么坐着，中间李福悄悄进来，换了两次茶，又添了些炭。动作熟练快捷，一点儿响动都没有，很快就退了出去。

刚开始时，我根本不敢把眼神投过去，只盯着自己眼前的地面。后来发现他看折子看得很专注，头根本不抬，胆子才慢慢大起来，开始偷偷打量他。他一身淡青色袍子，脸色晶莹，眉目清朗，嘴边含着笑，看折子时，偶尔会微蹙眉头，但很快又会舒展开，执笔写字时，姿态高洁。从我的角度看过去，不能不说他是：论雅致似竹露清风，看风姿如明珠润玉。

　　这样一个风姿卓绝的人，我完全不能明白雍正他怎么可能、怎么可以、怎么忍心赐他"阿其那"的称号，把他比做猪？也许这才是雍正最大的恨意表达，远比杀头来得强烈决绝！

　　我看着他，心里千种滋味、百般感叹。

　　不知道坐了多久，肚子开始饿了。我四处瞅瞅，看见他的书桌上摆着两碟点心。再三犹豫后，还是决定过去拿。遂起身走了过去，随便拣了块点心吃起来。他抬头，看着我，抿嘴而笑。

　　我道："我再不回去，姐姐肯定要急了。"

　　他嘴角含着丝笑意，低头沉默了一会儿，复又抬头，一边揉着太阳穴，一边叫道："李福。"

　　李福快步进来，躬下身子听吩咐。

　　"伺候二姑娘回去。"

　　李福忙起身帮我拿了斗篷、帽子，又伺候我穿上。收拾停当，两人拉门而出。

　　雪仍在下，四处仍然没有人。李福在前面领着路。我仔细看了看，他拣的都是僻静的小路，平时本就人少，现在更是连只鸟都没有。七拐八绕的，走到一个小路口，他躬身说："顺着这条路，很快就能看见兰主子的屋子了。奴才还要回去听差，就不送姑娘了。"

　　我点点头，说道："你去吧！"

　　他打了个千退走。

这几日我时常不知不觉地盯着自己的左手开始发呆。觉得好似明白八阿哥的意思，又好似不明白。我上高中时虽然谈过一次轰轰烈烈的恋爱，可那时的小儿女心情简单易懂。现在，我完全不知道他心里究竟在想什么。

有情？无情？玩玩？认真？一时兴起？早有蓄谋？我不知道！

美丽的女人对于这些沉迷于钩心斗角中的宫廷男子来说，不过是一道开心时赏赏的风景，闷了时逗逗的乐子。直爽热情如十阿哥，也觉得可以将我和郭络罗格格兼收并蓄。我已经实在不敢对他们抱有任何期望了。

我从开始学做几何证明题时，就养成了个习惯。那就是一时想不通的问题，就扔到一边，过一段时间，也许就会自然明白，所以这次我发现想不明白时，就索性放弃了这个超级难题，时间会告诉我答案的。

现在摆在眼前的事情是再过三日就是十阿哥的大婚日。

自那日进宫见过他之后，这一个多月两人再未碰面。只听说，康熙赐了他府邸。

我一直思量，他的婚宴，我去是不去呢？心里想着，多一事不如少一事，还是不去的好。

姐姐听我说不去，淡淡应道："那就不去吧！"可一转身，巧慧就拉着我说："主子除了逢年过节等必须去给嫡福晋请安的日子外，平常从来都不去请安，那边已经很是不满了。如果小姐再不去给人家格格道喜，只怕那边又要怨怪到主子身上，说我们不知礼数。"

我只好又去找姐姐说我要去，姐姐仍是淡淡应好，不过紧接着补了句："去了绝对不许闹事。"

我只好笑着保证绝对不惹事。

转眼已是婚礼当天。我挑了件桃红镶金滚边夹袄穿着，让自己看着喜气一些，掩盖住内心的神伤。

八贝勒爷自先去了，稍晚，我和姐姐两人才一起乘软轿赶去。婚宴在十阿哥新赐的府邸举行，我们到时，门前已是香车宝马排满。

这个府邸跟八贝勒府完全不可比，但在我这个现代都市人眼中已经是美轮美奂。

一路张灯结彩，灯火辉映，香烟缭绕，鼓乐声喧，真是说不尽的富贵风流、道不完的吉祥如意。

笑声、歌声、人语声，整个厅里是一片快乐的海洋，人人都在笑。姐姐和我却很沉默，自管自地坐着，两人在这个环境中显得很是不合时宜。

我虽低垂着眼睛，但我知道自打我进了这个厅，这里的每个人都在若有意似无意地偷偷打量我。我坐在那里，心里极度不舒服，很想立即起身走人。可是我知道如果这个时候走了的话，只怕笑话就闹得更大了，好歹得等到新娘子进了门。

心里叹了口气，对自己说，既来之，则安之！试着扯了扯嘴角，发现自己还能挤出笑容来，忙展开一个灿烂笑脸，抬起头缓缓环视四周。慢慢迎上各种各样好奇的视线，可笑的是我并没有怎样，他们却刚和我的视线对上就匆匆各自避开。

我心里冷笑了两声，越发笑得百媚千娇，忽地对上了四阿哥的眼睛，那里面冷冷的、冰冰的，漆黑眼瞳里好似没有任何内容，但我却觉得自己脸上的笑容有些挂不住，感觉心底的难受迷茫都好似赤裸裸地展现出来，在他锐利的视线下无处可躲。

我微微吸了口气，硬逼着自己笑起来，还赌气似的向他眨了一下眼睛，然后笑着迎向下一个好奇视线。

一个小厮匆忙跑进来，叫道："新娘子就快到府门了，该准备接轿子了。"

众人这才发现一直没有见过新郎官。我扫视了一圈大厅，发现八阿哥也不在，我和姐姐对视一眼，两人都有些紧张。

我快步溜到十四阿哥身边，低声问："怎么回事？"

十四阿哥也是一脸困惑："昨儿个，我见十哥还一切正常呀！"

我开始心里发毛，心想，天哪！老十你可别这个节骨眼闹事情。十四阿哥看我脸色有些发白，忙道："不用担心，有八哥在，出不了大事情。"

我只能点头。

厅里的嘈杂声越来越大,我的心也越绷越紧。正在这时,听见门口的下人们叫道:"十阿哥,十阿哥!"

我一看,发现十阿哥身穿喜袍和八阿哥并立在门口。然后,十阿哥就被太监们匆匆领着向府门行去。

八阿哥面带微笑,一面和大家打着招呼,一面翩然而入。他去向太子爷请安时,太子问:"怎么回事?"

八阿哥笑回:"老十嫌做的喜袍不合身,扭捏着不肯出来。"

众人一听这话,哄堂大笑,立马就有人嚷道:"十阿哥这是怕新娘子嫌弃,不肯和他入洞房。"众人越发笑得厉害。

八阿哥负手站在太子身边,微微笑着,一面用视线和周围的人打着招呼。

看他视线要扫过我这里时,我忙低下头。自从那日雪地行后,这是我第一次见他,不知道为什么,我有些害怕看见他。低头时,瞥见在众人的笑声中,四阿哥仍是表情淡淡,漠然地看着厅外。

过了一阵子,听见鼓乐齐鸣,大家都拥向厅门口。

我缩在众人身后,影影绰绰地看见十阿哥手拿红色缎带,牵着头盖喜帕的新娘子进来,然后在大家的哄笑声中,两人被送进了洞房。

看到这里,我心里重重叹了口气。想到过一会儿,十阿哥还要出来挨桌给大家敬酒。我实在想不出来他会怎么给我敬这个酒。我向姐姐指了指门外,她点点头。

我看看四周无人留意,就悄悄溜出了喜厅。

十二月的北京,天是很冷的,可我觉得自己就是需要这样的冷,唯这样才能缓和内心的压抑。

我兜着手、缩着脖子、躬着背,哆嗦着净拣僻静的地方走。正行着,听见前面一个声音道:"既然这么怕冷,干吗在这里兜风?"

我抬头一看,原来是十三阿哥,他斜跨在栏杆上,一脸嘲弄地看着我。我一惊,下意识地脱口而出:"你怎么不在厅里喝酒?"

他嘲笑道:"你又为何在这里呢?"

我无话可说,正沉默着,猛然反应过来,还没有给他请安,连忙蹲下身道："十三阿哥吉祥！"

他冷笑了两声道："等着听吉祥的人在厅里呢！"因为他并没有说起，我只能蹲着身子不动。过了一小会儿，终于听到他说："起来吧！"

我缓缓站起，静立着等他离开。

半晌，他都没动，最后没头没脑地说："今日你我都是伤心人！不如我们彼此做个伴。"

我不解地看着他。

他跳下栏杆，大踏步地走过来，抓起我的手就走。

他的步子迈得又大又急，我挣不脱他的手，只能一面小跑着，一面斥道："放手！"

他牵着我，从侧门出了府。守门的小厮被他冷冷看了眼，什么话也没敢说。只闻他嘴里打了个呼哨，就听见嘚嘚的马蹄声，一匹黑得发亮的高大骏马小跑着停在了我们面前。

我"啊"的一声惊叫还未完，就发现自己已经坐在了马背上，他也随后翻身上马，环着我的腰伸手挽着缰绳，只听一声"驾"，马已经飞奔起来。

我从来没有坐过这么快的马，只觉得恍若在腾云驾雾，颠得厉害。心里极其害怕，只能拼命往后缩，靠在他怀里。迎面的风刮在脸上，直如刀尖刺在脸上，生生地疼，只得扭着头，脸抵在他肩上。

一阵疾驰，我觉得自己已经冻得整个身子都是木的。心里想着这个霸王究竟要怎么样？他想冻死我吗？莫非他喜欢明玉格格？要不怎么是"两伤心人"呢？

马速渐渐慢了，终于停下来。他率先翻身下马，然后把我抱下马。

站到地上，更觉得冷得彻骨，抱着手臂，紧咬牙齿，整个人直打哆嗦。

他从马鞍上解了个酒囊下来，扯开塞子，一手扶着我的头，一手把酒囊口凑到我嘴边说："喝一口。"我哆哆嗦嗦地喝了一口，只觉一股辛辣直下肚子。他又说："再喝一口。"我又就着他的手喝了一口。

慢慢地那股子辛辣蔓延到五脏六腑，终于感觉自己有知觉了。可还是不停地打着哆嗦。

他不理我，自转身向林子里走去。我想出声叫住他，可发现自己冷得语不成声。

天色漆黑，我一个人站在那里，旁边只有一匹马。我浑身打着哆嗦，一边害怕，一边心里发誓，以后再也不招惹明玉格格了，我斗不过这个霸王。

过了一小会儿，他抱着一大堆干柴回来。一个人摆弄了一会儿，一堆火生起来。

我一看见有了火，马上靠了过去，坐在火边。他又递了酒囊过来，我也不推拒，拿起就是一口，然后递回给他。两人就这么坐在火边，一面烤着火，一面一人一口地饮着酒。

我想姐姐肯定会担心的，可是瞅瞅这个霸王在火光映照下的冷脸，我实在没有勇气说任何话。只盼他念在明玉格格嫁给十阿哥是康熙的主意，和我没有任何关系的份儿上，不要再搞别的花样，否则只怕我见不到雍正登基，就要死在这个霸王手里了。

两人你一口、我一口，慢慢地，一袋酒已喝完，他起身又从马上拿了一袋酒，我们继续。

喝着喝着，我就觉得前尘往事俱上心头，想起以前在香港兰桂坊和朋友买醉，想起小时候偷喝家里的香槟酒喝得大醉……然后，我就一会儿傻笑一阵，一会儿又盯着火发呆一阵。再然后？再然后就是我也不知道还干了什么，反正天仍黑着时，他摇醒了我，我晕晕乎乎地看着他，发现我整个人趴在他腿上。

他弄灭了火，把我抱上马背。

又是一阵狂奔，我仍然拼命往他怀里缩，也仍然冻得全身失去了知觉。等到八贝勒府的时候，天已经有些蒙蒙亮。他把我扔在门口，说了声："好酒量！下次再找你喝酒。"就驾马而去。

我一面晕乎着，一面打着哆嗦，一面拿头撞门。

为什么不用手？因为胳膊冻得不太好用了。

大门迅速打开，我也顺势一头跌了过去。一个小厮赶忙扶住我，碰到我的身体，惊叫道："天哪！怎么这么冰的身子。"

我被人抬回了姐姐的屋子，满面焦急的姐姐冲了上来。有人脱我衣服，有人提热水，有人给我洗澡。等我身子终于不再冷如冰块，她们才把我从浴桶里捞出来，放上床。

姐姐问了我很多问题，可看我一副傻呆呆的样子，只得作罢。我借着酒劲，昏睡了过去。

丫头们叫醒我时，已经是晚膳时间。除了头有些重外，别的都还好，想到自己酒品一向良好，喝醉后从来不哭不闹，只是歪头就睡而已，不禁暗自庆幸。

穿戴整齐，进了饭厅，才发觉八阿哥也在。宿醉刚醒，脑子转得比较慢，再加上从昨日下午到现在一直未吃过东西，草草请过安，就什么也不顾地吃起来。

吃着吃着，开始反应过来。要怎么交代昨晚的去向呢？正在暗自琢磨，就听到姐姐说："昨日，十三弟带你去哪里了？"

我一愣，顺口问："你怎么知道的？"

姐姐说："那么大个人不见了，我能不知道？"

我心想，不错，问一下守门的小厮不就什么都知道了，不过这干什么去了，实在不怎么好说，想着昨晚上的荒唐事情，不禁觉得有些可笑。少女时，每看武侠小说，就幻想着我和一个长相俊美、武功奇高的侠客共乘一匹马，奔驰在绿色草原上，他深情地凝视着我，我温柔地回视着他。没想到，这个美梦昨日倒算是变相实现了，的确是共乘一骥，不过其余就全都不对。想着，越发觉得荒唐好笑，满脸的笑意忍也忍不住，却还得硬憋着，因为姐姐的脸色不算好看。

姐姐看我痛苦的样子，带气含嗔、没好气地道："别忍了，笑吧！笑完了，好好回话！"

我终于把心中的笑意释放出来。正自笑得开心，觉得两道没有温度的目光一直凝视在脸上，心里一惊，忙敛了笑意，肃了肃脸，看向八阿哥。他嘴角仍带着笑，眼里却夹杂着几丝冷意，看得我一个冷战，再也笑不出来，忙低头吃饭。

姐姐看我不笑了，说："回话吧！昨儿晚上都干了些什么？"

我简单地道："我们出去喝酒了。"

姐姐困惑地问："十三弟为何要带你出去喝酒？"

我想了想，觉得还是不要替十三阿哥乱宣扬他的个人隐私，于是说："大概他看我心情不好，同情我呗！"

姐姐无可奈何地摇了摇头："一个未出阁的姑娘一夜未归，还嫌你的传闻不够多吗？"

我这才反应过来，想着，完了，这下全紫禁城的人更要好好瞧瞧我了。紧张到一半，突然又觉得，瞧就瞧！谁知道前面等我的日子是什么？当然要今朝有酒今朝醉！管他们怎么看我。

舒了一口气，脸色如常地继续埋头吃饭。

姐姐等了会儿，见我一直低头扒饭，说道："这次还好，幸亏贝勒爷发现得早，又是在十弟府上，爷已经处理妥当，除了几个心腹小厮外没有别人知道。当时想派人去找，可若多派人，只怕引人注意，若只派几个，也没什么用，想着既是十三弟带走的你，他总得给送回来，所以只派了信得过的小厮守在门口。"停了停，她又续说道，"不过你记住了，只此一回，再无下次！"

我心想，难道你以为我想大冷天的在外面吃风？我是被那个霸王逼的！想到这里又觉得自己有些过分，忙承认：好吧！我自己当时也不爽，正想发泄一下，所以他带我走的时候，我并未真正反抗。

用完膳，八阿哥和姐姐笑着闲聊了两句，就匆匆走了。

我仔细观察了一下姐姐的面色，没有不开心，反倒是松了口气的表情。我心中暗叹口气想，姐姐的那个心上人究竟是什么样子的呢？八阿哥如此出众的翩翩佳公子，都不能让姐姐忘掉他！

第六章

知己一人谁是

虽是冬天，但没有风，太阳又真不错，晒得人暖洋洋的，觉得全身骨头都酥了，再加上还有精彩的马术表演看，真是人生快乐事也。

太子爷前几日就给各位阿哥福晋格格少爷小姐派了帖子，上云：马上竞技，大家同乐等等一长串话。其实照我看就一句话：我好闷，大家都来陪我玩吧！

帖子上说，不论男女只要骑得好，都有赏。对于赏赐，只怕在场的各位主子，没有一个放在心上，凑个乐子罢了，当然也有不少人当真，不过不是为了赏赐，而是为了给太子阿哥们留下深刻印象。领导对你有印象了，日后有了油水时，才会惦记着你。

姐姐本来不想来的，被我扭股糖似的磨了半天，才答应了。

我虽不会骑马，但也随大家穿了一身骑装，平添了几分英气，揽镜自照很是满意。姐姐也说好看，看看她，看看自己，我暗自感叹，这两姐妹的娘亲肯定是个美人，只可惜红颜薄命。

满族儿女绝大部分都是会骑马的，皇室子弟更是从小就勤练，此时三三两两的都在外面遛马，这个三面围着的大帐里的座位绝大部分都空着。我和姐姐进去时，正在里面坐着说话的十三阿哥和十四阿哥忙上前来给姐姐请安。我看十三阿哥今天心情好像很不错的样子，不禁偷着多看了两眼。他立即就有所察觉，侧头向我似笑非笑地挑了挑眉毛。我忙移开了视线，却看到十四阿哥正看着这一幕，本来也没什么，可不知道怎么的，脸就有些红了。

突然听到帐篷外一阵叫好的声音，夹杂着掌声。我们都向帐外凝神看去。只见一匹通体雪白的马，风驰电掣地纵横在天地间，一位身穿艳红骑装的女子坐在马上，殷红的裙裾在风中翻飞。她时不时地用马鞭卷起地上预先放好的小彩旗，鞭鞭未落空，引得四周的喝彩声越发响亮。

我从未见过女孩子有这么精彩的骑术，不禁看直了眼，随着众人拍掌大叫。她一圈跑完，勒着马缓缓退出了场子，而周围的人还在大声喝彩。我看得十分激动，忍不住拉着姐姐说："天哪！我现在才知道什么是飒爽英姿，今儿没白来，竟看到如此人物。"

姐姐笑着推开我道："你要喜欢，赶明儿自己也好好学学。"

我无限钦羡地回想着刚才的那一幕，叹气道："各人有各人的缘法，强求不了。"

旁边十三阿哥和十四阿哥听到，"扑哧"一声都笑了出来。

正在回味刚才的惊艳一幕，一个穿着艳红骑装的姑娘，手握马鞭走了进来。我一看，立即把满脸的激动回味都尴尬地收了起来。她！她竟然是过去的明玉格格，现在的十福晋。我暗叹，十三阿哥的确有喜欢她的理由，如此醉人英姿怎不令英雄折腰呢？

她进来后，随意地打量了周围一圈。十三阿哥和十四阿哥都立起身子请了安。我觉得无限同情十三阿哥，这个"嫂子"叫得要如何痛苦呀！

她抬着下巴，目视着我道："还是一点儿礼数都不懂！"

我这才想到，她现在身份不同了，我应该给她请安的。可转而一想，她都没给姐姐请安，我干吗要给她请安。哼，不理她！刚下定决心可又突然想到，十三阿哥正在身侧看着呢！心不禁抖了抖，觉得还是不要招惹这个霸王的好，于是心不甘情不愿地向十福晋躬身说道："福晋吉祥。"

她哼了一声没有理我，自找位子坐下。我等她坐定，自己也坐下了。

一时有些冷场，大家都沉默着。正在这个时候，太子爷领头走了进来，身后随着四阿哥、八阿哥、九阿哥和十阿哥，我们都忙站起来请安。

太子爷笑道："都起吧！"一面坐下，一面对十福晋说，"皇阿玛早就夸过，郭络罗家的格格最有我们满族格格的样子。今日一见，果然名不虚传。"

十福晋笑道："太子爷过奖了，那是皇阿玛对姐姐的赞誉之词，我不敢冒受。"

这是我自婚宴后，第一次见老十，心里有一点儿不太自在。他自打进来后，就一直目光炯炯地瞅着我，我更是心里直打鼓，一眼也不敢看他。

此时场中一个年轻的男子正在表演，我虽然讨厌明玉，可也不得不承认他实在不如十福晋，所以看得不是很专心。

正在有一搭没一搭地看着，听到十福晋说："马尔泰·若曦，你既然穿了骑装，为何不上场演示一下呢？"

我心叹，来了，来了！可顾虑到十三阿哥就在旁边，也不敢乱说话，忍了忍没有吭声，姐姐投给我赞许的一瞥。

没过一小会儿，又听到十福晋说："听说马尔泰将军的女儿都是在军营中长大的，骑术一定有过人的地方，为何不趁今日给大家露一手呢？"

我心里恨恨地想，你有完没完？你那样的骑术，连一般男子都比不上，你当然想要我去丢这个脸了，一面恨恨地想着，一面看了看她，瞅了瞅十三阿哥，终是接着保持沉默。

姐姐对我突然转了性子，很是赞许。可太子爷却笑说："马尔泰·若曦，上场去给大家演示一番吧！"

我赶忙站起来，还未开口，就听到十阿哥说："她不会骑马，上次和我们一块儿去遛马，只能小厮牵着马，带着她遛。"

我心想，老十啊老十，你这哪儿是在救我，根本就是在害我。

果然，就听十福晋冷笑道："看来传闻也不全可靠，都说马尔泰军营中个个能骑善射，有众多马术超群者，今日看来，都是无稽之谈，只怕英雄不见得有，狗熊倒不少。"

她话音刚落，姐姐就站了起来，微微一笑，对太子爷说："臣妾愿意上场演示一圈，只是臣妾今日没有骑马来，要借用一下十福晋的马。"我暗自想，这个十福晋，说什么不好，偏偏说到姐姐的软肋上，又有些担心，不知道姐姐的骑术如何。不过事已至此，只能静看了。

太子点头同意后，姐姐转身出了大帐。我心里有些急，走到帐前观看。

不一会儿的工夫，只见一匹白马驮着姐姐奔进了场子，速度倒是未见得比十福晋骑得快，可姐姐时而侧骑一会儿，时而双手抱着马脖子身子紧贴马侧骑一会儿，时而单手支撑马鞍骑一会儿，时而还在马上打个翻身。她根本不是在骑马，而是一个美丽的精灵正在马上随意起舞。

场外已经是一浪高过一浪的喝彩声，帐内也是一片叫好声。几个精于骑术的阿哥，如十阿哥、十三阿哥、十四阿哥也是满口叫好。我更是鼓足了劲地鼓掌。

最后，姐姐直立在马上，策马从远处直奔大帐而来。姐姐今日里面穿了一件窄袖水红缎裙，外套银鼠短袄，腰里系着一条蝴蝶结长穗带，头发简单挽髻，以十二颗等圆的莹白珍珠扣住。站在马上，裙裾迎风而舞，丝带猎猎飘动。本就风姿俏美，此时看来更是恍若九天仙子落凡尘。

只看她渐渐逼近大帐，速度却仍然未减。我有些担心，周围的侍卫也都快速护了过来。越来越近、越来越近，大家越来越紧张，渐渐周围一片寂静，人人都憋着一口气。忽听一长声马嘶，马定定地立在了帐前十步远的地方，姐姐此时仍然端立马上。四周保持了片刻的寂静，紧接着帐内帐外爆发出了雷鸣般的喝彩声。

姐姐跳下马，随手把缰绳交给旁边的侍卫走了进来。进帐后，姐姐俯下身子向太子说道："臣妾冒失，请太子爷责罚。"

太子爷朗笑着道："如此好的骑术，该赏，怎么能罚呢？"

我偷瞅了一眼十福晋，脸色虽很是难看，但也是满脸钦佩。

太子爷一面让姐姐起来，一面对八阿哥说道："老八，你这个福晋的骑术可比你要好。"

八阿哥温文尔雅地一笑说："正是。"

我心里却有些微微地疼，他是知道来龙去脉的吧？

经过这两场精彩的表演，大家对后面的表演都不是很上心，看得也不是很专注。而姐姐自打落座后，就一直在走神，脸上满是掩也掩不住的黯然。八阿哥微微笑着低头沉思，可那丝笑，我怎么看都满是苦涩。我心里也觉得很是憋闷，遂起身悄悄从帐内溜了出来。

漫无意识地随便走着，心想看姐姐的骑术，就知道那个教她的人只有更好了。如此说来，也肯定是一位身姿矫健的男儿。他们本应该是翱翔在西北茫茫戈壁上的一对雄鹰，可现在却是一个长眠于地下，一个深锁在侯门。

正在神伤，听到身后一个声音嘲弄地道："已经是人家的人了，再伤心也没用的。"

我一回头，看是十三阿哥，正一脸懒洋洋似笑非笑地看着我，身后跟着那匹大黑马。

我一看他那表情，有些生气，虽知道他肯定又想歪了，但也懒得解释，嘴里只淡淡道："彼此，彼此！"说完转回身，继续前行。

他有点儿愣，琢磨了一小会儿，突然反应过来，大笑着跟上来。我听他笑得古怪，不禁停下来。他走到我身前，一面大笑着，一面指着我道："我说呢？刚刚在帐里脾气那么好，原来……原来竟是以为我看上人家了。"说完更是一阵高声大笑。

我本来被他莫名其妙的笑弄得有些恼。此时，听完他说的话，心里有些茫然，渐渐回过味来，也觉得可笑，又想到他对我的误解，更是觉得可笑，忍不住随他大笑起来。

两人相对大笑了一会儿，渐渐停下来，可仍是微笑着看着对方。经此一笑，两人之间的那点儿敌意倒好似慢慢地化了开去。我举步前行，他也在侧旁慢步走着，那匹大黑马跟在我俩身后。

我边走边想，还是觉得怎么会有这么乌龙的事情呢？嘴边含着笑，忍不住对他道："我也不喜欢十阿哥的。"

他一愣，步子停了下来，细看我表情认真，又禁不住开始大笑起来，我在一旁微笑地看着他。笑完后，他叹道："扯平！"

两人走到一处微高的土坡。我拣了一块略微平整的地方坐了下来，双手抱着膝盖，望向远处的跑马场。他也坐在我身边，随我看向那些隐隐约约的人和马。大黑马随意地停在我们身旁，蹄子刨着地。

两人沉默了半天，我实在忍不住好奇，问："你那天晚上为什么伤心？"

他凝视着远方半天没有吭声。我等了会儿，轻声道："若为难，就不要说了。"

他又沉默了一小会儿，道："其实也没什么，那天是我额娘的忌辰。"

我"啊"了一声，侧头看着他，一时不知道说什么好，只好又转回头看着远方沉默。又过了一会儿，他强笑了两声道："在很多年前的同一天，额娘嫁给了皇阿玛。"

我听完，心里不禁很是为他感到难过。一个女子就这样走完了一生。如今只怕除了她的儿子以外，再没有人记得她是何时在如花美貌的时候出嫁的，又是何时在韶华正好的时候离开的。而那个本应该记住这一切的人，却因为富有四海而根本不可能记得他是何时拿喜秤挑开了一张似玉娇颜的红盖头的。

想到在十阿哥的大婚之日，十三阿哥面对满堂刺眼的红，心中却是一片惨痛的白，情何以堪！心里原本因为他那天的粗鲁而有的略微不满完全消失，只余无限同情。

两人静静待了半晌。他带着笑意，转头看着我问："你既不喜欢十哥，为何我看到你为他唱曲子？又为何人人都说你为他发疯？"

我侧头细想了想，问："知道虬髯客初见红拂女时，红拂在干什么？"

他稍微怔了一下，慢慢思索着回道："红拂正在梳头。"

我一笑说道："男女之间还可以如虬髯客和红拂女的，彼此关心照顾，却非关风月，只为真心。"

他听到这里，脸部表情颇为动容，凝视着我，我坦然回看着他。过了半晌，他说道："好一句'非关风月，只为真心'！"

我看他理解了我的意思，也很是开心，毕竟在古代，异性之间平等的友谊比较新鲜，只怕大多数人都不能接受的，而他竟然带着赞许接受了。两人不禁相视而笑。

我看远方的人好像在准备离开，站起身道："该回去了。"

他随我站起身子，突然问："去喝几杯如何？"

我讶然地看着他，他朝我温暖地一笑。我心头也不禁暖呼呼的，慨然说道："有何不可？"

他看了看马，问道："共骑一骥？"

我一笑道："也不是第一次。"

他大笑两声先上了马，然后把我拉上马，让我坐在他身后，一声"驾"，两人飞奔而去。

他策着马，在安静的胡同里穿来穿去，最后停在了一座精巧的四合院门前。

开门来的老仆妇一见是他，忙赶着给请安，赔笑道："十三爷怎没事先派人来说一声呢？姑娘现在正见客，我这就去给姑娘通报，让她赶紧打发了人过来。"

十三阿哥道："不用了，今日只是借你这地方和朋友喝喝酒，你去置办一桌酒菜就可以了。"

那老妇偷着看了我一眼，见我衣着华贵，又正瞅着她，忙低头应是。

十三阿哥对这个四合院很是熟悉，领着我进了一间布置得极其素雅的屋子。屋中简单摆了几件花梨木桌椅，其余一概装饰俱无，只在靠窗的案上供着只白瓷瓶，瓶中随意插了几杆翠竹。

我四处打量了一下，随着十三阿哥落座，笑问："红颜知己？"

他一笑说道："平常烦闷时经常过来喝几杯酒，能说得上话。"

我点点头，心想这里住的姑娘应该是个雅妓，等闲之人是绝对不会见的。

不一会儿，那老妇带着两个丫头，端了酒菜进来，安置停当后，退了出去。我和十三阿哥这才开始饮酒吃菜。

几杯酒下肚后，两人话渐渐多了起来。从宫中琐事说到古今趣闻，从浩瀚漠北谈到烟雨江南，从山水诗词聊到古今贤士。最后发现两人竟然都是嵇康和阮籍的推崇者，本就已经觉得十分投契，这下更是相见恨晚，我心里更是十二分的激动。

在中国几千年的思想文化发展中，儒家思想中的三纲五常像一张巨大的网，把独立的个体牢牢束缚在以皇权为中心的政治霸权和文化霸权中，从而发展不出完整的个人主义。但生逢乱世的嵇康可以说是一个意外，像一道闪电划过黑夜的天空，虽短暂但亮丽。他的传世名作《与山巨源绝交书》中，阐述了他认为人性是真实平等的原则。他"非汤、武而薄周、孔"，认为儒家所推崇的圣贤，不过只是一类人的价值准则，并不应该要求一切人都必须效法。个体的幸福只有个体自己才最清楚，个体有权追求自己认可的幸福。可以说，嵇康的思想和现代社会的平等自由、个人主义是有很大共通点的。

我虽早已知道十三阿哥是不羁的人，但万万没有想到他居然会推崇嵇康，特别是他作为皇室子弟，身处统治阶级的金字塔尖，却丝毫不稀罕也不维护自己的身份与利益。这份从天而降的意外之喜和发现这个古代社会终于有一个人能明白我内心深处想法的感觉让我狂喜，不禁越发高谈阔论。

而他大概也没有想到在这个儒家文化盛行的时代，会碰到我这样的女子，毕竟连男子也少有敢对儒家思想提出质疑的。他带着三分惊讶、三分欣赏、三分喜悦，陪我一块儿侃侃而谈。

说得兴起时，我端着酒杯说："其实我这么喜欢嵇康，还有一个非常重要的原因。"

他以为我又有奇谈妙论，忙凝神细听。我半眯着眼睛，面带微笑地道："中国古代历史上美男子虽很多，如宋玉、潘安之流，可总带着一股阴柔美，可嵇康是不同的，史书上说嵇康'身长七尺八寸，风姿特秀'，见到他的人怎么评价他来着？"

十三阿哥说："见者叹曰：'萧萧肃肃，爽朗清举。'或云：'肃肃如松下风，高而徐引。'"

我一拍十三阿哥肩膀，笑着说："正是！嵇康是阳刚的、健康的，是金色阳光下一株高挺的青松，积雪压不垮，寒风吹不倒。"我忍不住重重地叹气，无限神往地慢声诵道："可谓尚气任性，慷慨激烈，何为丈夫？此为丈夫！"

十三阿哥大概从没听到女子公然谈论倾慕男人的皮相，越听眼睛越直，听我说完后，看着我的表情半天没有声音，最后叹道："真名士自风流！"

不可否认，刚开始和十三阿哥结交时，我是存着私心的。毕竟从表面上看我是八爷这边的人，姐姐更是八阿哥的侧福晋，而历史却是四阿哥和十三阿哥获得了这场战争的最终胜利。我虽然不可能扭转历史，但我可以尽力给自己留条退路。

可经过这次交心畅谈，我真的认为他是我的知己了。毕竟在这里，谁会认为本质上每个人生来就是平等的？谁会认为即使是天子也没有权力让所有人都遵照他的要求？虽然他只是因为推崇嵇康而对现存的文化体制有所怀疑，虽然他只是因为本性洒脱不羁，所以才旷达包容，但对我而言已经足够令人惊喜了。

等我们喝完酒，十三阿哥送我回贝勒府时，天已黑透。十三阿哥虽已放慢了马速，我还披着件他为我借来的披风，却仍然感觉有些冷。他扶我下马后，我道："你先去吧！"

他想了想说："还是我自己和八哥说清楚。"

我笑道："他们不会对我怎样的，我姐姐不会舍得的。"他一笑没有理我，自顾上前拍了门环。

我看他执意如此，也就随他。门很快就开了。两个开门小厮见我和十三阿哥并排立在门前，大惊下忙请安。十三阿哥淡淡道："起吧！去给贝勒爷报个信，就说我来了。"一个小厮立即飞奔而去，另一个忙掩了门，领着十三阿哥往前厅而去。我向十三阿哥点点头，自行回姐姐屋。

我回到屋子里时，别的丫头都不在，只有巧慧陪伴在侧。

姐姐脸色铁青，看着我，说："你应该还记得我说过'只此一回，再无下次'。"

我站在那里，一时不知道该如何回答。和朋友一时兴起游玩在外的事情，我在现代是经常做的，可是在古代，这么一件稀松平常的事情竟然让周围的人反应这么大，我不禁叹气再叹气。

我一直沉默地站着，因为我觉得我没有办法和姐姐沟通这件事情，我们有着三百多年的代沟，姐姐也一直一脸无奈，伤心地看着我。

默立了半天，最后姐姐疲惫地挥了挥手说："下去吧！"

我看着她的样子，心里也很是不好受，可我实在不觉得我做错了什么。在这里我已经失去了很多东西，我不想连自己交朋友的权利都被剥夺，即使这样做伤了姐姐的心。最后，只得默默转身回房。

早上醒来时，时辰已经不早。我仍赖在床上不肯起来，眼睛望着帐顶，想着昨晚和十三阿哥在外面的事情，越想越开心，恨不得立即再找他去喝酒。

正沉浸在这个时代中也能找到一个知己的喜悦中，帐外的丫头叫道："小姐，贝勒爷打发人来叫你过去。"

我一听，忙翻身坐起，收拾停当后，惴惴不安地随候在外面的太监

而去。

到了书房门前，李福正立在门口，替我推开门，让我进去。他留在门外拉上了门。随着"咔嗒"一声关门声，我强自冷静了半天的心终是开始狂跳。

八阿哥一身月白长袍，正立在一只半人高的青瓷瓮旁，瓮中随意插着十几卷卷轴字画。听我进来，他没什么反应，仍旧姿态闲雅地看着窗外。阳光透过六棱格的窗户打进来，照在他的脸上，斑斑驳驳，看不清他的表情。

我不知道昨晚十三阿哥说了些什么，也不知道他心里究竟怎么想，不敢吭声，只能呆立在门口。过了半天，他转过身子，脸上带着微笑，问："你昨天和十三弟干什么去了？"

我想了想，问："十三阿哥没有和你说吗？"

他道："我现在在问你。"

我心乱如麻，但仔细一想又觉得昨日虽说有些出格，可毕竟没什么不可对人言的，遂坦然凝视着他的双眼道："十三阿哥带我去一个地方喝酒了。"

他听完我的话，没有任何反应，脸上还是那永恒的微笑，只是眼睛定定地看着我的眼睛，似乎想透过它们直接看到我内心深处去。我坦然和他对视了一会儿，终究觉得有些不好意思，只得转回头，假装要找位子坐下，走离了他的视线。

刚坐下，他却轻声说："过来。"我抬头疑惑地看着他，他温和地一笑，仍轻声道："过来。"

我确定他是很认真的，只得慢慢站起，低着头，一步一挪地蹭过去。到他身边三步远的时候，我就停了下来，低头看着脚下的水磨石地板。

他微不可闻地叹口气，轻声说："我就那么可怕？"一面说着，一面走近了两步。

我发现，每次只要和他站近，我就有压迫感，觉得心也慌、脑也蒙，完全不能正常思考。他轻轻把我的手挽了起来，我下意识地缩手，他紧了紧手，道："别动！"他从怀里掏出一只外面晶莹碧绿，当中有一道殷红似血的细线的玉镯，往我手上套去。

他慢慢把镯子推到我腕上后，放开了我的手，走回桌边坐下。他离我远了，我觉得脑子又变得清楚起来。开始琢磨，这个……这个究竟算怎么回事呢？我不是来听训话的吗？正在琢磨，听他柔声道："吏部的姚侍郎还要过来，你先回去吧！"

我怔怔"哦"了一声，做了福退出来。门外的李福见我出来，忙给我躬身请安，我只顾着自己琢磨，没有理他，自去了。

回来后，姐姐见我一脸茫然，大概以为我被八阿哥训话了，微微笑了一下，淡淡说："是该立立规矩。"我没有吭声，手藏在袖子中，自回了自己屋子。

晚上吃饭的时候，姐姐瞅到我腕上的镯子，一愣，立即问："哪来的？"

我正惊得不知道该如何回答，姐姐却点了点头，道："十三阿哥出手真是大方，这可是罕见的凤血玉。"看来姐姐是误会了，不过反正我没有办法解释，只能让十三阿哥先白担这个虚名。

姐姐竟没有责怪我，反倒轻叹了口气说："这么多阿哥中，十三阿哥的确是最出挑的，有其他人没有的侠气。"

我低着头笑，心中隐有得意，姐姐也不是一般人，一般的娘娘福晋格格只会看到十三阿哥没有额娘，没有母系势力，没有钱，是个一穷二白的阿哥。

用完膳，茶都喝了半盏，姐姐却又冷不丁地说："有些事情根本由不得我们自己做主，不如永远不要动念头。"

我端着茶，愣在那里，想了半天，都不知该如何回答，最后没头没尾地回了句："我会照顾好自己的。"

第七章

花灯醉，少年行

眼看春节将近，人人都翘首期盼，我心里却越来越黯然。想着过完春节，再过完元宵节，就要开始选秀女了，满打满算不到一个月，心里对这个年是怎么也没有企盼的感觉，反倒是希望最好能永远不要到。可天下事少有从人愿的，再不情愿，我仍然迎来了康熙四十四年。

春节，宫里是要大庆的。这小半年来，大大小小的皇室宴会，我已参加了好几次，现在早没有初来时的新奇感了，再加上心头有事，所以颇为懒洋洋的。到了那天，我任由冬云摆布，待收拾停当，随着贝勒爷和姐姐进宫。

心里沉闷，对周围极尽精巧华贵的布置根本视而不见。反正让行礼就行礼，让就坐就就坐，木偶人般地随大家一举一动，倒也没出乱子。

这次不比上次的中秋宴，众多大臣和妻眷都在场，场面颇为热闹。心想这样最好，没人注意我，我可以自顾自地发呆。但古人是怎么说的？人生不如意十之八九，十阿哥和十福晋就成了推动这个古语实现的罪魁祸首。

先是十阿哥看到我，也不管十福晋在旁边，就朝我上下打量起来，然后我就开始忍受四道灼灼的视线，两道是火、两道是冰。冰火交加两重天的痛苦滋味让我如坐针毡。最后实在忍无可忍，抬起头恶狠狠地瞪着十阿哥。他看我一脸想吃了他的样子，终于移开了视线。十福晋看他不再看我了，不屑地瞪了我一眼，也移开了视线。

世界终于安静了。我叹口气，接着发呆，可没过一会儿，感觉又有人看我，心里那个怒呀！老十，你有完没完？我抬头用我所能想象出来的最恶毒的眼神看过去，却发现是十三阿哥热情友好的大笑脸。他的热情友好被我的恶毒瞬间冻结在脸上。

我赶忙朝他扯开一个大笑脸，表情转换过快，感觉肌肉扯得疼。笑完后，又朝他做了个无奈的表情，也不知他看懂没有。反正他回了我个笑，朝我端起酒杯，我忙开心地拿起自己的酒杯和他遥遥对饮了一杯。

这边厢刚饮完酒，正准备低头接着发呆，却看见八阿哥嘴角似笑非笑地看着我，一时不知该如何处理，只好忙给自己斟了酒，朝他遥遥举杯，他一笑，拿起杯子也和我对饮了一杯。

放下酒杯想，现在我可以好好歇歇了吧？眼光一扫，却看见十四阿哥若有所思的目光正牢牢锁定我。我不明白他思索什么，也懒得去想，只朝他笑眯眯地做了个大鬼脸了事。十四阿哥看见我的鬼脸，朝我微微摇摇头，抿嘴而笑，我也微笑起来。

带着两丝笑意转头，却发现坐在十四阿哥身旁的四阿哥好似把刚才一切都看在眼里。脸上表情虽淡淡，但眼底却带着丝玩味瞅着我。我心想，这是个绝对不能得罪的主，否则以后怎么死的都不知道，忙朝他甜甜地一笑后，自顾转回了头。

晚宴结束回府后，觉得很是累，心里大叹，这眉眼之间的官司岂是好玩的？更何况是和这样一群人中龙瑞玩？

和姐姐回到屋子，赶着声地让丫头们服侍着洗漱。姐姐看我一副三百年没见过床的样子，忍着笑道：“今儿晚上可不许那么早睡，要守岁的！”

我一听，愣了一下。我已经很多年没有在除夕夜熬到十二点了。不过既然在古代，我们就要从古礼，守吧！姐姐让丫头端出预先置办好的果品糕点，拉了巧慧、冬云坐在一起，边聊天边等着新年的来临。巧慧看我一副马上就要睡着的样子，找了根彩绳出来陪我玩翻绳。

两人你一个花样、我一个花样地翻着，冬云和姐姐一边说笑，一边看我和巧慧翻绳。忽听到外面的小丫头叫道：“贝勒爷吉祥！”冬云和巧慧唬得忙站起来，姐姐和我诧异地对视一眼，也立起来。

还没来得及出屋迎接，八阿哥已经走进屋子。一屋子人忙着请安，八阿哥笑着让大家都起身，巧慧和冬云退了出去。八阿哥看我和姐姐都站在那里不动，遂笑道："不欢迎我和你们一块儿守岁？"

姐姐忙笑道："只是没想到，有些惊讶而已。"一面说着，一面服侍八阿哥坐下。

八阿哥笑说："都坐吧，难得一起过年。"

我默默坐下，随手拿了块小点心吃起来。

八阿哥和姐姐笑着说了几句，终因姐姐沉默的时候多，说话的时候少，两人渐渐沉默了下来。三个人默默地坐着，我开始觉得脑袋沉重，头一顿一顿地打起瞌睡来。姐姐看我一副困得不行的样子，把我拉到怀里说："眯一会儿吧，过会儿我叫你。"

我倚着姐姐睡了起来，迷迷糊糊中，听到八阿哥和姐姐在说话，话题全是围着我。我虽然闭着眼睛，可神志越来越清楚。

姐姐轻声说："我有个不情之请。若曦自小在军营长大，比不得京城里的格格们，我怕她进宫后，会闯祸，求爷帮个忙，让宫里的谙达嬷嬷们照看着点儿。"

"这算不得什么不情之请，不用你说，我也会的。"

姐姐的手有一下没一下地摸着我的头，我能感觉到她内心的踌躇和悲伤。

八阿哥应该也看出她心中有话，说："你还想说什么就说吧！"

"如果若曦侥幸能逃过选秀女的劫，皇阿玛肯给她指婚，我想着十三弟倒和她说得来话，回头让十三弟去求个情，他和四哥的交情好，说不定太子爷看在四哥的面子上也能帮他，爷若再帮着说点儿话，事情只怕就能成。"

我的眼角有了湿意，姐姐对八阿哥向来冷淡，话都不肯多说一句。可为了我，竟然不惜柔声细语地央求。

八阿哥沉默了一会儿，笑着说："现在说这些事情还太早。"过了一会儿，估计他看姐姐神色哀伤，又说，"不过你放心吧！我总不会看着她受罪。"

"谢谢爷。"

两个人又没话了，正坐得发闷，听到外面几个大响的炮仗声，我猝

不及防，惊得从姐姐怀里坐了起来。姐姐替我捋了捋头发，道："新年来了。"

八阿哥也看着我笑道："是啊！"

我忙站起来："好了，岁守完了，我要去睡了。"说完，也没等他们答话，就跑回屋子，跳到床上，蒙头就睡。

第二日醒来，才醒觉我居然平平淡淡地过了在古代的第一个春节，想着似乎有点儿遗憾，可又觉得如果以后每年的新年都能这样过，未尝不是一种福分。

冬云立在身后给我梳头，我问："贝勒爷昨夜歇在这里了吗？"

冬云的手停下，叹口气道："没有，姑娘回房后，没一会儿工夫，爷就走了。"

我静静看着镜中的自己，没再说话。

春节的喜气还未消散，元宵节又到。我虽然愁肠百结，但还是对元宵节有不少兴趣。元宵节又称上元灯节，在这一天，家家户户都要挂花灯，夜间还有耍狮子、舞龙灯、猜灯谜、放烟火。平常难得出门的女子，在元宵节晚上却可以和女伴结伴同游、赏灯猜谜，可以说这绝对是女孩子最盼望的节日。再加上古诗词中描写的才子佳人月下相逢的绮丽场面，我也不例外地盼望这个节日。

天还没有黑，我就让冬云给我挽了双环髻，套了一身半新的鹅黄衫子，又赶着催巧慧换衣服。

巧慧笑道："我的好姑娘，赏灯猜谜也要等天黑了呀。"

我没理她，只是赶着声地催，巧慧被我催急了，只得快快换好衣服，又拿了两件披风随我出了府。

刚出了府门没走多远，就听见身后有人叫："十三妹。"我皱眉头，心想这个外号虽说在紫禁城已是人人知道，却没有人敢当面叫，谁么这么张狂？一回身，看见十三阿哥穿着普通士子常穿的淡蓝长袍，身旁跟着个容貌清秀的小厮，正缓步前来。

我看是他，很是高兴，笑问道："怎么这么巧？"

他笑道："有心自然巧。"

我才反应过来他是特地在府门口等我，忙问道："你怎么知道我今儿要出来玩？"

他笑说："这么好玩的日子，你会枯坐在屋子里？"

两人并肩而行，巧慧和那个小厮跟在身后。走了会子，十三阿哥道："我请了绿芜姑娘一块儿赏灯。"

我想了想，问："是我们上次去的那院子的主人吗？"

他点点头，我笑说："好啊，正觉得人少不好玩呢，再说上次我用了她的披风，至今还没当面谢谢她呢。"

十三阿哥听完，停住脚步，笑着回头对那个小厮说："我说得不错吧？"

我随着他停了脚步，迷惑地也转回了头。

那个小厮忙笑着上前两步，双手合拢作了个揖，说："十三爷说姑娘不是一般人，我还不信，今日一见，才觉得十三爷果然没错。"

我也笑道："这应该就是绿芜姐姐了吧，不知道姐姐今日要来，否则就把姐姐的披风拿来了。"一面说着，一面想，看她上次房间的布置，就知道她虽流落风尘，但必是一个心高气傲之人，唯恐别人看轻自己，所以不愿直接与我相识。

天色慢慢黑下来，沿街望去，两边的灯看不到头，犹如星海。街上的人越来越多，衣香鬓影，喧笑不绝。我颇为新鲜地不停打量，连身边走过的女孩子，我都忍不住地一望再望。他们三人笑起来，绿芜打趣道："姑娘竟像是从未逛过街的样子！"

我叹口气，摇头道："可不是吗？整天跟坐牢似的。"她一愣，继而又抿嘴笑了起来。

我对猜谜从来不在行，所以只看灯。而十三阿哥和绿芜显是看不上眼那些灯谜，不太感兴趣的样子，所以四人一路只是随便看看。

十三阿哥领我们到了一座酒楼，小二显然以前见过十三阿哥，忙给寻了个靠窗的位置安排我们坐下："待会儿耍狮舞龙的就从底下过，各位坐在这里看，既清楚又不挤。"

四人正一面看着底下的人来人往，一面笑谈着，忽听到一个声音说："十三哥也在？"

我们一回头，看是十四阿哥和几个少年郎正站在我们身后。几个少年郎忙着给十三阿哥请安，而我和巧慧又忙着给十四阿哥请安，一时场面很是热闹。不过，十三阿哥和十四阿哥都没等我们开口，摆摆手，说："都穿着便服，没那么多规矩。"

场面有些静，绿芜站在我身旁侧头看着窗外，巧慧低头站着，我看看十三阿哥，又看看十四阿哥。两人都面带微笑，可意味大是不同，十三阿哥是一副无所谓懒洋洋的样子，十四阿哥虽笑得儒雅，嘴角却含着丝冷意。十四阿哥看到我看他，冷冷地盯了我一眼。我一努嘴，低下了头。

正站着，和十四阿哥一起的一个瘦削少年叫道："这不是绿芜姑娘吗？"绿芜转回头，看了说话人一眼，神色淡淡，没有吭声，低下了头。十四阿哥这时才注意到绿芜是个女孩子，不禁多打量了两眼。绿芜自顾低着头，神色漠然，我伸手在桌下轻握了一下她的手。她侧头看我，我朝她抿嘴一笑，放开了她的手。

这时，一个矮胖的少年脸带嘲笑地说："可真是人不风流枉少年呀，十三爷竟左拥右抱，大享艳福。"

他话音未落，十三阿哥的脸已经冷了起来，还未来得及发作，就听到十四阿哥冷哼了声，寒着脸说："察察林，你胡说什么？"

察察林显然不明白这个马屁怎么就惹恼了十四爷，有些丈二和尚摸不着头脑，傻在那里。旁边有认识我的人，想提醒却已经晚了。

我抿着嘴笑了一下，我毕竟是皇亲，阿哥们怎么欺负我都没问题，可外人绝不行。

十三阿哥和十四阿哥仍对站着，我抬头问："你们是赏灯呢？还是赏人呀？"大家这才各自落座。

狮子耍得不错，龙也舞得很好，不过在场的诸位，真正看进去的大概只有我和巧慧了。别的人要么若有所思，要么就在偷偷打量我，还有几个不停地看绿芜。

该赏的赏了，该玩的玩了，夜色已经深沉，遂准备回府。十四阿哥抢先说："我送若曦回去。"我听后，趁十四阿哥没注意，朝十三阿哥耸了耸肩膀，十三阿哥一笑。最后十三阿哥送绿芜，十四阿哥送我和巧慧，其他人各自散了。

天气颇冷，巧慧把预先备好的披风给我披上。巧慧跟在后面，我和十四阿哥并肩走着，直到府门口都没说一句话。

小厮开了门，见是我和十四阿哥，忙笑着请安，一面说："姑娘可回来了，兰主子遣人来问了好几次了。"

十四阿哥让他起来后，问："八哥可在？"

小厮忙回道："在嫡福晋那里，要小的去报个信吗？"

十四阿哥一面往前走着，一面说："告诉八哥，说我在书房候着。"

我自顾想回姐姐那里，却被十四阿哥叫住，板着脸说："跟我去书房。"

我想了想，觉得随他走一趟又如何，遂点点头，让巧慧先回去给姐姐说一声，自和十四阿哥一块儿去了书房。

两人在书房坐了不大一会儿，就看李福掀开帘子，八阿哥微笑着缓步而入。看我也在，脸上闪过一丝诧异。

十四阿哥安也不请，站起身，张口就道："八哥猜猜，我今日看见若曦和谁在一起？"八阿哥仍然笑着，朝李福看了一眼，李福忙退了出去，顺手带上了门。

八阿哥一面坐下，一面笑问："和谁？"

十四阿哥看着我道："也不知道她什么时候和十三哥那么要好了？她和十三哥在一起。"哼了一声接着说，"这还好了，她居然和个青楼女子厮混在一起。"

我一听，也很是生气，他是我什么人，我的事情轮得着他管？反问道："和十三阿哥在一起如何？和青楼女子在一起又如何？"

十四阿哥一面气看着我，一面说："如何？你见过紫禁城里哪个有身份的格格小姐和青楼女子在一起？"

我越发生气，站起来看着他，冷笑了两声道："我只知道以死殉情坠楼而亡的绿珠是妓女，击鼓抗金的梁红玉是妓女，不肯服侍金人吞金而亡的李师师是妓女，拼死救衡王的婉嬛将军林四娘是妓女，慷慨悲歌死无憾的袁宝儿是妓女……"突然反应过来，袁宝儿是明末人，对抗的是清兵，忙住了口，但仍是脸带怒色地看着十四阿哥。

十四阿哥显然没想到他两句话竟引得我说了这么一长串话，连气带怒，一时又想不到该如何反驳我，只是一面怒瞪着我，一面咬着牙点头："八哥，你听听，她可真会读书，都读的什么乱七八糟的书？"

我瞪着他说："我读什么书，要管也是我阿玛、我姐姐，还轮不到你说话。"

八阿哥看我俩你来我往的，像斗眼鸡似的盯着对方，不禁摇头一笑，道："别再瞪了，十四弟，先回去吧。若曦的事情，我会处理的。"

十四阿哥瞪了我一眼，转头看着八阿哥，欲言又止，回头又瞪了我一眼，甩袖而去。

对着十四阿哥，我没有任何害怕的感觉。可他一走，只剩我和八阿哥，我却开始紧张。低着头，手里揉弄着披风带，不知道该如何是好。

八阿哥看了我一会儿，面带微笑地道："太子爷的一句笑语很是贴切。我看你不但拼命劲像十三弟，连崇尚魏晋、洒脱不羁的名士作风也一样。"又笑着说，"别站着了。"我听后，刚要坐下，却听他说："坐过来些，有话和你说。"我心里越发紧张，但又无法可施，只好慢慢走过去，低头坐在他身边。

他看我坐下后，叹了口气，转回头凝视着前方，沉默了起来。

两人默坐了半晌，他突然冒出一句："害怕吗？"我一愣，不知道他指什么，只能不解地看向他，他侧回头看着我说道："选秀女，你害怕吗？"

我听后，只觉得那早已充满全身的恐惧又狂涌了上来，默默地点了点头，低下头皱着眉头发起愁来。

过了一会儿，八阿哥突然自言自语地说道："我第一次见你姐姐时十五岁。"我一听，忙把愁苦放到一边，凝神细听起来。

"那年，你阿玛回京述职，她也随了来。正是春天，天气出奇的好，天蓝得如水洗过一般，微风中夹着花香，透人心脾。我和两个小厮去郊外骑马，远远地就看见一个小姑娘在山坡上骑马。"他笑了一下说，"你也见过若兰的马术，应该知道多么美丽惊人。"

我回想着跑马场上姐姐的出尘风姿，无意识地点点头。

他道："她那日骑得比在跑马场上还要好，笑声像是一串串银铃，飘洒在山林间，里面全是满满的快乐，让听到的人也觉得心里全是快乐，要跟着笑起来。"他沉默了一会儿，"我当时根本不敢相信自己所看到的。紫禁城的漂亮姑娘很多，可若兰却是不同的。"

我心想，那时的姐姐是恋爱中的幸福女人，以为自己和所爱之人可以翱翔在九天之上。她的快乐是从心底最深处散发出来的，当然和这些紫禁城中一辈子也不见得能拥有一段爱情的女人是不一样的。

他道："我回去后，忙着打听你姐姐，又想着该如何才能求皇阿玛把她给我。正在想方设法的时候，额娘告诉我，皇阿玛要把马尔泰家的大丫头许给我做侧福晋。当时，我觉得这辈子从来没这么高兴过。皇阿玛颁旨的第二天，我就跑遍了整个京城找礼物，花了半年多的时间才搜寻到一只凤血玉镯，想着等成婚的日子送给她。"

我低头看着自己腕上的镯子，忍不住举起手腕，问道："是这只吗？要送给姐姐的？"

他看着我腕上的镯子，伸手握住我的手，接着说道："我早也盼，晚也盼，终于等到大婚日。可当我掀开盖头的那刹那，就觉得事情不是我想的那样。那个让我思念了两年的人，和眼前的人判若两人。她从不骑马，也很少笑。我不停地问自己，这究竟是怎么回事？难道我认错了人？后来派了人去西北打听，几经周折才知道原因。"他苦笑着，没有再说下去。

我心里重重叹了口气，造化弄人！想了会儿，突然心头一阵狂跳，屏着一口气，心里万分紧张害怕地问："那个人怎么死的？"

他静了好一会儿，说："我派去查问的人惊动了你阿玛，你阿玛为了让他避开，派他去做了前锋，后来……"他停住了，没有再说下去。

我只觉得自己的心一下一下地大力跳着。你不杀伯仁，伯仁却因你而死。

我抽出手，想把镯子脱下来还给他。他一下捂着我的手道："不要拿

下来。"

我低着头，凝视着镯子，说："这是给姐姐的。"

他握着我的手一紧，低声说："这是给我喜欢的人的。"说完，他另一只手抬起我的下巴，凝视着我的眼睛，"答应我，永远不要拿下来。"

我回视着他黑得深不见底的眼睛，里面盛满了从未见过的温柔，还有深深的悲伤，满满的，似乎马上就要溢出，不禁心中阵阵牵动，夹杂着心酸，缓缓点了点头。他看我答应了，不禁缓缓一笑。

他微笑着说："不要害怕，我会想法子的，总有办法让皇阿玛把你赐给我的。"

我"啊"的一声，惊诧地看着他。他向我一笑。我赶忙摇头，一面嘴里说着："不要！"

他看着我，脸上的笑容一点点消失，脸色渐渐转青，猛然问："难道你竟愿意做皇阿玛的女人？"

我心里更是惊慌失措，又是忙着摇头。我不愿意，我什么都不愿意，我只想好好地生活，找一个真正爱我疼惜我呵护我的人，而不仅仅是闲时被赏玩的一个女人。不要把我赐来赐去的，我是个人，我不是东西。

他看了我一会儿，突然闭着眼睛，深吸了口气，然后睁开眼睛，叹口气说："我不会迫你，随你吧！"说完，放开了我，叫了李福进来，命他送我回姐姐那里。

刚行至门口，他突然在身后说："进宫后，不要再像老十过生日那天那样装扮自己。"

我一时没有听懂，回头看他。他垂目看着地上，慢慢说："你若不想引起皇阿玛注意，就越平淡越好。"我这才明白过来。一时说不清楚是喜是忧，只低低"嗯"了一声，转头随李福而去。

回屋后，姐姐见我面色苍白，以为我挨了八阿哥的训，过来轻抚了一下我的脸，叹了口气，让冬云服侍我睡觉。

我躺在床上，难以成眠，想一会儿姐姐，又想一会儿自己。不停地在想，姐姐究竟知道不知道八阿哥对她的感情？又觉得自己笨，其实从很多事情上，不难看出八阿哥对姐姐的感情。

比如说，八阿哥初见我时的惊诧；知道我不会骑马时的失望；姐姐很少去给嫡福晋请安，可嫡福晋从没有正面为难过姐姐。再比如说，表面上姐姐不受宠，下人们也在后面偷偷议论，可是从衣食到起居用品，那些最势利的太监下人却半点儿也不敢委屈姐姐……越想越觉得，其实很多事情一件件都早放在眼前，只是我没有深思过而已。

可是我呢？我又算是什么？姐姐的替身？我为什么留下了镯子？为什么没有还给他？只是因为那一瞬间的心软吗……我难以入眠。

第八章

才始春来春又去

初夏时节，群芳已过，只有那深深浅浅的绿彼此别着苗头。天气虽已开始转热，但晚上还是凉意侵骨。我靠在桥栏边，望着水中随波一荡一漾的弯月，嘴里喃喃念道："才始迎春来，又送春归去。"

春来春去，我已入宫三年。

还记得选秀女时，并非如我所想的由康熙亲自挑选，而是先由当时宫中地位最高的贵妃佟佳氏和其他几位地位尊贵的皇妃看后，拟了名单呈上，康熙看完名单准了后才再挑选的，而我在这一轮的时候，就被列在了名单之外。

事后听说在为各宫娘娘挑选女官的时候，竟然有两位娘娘不约而同地点名要我：大阿哥的额娘惠妃纳喇氏，四阿哥和十四阿哥的额娘德妃乌雅氏。主管太监左右为难，只得呈报了贵妃佟佳氏。佟佳氏左思右想后，分派我去了乾清宫，专在御前奉茶。

奉茶看上去是个简单活，可任何和皇帝沾上关系的事情，不管再简单，也变得复杂。我虽早已知道喝茶是门艺术，可绝想不到还会有这么多的规矩。——从头学起，分辨茶叶、识别水质、控制水温、配置茶具、如何试毒、倒茶时手势、端茶时的脚步，还有康熙的特殊癖好，都要记下来，绝不能出任何差错。整整学了三个月，教导的师傅才点了头。

一方面我去乾清宫的事情透着蹊跷，宫里的大小太监宫女们都不愿招

惹我，待我很是亲善，另一方面自己也的确谨言慎行，态度谦和，很快周围的人就接纳了我。现在，我已经是乾清宫负责奉茶和日常起居的十二个宫女的领头了。

想着这三年的日子，不禁对着水中的月影叹了口气，转身慢慢回房。明日还要当值呢！

正在侧厅指挥芸香和玉檀选茶，小太监王喜快跑着进来，随便打个千，赶着声道："万岁爷下朝了。"

我一笑说道："下朝就下朝了呗！你这么个猴急样，做什么？小心被你师傅看到又说你。"

他喘了口气说："这回可是师傅派我过来的，说是让姐姐小心侍候，今日朝堂上，有人参了太子爷一本。"

我听后，忙敛了笑意，说："替我谢谢你师傅。"他又忙忙地打个千，快跑着走了。

我回身对芸香和玉檀说："都听见了吧？今日打起十二分的精神小心伺候。"

两人忙应是。

我心中暗想，自从太子胤礽的舅舅索额图谋反不遂被抄家监禁后，表面上没牵连太子，可毕竟太子爷的位置已不是那么稳当了。虽然他是康熙最喜爱的儿子，从小由康熙亲自教导，可也许正是因为从小特别溺爱，相较其他阿哥，太子实在是德行都不出众，再加上各位阿哥对他的位置又虎视眈眈，太子的位子已经是岌岌可危。

而康熙现在也在理智和感情中挣扎。一方面他已经看出胤礽实非继承大统的合适人选，可另一方面胤礽是唯一在他身边，由他亲手养大的孩子，再加上对结发妻子孝诚仁皇后赫舍里氏的感情，康熙在废与不废之间徘徊。想到这里不禁叹了口气，康熙今日又要直面这个痛苦了。

忽听到外面的接驾声音，知道康熙已经回来了，忙对芸香和玉檀说冲茶吧。她二人急急忙碌起来，我准备好茶具。想着今日康熙的心情不好，只怕不愿意看见鲜艳的颜色，挑了一套天蓝釉菊瓣纹茶具。根据现代心理学，蓝色能让人心神安宁镇静。

我捧着茶盘，缓缓走进屋子，看四周的椅子上各坐了人，却是一片宁静。我目不斜视，走近桌旁，轻轻搁下茶盅，又低头慢慢退了出来。

出了帘子，才把那口屏着的气吐了出来，一面低声问身侧的太监："都有谁在里面？"

小太监压着声音回道："四爷、八爷、九爷、十爷、十三爷、十四爷。"

我心想从没有这么齐全过，看来康熙是要问问他们的想法。忙又下去，吩咐芸香和玉檀备茶。

还没有张口，就听到玉檀笑说："茶已经备好了，头先你刚出去，王喜就来说阿哥们来了，所以我就赶忙先备下了。"

我朝她赞许地点点头，走近查看。正在看，玉檀又接着快声说道："规矩都记着呢！四阿哥喜欢太平猴魁，八阿哥喜欢日铸雪芽，九阿哥喜欢明前龙井，十阿哥随便，十三阿哥喜欢……"

我忙笑着摆手道："够了，够了，知道你记得就行。"

芸香笑说："难怪宫里的人都说姑娘心细呢。以前御前奉茶的人只需记住万岁爷的喜好就可以了，现在姑娘竟要我们把阿哥们的也背了下来。"我一面摆放茶盅，一面想到我自有我的道理，只是绝对不能说出来罢了。

芸香捧着茶盘跟在我身后，刚走到纱帘外，就听到康熙问："今日朝堂上，礼部的折子你们怎么看？"

我不禁停了下来，心想，太子恶迹甚多，这次又所为何事？旁边掀帘子的太监看我停下，诧异地看了我一眼，我忙迈步而进。

缓缓走到四阿哥身旁，把四阿哥的茶轻轻放在桌上，又转身到八阿哥桌前，低头放茶。这才听到四阿哥慢声回道："据儿臣看，二哥平时待底下人一向甚为宽厚，有那不知检点的人背着二哥私吞财物，却打着二哥的旗号也是有的。"

康熙一面听着，一面缓缓点头。我也在心里暗想，看来是为了太子私自截取了康熙贡品的事情。历史上此事虽然让康熙大为生气，但最后终是没有惩罚太子，只是把相关的其他人都办了而已。如此想来，康熙这次还是感情会占上风。

正在给九阿哥上茶，四阿哥的话音也就刚落，十阿哥就道："一个奴才给他天大的胆，若没有人给他撑腰，他敢随意截取献给皇阿玛的贡品？"

我心叹道，这个老十总是稳不住。走到十阿哥桌旁，转身从芸香捧着的茶盘上端起为十阿哥准备的茶，正要搁在桌上，就听到十阿哥接着说："四哥这话说得倒是古怪。不过四哥一向和二哥关系甚好，只怕这件事情四哥也……"他话未说完，就一声惊呼，忙忙地从椅子上跳了起来。

原来我端茶时，一不小心就把热的茶汤倾在了他的胳膊上。一旁早有小太监上来帮着擦拭，检查是否烫伤。

我一面忙跪在地上说："奴婢该死！奴婢该死！"一面心想，你得罪太子无所谓，反正他迟早要被废掉的，可得罪了四阿哥的下场却会很惨。虽然我已经知道结局无法扭转，但至少我绝对无法忍受这个过程在我眼前上演。暗叹口气想，能阻止一分是一分。

十阿哥看是我，有火发不出，又怕事情闹大，我会遭罪，只得说道："没什么打紧的。"

康熙身边的大太监总管李德全过来斥道："毛手毛脚的，还不退下去！"

我忙起身退了出去，到帘子外时听到康熙说："朕今日有些累了，你们都回去吧。"我心想看来是拿定主意了，遂安心回了茶房。

刚回来没多久，芸香端着盘子进来，脸带惊色地说："你今儿是怎么了？可吓死我了。"

我低头坐着，没有吭声。心想，一则康熙作为一代仁君，只要不是原则性的过失，待下人一向宽厚；二则，我烫的是十阿哥，他无论如何总会替我求情的。所以我虽然很紧张，但想来大不了就是拖出去挨顿板子而已，总是没有性命之忧的。而且当时心里一急，也来不及顾虑什么后果，只想着解决了眼前的事情再说。

正沉默地坐着，王喜进来，走到近前，打了个千说："姐姐，我师傅叫您过去。"芸香和玉檀听到，都有些慌，站了起来。我没有管她们，站起身跟着王喜出了侧厅。

王喜领着走了一会儿，前面树下正站着李德全。走到近前，王喜退走，我做了个福，默默站在那里。过了半晌，李德全清了清嗓子说："我看你一向是个谨慎人，今日怎么这么毛躁？"

　　我回道："请谙达责罚。"

　　他叹了口气，说道："下个月的例银全扣了。"

　　我忙蹲下身子，说："谢李谙达。"

　　他没有理我，自转身走了，一面若有若无地低声说："宫里容不下那么多好心。"

　　他走后，我仍是静静站着，一丝丝哀伤夹杂着恐惧从心里逐渐渗出来，一寸寸地流过全身，慢慢地吞噬着我的力量，只觉得自己根本站不住，踉跄了两步，终是坐在了地上。双手抱头伏在腿上，紧咬着下唇，眼泪直在眼眶里打转，最终被我硬逼了回去。

　　正在埋头默想着，突然听到头顶一个声音说："坐在这里干吗？"

　　我听声音是十阿哥，不想理他，仍是抱头默坐着。他蹲下来，在我身边说："喂！我还没有怪你烫了我，你倒拿起架子了。"

　　我仍旧没有理他，他静了一小会儿，忽觉得不对，忙伸手把我的头扳了起来，脸上一惊，大声问："怎么把嘴唇都咬出血了？李德全怎么责罚你？"

　　我抬起头，居然看见身边不仅仅是十阿哥，四阿哥、八阿哥、九阿哥、十三阿哥、十四阿哥都在一旁站着，也是一惊，忙一面伸手匆忙抹了一下嘴唇，一面跳了起来，急急赶着请安。

　　十阿哥见我只忙着请安，不回他的话，气道："我这就去找李德全问个清楚。"说完提步就要走，我忙低声道："回来。"

　　他停下脚步说："那你自己告诉我。"

　　我看着他，心中滋味甚是复杂，既恼他的毛躁，可又感动于他的毛躁，盯了他一小会儿，最后瞪了他一眼说："罚了我一个月的例银。"

　　十阿哥拍了一下大腿叫道："为一个月的例银，你至于气成这样吗？"

　　我努了努嘴说："为何不至于？那些银子你自是不放在心上，我可还指望着那些银子呢。再说了，我还从来没有被罚过呢，面子上总是有些过不去的。"

他笑道："好了，别气了，回头你想要什么玩意儿，我给你买进来。"

我听后，笑了一下，没有再说话。几位阿哥也不说话，四阿哥和八阿哥是那永恒的冷淡漠然和温文尔雅的表情，九阿哥阴沉着脸打量着我，十三阿哥看到我看他，朝我笑着眨了一下眼睛，又做了个困惑的表情。我回了个笑，十四阿哥却是紧着眉头，眼光沉郁地看着别处。

我看了一圈，看没有人想说话，于是赔笑说道："几位爷如果没有什么事情，奴婢就先回去了。"

四阿哥淡淡说："去吧。"

我俯身请了安，自走了。

昨儿晚上值夜到天明，早上虽已补了一觉，可还是觉得乏，又不敢在白天多睡，怕夜里走了乏，明日难过。我斜靠在榻上，随手拿了本明代田艺蘅写的《煮泉小品》趴在灯下细看。

现在放在几案上的书基本全是关于茶的，我现在完全把这当成一份正经工作来看，管吃、管住、发工钱、福利也很好，只不过不够自由，规矩很是严厉，行差踏错就会有体罚，甚至生命堪虞。

不过三年的时间，我已摸索出一些游戏规则，在规矩中寻找自由。抱着既然做了就做到最好的心态，虽是半路出家，但现在在宫中如果涉及茶这方面的问题，只怕没有人敢小瞧我。

正读到：

> 今人荐茶，类下茶果，此尤近俗。纵是佳者，能损真味，亦宜去之。且下果则必用匙，若金银，大非山居之器，而铜又生腥，皆不可也。若旧称北人和以酥酪，蜀人入以白盐，此皆蛮饮，固不足责耳。

王喜在门外低声问："姐姐可在屋里？"

我直起身子问："灯既点着，人自然是在的了，什么事情？"

王喜回道："我师傅让姐姐过去一趟。"

我听了，忙搁下书，对着镜子理了理头发，整了整衣服，吹灭了灯，拉门而出。

王喜看我出来，忙俯下身子打了个千，一面转身走着，一面道："万岁爷做那个西洋人教的什么东西做上瘾了，我师傅试探了好几次说是否要传膳，万岁爷只是随声应好，却没有任何动静。这都多晚了。师傅说请姑娘去想个法子。"

我嘴角含着丝笑，想真是"能者多劳"。记得刚进宫大半年时，一日晚上在暖阁当值，康熙批阅折子直到深夜。以前也不是没有这样过，可康熙连着三四天熬夜处理公文，身旁的太监李德全已经眉毛全攒在一块儿，即担心主子的身子，又不敢乱开口，只得一旁苦着脸陪着。

我当时也是新鲜，一面想着这千古明君果然不是好做的，一面偷偷打量康熙。毕竟已经过五十的人了，再加上几日连着熬夜，早上又要早早起来上朝，脸上颇透着股疲惫憔悴。也不知当时是鬼迷了心窍，还是怎地，我一下子眼眶有些酸，想到以前也常常看到带高三毕业班的父亲深夜仍在灯下备课批改作业的情景。有时候母亲急了，常常直接把台灯关了，硬逼着父亲上床，康熙只怕绝对没有这样的妻子。

想着想着，也不知道怎么回事，脑袋一昏，居然张嘴说："好晚了，先休息吧。要不然累坏了，更耽误事。"话刚出口，沉寂的屋里，人人都脸带震惊地盯着我看，一下子浮动着惊怕恐惧的气氛。

我也立即反应过来，闯大祸了！忙跪倒在地上。李德全肃着脸，刚想责罚我，就听到康熙叹了口气，微笑着说："朕的十格格未出宫前也老是念叨着让朕休息。"他侧着头，出神地想了一会儿，又轻轻摇了摇头，对李德全道："把这些折子收好，今日就安歇吧。"

李德全一听，满脸喜色，忙高声应道："喳！"赶着伺候康熙起身。

康熙走过我身边时，看了一眼跪在地上的我，说："起来吧。"

我磕了个头，说："谢皇上。"站起了身子。

康熙打量了一下我，对李德全笑道："这不是马尔泰家的'拼命十三妹'吗？"李德全忙应："正是"。康熙再不说话，径直离去。我这才觉得后背已经湿透，原来我是这么怕死的。心想着真得多谢那位未曾见过的十格格，看来康熙对她甚为疼爱。可一想到即使如此喜欢仍然把她远嫁去了漠北，心里又不禁有一丝寒意。

从那件事情后，李德全好像就把我当成了"福将"来用，碰到类似事情，总是让我去想办法。庆幸的是虽每次绞尽脑汁，很是担风险，倒也总能起一些作用。

到了殿前，王喜侧立到一旁，低声道："姐姐自个儿进去吧。"我点点头，轻轻走进了屋子。

刚走进屋子，就看侧立在康熙身后的李德全向我微微点了点头。我也微不可见地颔了一下首，轻轻走近康熙，装做要给茶换水的样子，端起茶盅，一面快速瞟了几眼康熙正在做的几何题，慢慢退了出来。

进了茶房，一面冲茶，一面想着，题目从现在来看，倒也不难，康熙只是辅助线加错了位置而已，可做几何证明题就是这样的，一旦钻进牛角尖，总是要一会子工夫才能反应过来。其实他如果现在撂开不做，没准儿明日再看见题目时，就要大叹昨日怎么那么傻，没想到改动一下辅助线就可以了。

可想是这么想，我总不能上前告诉他应该如何加辅助线，又该如何证明这道题吧。毕竟我可没有从法兰西来的白晋、张诚，葡萄牙来的徐日昇等耶稣会士给教授数学。康熙若问我如何会做，我该如何回答？

我端着茶进去，将茶盅轻轻搁在桌上，定了定神，轻声叫道："皇上。"康熙头没有抬，随口一嗯。我顿了顿，继续说道："只怕以后那些个洋人再不敢向皇上讲解几何题了。"康熙又嗯了一声，没有反应，仍在看题。一小会儿的工夫，他突然抬起头看着我。我忙躬下身子，柔声说："他们教授这些东西给皇上，也主要想着这些是好的，可皇上要因此而茶饭不思，伤了身子，他们岂不是要因此而担上罪名？"顿了顿，看康熙没有反应，接着说道："何况那些洋人不也说过，这些几何题有时静一静心思，说不定更容易做出来。"说完，心里惴惴不安，捏着把冷汗。

过了一小会儿，康熙丢下了笔，站起，展了展腰说道："李德全！又是你搞的鬼。"

李德全忙赔笑弯身道："奴才这也是实在担心皇上的身子。"

康熙笑了笑，道："好了，备膳吧。"

李德全忙应道："喳！"快步走到门外对着王喜吩咐。

康熙低头看着我说："胆子现在是越来越大了，由着李德全摆布。"

我忙跪倒在地上："奴婢也是担心皇上的龙体。"说完，忙磕头。

康熙道："起来吧。"我站了起来，他又说："你倒是仔细，在旁边服侍了几次，这些话就都记下了。"

我赶忙道："只是当时听着新鲜，所以留心了。"

康熙没有再理我，一面往外走着，一面随口说："若大清国人人都能有这股新鲜劲，那何愁四方不来朝贺？"说完，人已出了屋子。我也叹口气想，谈何容易，中国几千年地大物博、世界中心的思想，想真正接受新鲜事物绝对不是一个皇帝感兴趣就能改变的，非要经过刻骨疼痛，几近亡国之后，才真正意识到原来我们需要向外面的世界学习。康熙不仅仅是因为称孤道寡而孤寂，他还因为懂得太多，眼睛看得太远而孤寂。自古智者多寂寞，更何况他还是皇上！

今日不该我当值，可突然想到，下午有些新茶要送来，怕芸香、玉檀她们放置不妥当，损了味道，遂决定出屋去查看一下。

正沿林荫道走着，看见十阿哥和十四阿哥迎面走来，忙侧了身子，立在路边请安。十阿哥粗声道："又没别人，你哪来那么多礼？"十四阿哥却冷哼了一声，没有说话。

我立起身子，冲十阿哥笑了一下，问："要回府了吗？"

他笑说："出宫但不回府，我们去八哥那里。"

我想了想道："好多日子没有见过八爷了，帮我给八爷请个安，道声吉祥。"

十阿哥还未来得及说话，就听见一直站在一旁，冷着脸的十四阿哥道："你若真惦记着八哥，用不着什么请安问好的虚礼；你若心里惦记着别人，又何苦做这些给人看。"

我和十阿哥都是一愣，不知道他这话从何说起。两人朝对方疑惑地看了一眼，全都不解地盯着十四阿哥。十四阿哥说完后，却很是不耐烦，催促道："十哥，你到底走是不走，你若不走，我先去了。"说完，也不等回话，提步就走。

十阿哥不解地看了我一眼，匆匆追上去，我皱眉看着他俩远去的背影，想着我究竟何时得罪了十四阿哥？难道又是因为十三阿哥？可这几年来，他早就知道我和十三阿哥很是要好，怎么就又生起气了呢？

一面走着，一面下意识地摸着手腕上的玉镯子，我究竟有没有惦记着他？他每年都要问的问题，我今年会怎么回答呢？或者说，他已经问了三年，今年他还会问吗？也许他已经厌倦。

正出神地想着，一下子撞到一个人身上，站立不稳，差点儿摔倒，幸亏对方伸手扶了一把，我才站稳。我一看是十三阿哥，忍不住骂道："你个促狭鬼，看到我也不叫一声。"

他笑道："看你想得那么出神，就想看看你究竟会不会撞到人，也好给你提个醒。"顿了顿，他手握成拳，抵着下巴，忍着笑说："对我投怀送抱倒没什么，若别人看着这么个大美人冷不丁地跳到怀里，只怕要想歪了。"

我撇了撇嘴，笑瞪了他一眼，没有理他。他问："想什么呢？"

我笑看着他说："不告诉你，我还有正经事情要做，不和你说瞎话。"

他笑着说："去吧，只是可别再边走边想了。"

我没有吭声，提步就走，经过他身旁时，拿胳膊肘猛捣了他一下，只听得他在身后夸张地叫了一声"哎哟"，我笑着快步离去，身后也传来笑声。

没走多远，忽听得身后跑步的声音，忙回身看，十三阿哥正大踏步而来。我疑惑地看着他，问："什么事情？"

他急走了两步，站定说："想问你件事情，可这阵子一直没有合适的机会，都差点儿要忘了。"

我道："问吧！"

他笑了笑，问："你上次为什么要帮四哥？"

我一愣，脑子里想了一圈，仍然是完全不知道他在说什么，只得问道："我什么时候帮过四爷？再说，四爷有什么事情是需要我帮的？"

他微笑着，摇了摇头道："贡品的事情，你把茶倾在十哥身上。"

我倒吸一口气，脑子里轰地一下明白为什么十四阿哥不待见我了。

过了半天，我如霜打的茄子般，没精神地回道："那根本就是无心之错，凑巧了而已。"

他笑说："不管是有心还是无心，反正我在这里谢谢你了。若不然，十哥那张嘴还不知道说些什么呢，倒不是惧他，只是向皇阿玛解释起来麻烦。"说完，等了一会儿，看我没什么反应，又道："我走了，你也忙自己的事情去吧。"我木然地点点头，转身缓缓地走开。

也不知道在想什么，只知道一手摸着镯子，一面慢步走着。十四阿哥都误会了，那他会误会吗？或者他会明白我其实帮的是十阿哥，而不是四阿哥。

当惊觉的时候，发现自己早走错了方向，离乾清宫已经很远，心里叹了口气，觉得实在没有心力去管什么茶叶的事情，遂转身回房而去。

日渐西斜，我斜坐在柳树旁的石块上，半眯着眼看着前方花丛里的两只蝴蝶翩翩起舞。紫白夹杂的花菖蒲，已经由盛转衰，看着不是那么喜人，可由于这两只彩蝶，在夕阳下，双飞双落，无限恩爱，让人觉得所见到的格外美丽。

一个稚气但清亮的声音响起，问："你在干什么？为什么一动不动的？"

我侧头一看，原来是一个六七岁的小男孩，圆嘟嘟，很是可爱，看他一身装束，身份应该不低。我指了指前面说："在看蝴蝶。"

他走到我身边，看了一眼蝴蝶，道："这有什么好看的，捉蝴蝶才好玩呢。"

我一笑，没有说话。他又问："你是哪个宫的？"

我仍然盯着蝴蝶，漫不经心地反问："你又是哪里的？"

他道："是我先问的你。"

我没有理他，继续看着蝴蝶。它们正一前一后，你追我赶地远去，如果我也可以就这样飞走那该多好。他等了一会儿，见我不理他，只得说道："我是爱新觉罗·弘时。"我一惊，忙回头仔细打量他，想着这就是那个后来被雍正贬为庶民的儿子，看了几眼，又懒洋洋地转回了头。

"你不给我请安吗？"他问。我转回头，看着他，心想这才多大，就把主子、奴才分得这么清楚了，笑了一下，道："我现在不给你请安，等

你将来长大了，我再给你请安。"

他看着我说："别的宫女现在就给我请安的，我问你话，你也不回，你不像宫女。"

我看着他笑了一下，问："谁带你进的宫，怎么只有你一个？"

他没有答我的话，接着问："你是谁？"

我怔了一下，没有立即回答，他又脆声问了一遍："你是谁？"我转回头看着夕阳斜晖下独自寂寞着的花丛，喃喃自问道："我是谁？"是马尔泰·若曦？是张晓？是清朝宫女？是现代白领？一时间脑中纷乱如麻。"是啊！我是谁呢？我也不知道我是谁。"我看着他迷惘地一笑，"我不知道我是谁。"

他似乎有点儿被我的笑容吓着了，呆呆看着我。

我看到他的反应，一惊，忙堆起和善的笑容，打算安慰他一下，莫要因自己一时失态吓着孩子。一个太监匆匆跑来："哎哟！好主子，奴才可找着您了，怎么一转眼就跑这么远了呢？"

我看过去，四阿哥正随在后面，快步而来，忙立起身子请安。

四阿哥看了一眼弘时，冷声问："怎么回事？"

弘时好像很怕他，低声道："我和她说了会子话。"突然想起什么似的，高声说："阿玛，她不肯给我请安，我问她话，她也不回，还说她不知道自己是谁。"

我一听，想当场昏死过去的心都有，好你个弘时，如此喜言是非，难怪被人讨厌呢。不知道该如何反应，只能选择没有反应，立着。

四阿哥对旁边的太监道："先送弘时去娘娘那边。"太监应了声，忙蹲下身子去背弘时。弘时临去前看着我还想说什么，但看父亲脸色冷淡，终是没有敢吭声，乖乖地随太监而去。

本以为四阿哥会和弘时一道离去，没想到他居然站着不动。想着此时要退去，只怕也不能如愿，索性留下来听听他说些什么。于是低头看着柳树被夕阳拖得长长的阴影，静静站着。

他静了一会儿，淡然说道："下次若还想知道关于我的私事，不妨直接来问我。"

我心头一跳，开始埋怨十三阿哥。怎么向他打听了一些关于四阿哥的事情，他问题倒是没几个回答得上的，反而让四阿哥知道了。早知道就不问他了，现在该如何是好？

他看我半点儿反应没有，用手理了理袍子下摆，自顾自地坐在了刚才我坐过的石块上，微眯着双眼看着前方的花丛，声音平平地说道："我最爱喝的茶是太平猴魁，最爱吃的点心是玉蔻糕，最爱的颜色是雨后青蓝，最喜欢用的瓷器式样是白地皴染花蝶图的，喜欢狗，讨厌猫，讨厌吃辣，不喜欢过多饮酒……"他停了一下，想了想，继续说道："这些十三弟大概已经告诉你了，不过你的问题太多，我现在能想起来的就这些，你若还有想知道的，现在问吧！"

我木木地立在那里，实在不知道该如何反应。他这个态度到底是什么意思，我是应该赶忙跪地认罪求饶呢？还是应该趁此机会索性打听个清楚明白？

其实我的心思很简单，只知道这宫里有两个人是万万不能得罪的，一个是康熙，一个是四阿哥。康熙的喜好避讳，老师傅们早就叮嘱了千百遍，可四阿哥的喜好避讳，却无从得知。想着十三阿哥和他好，应该知道的，所以问了十三阿哥。可十三阿哥惊诧地回道："我一大老爷们儿，怎么会知道这些呢？"我只好要赖道："不管！反正你去替我打听出来。"又仔细叮嘱了他只能偷偷打听，不可让别人知道。结果？！结果这个十三阿哥就把事情给我办成这样了。唉！

想到这里，忽觉得事已至此，索性豁出去算了，反正不可能更糟糕，于是声音木木地问："最讨厌的颜色呢？"

他很是一怔，大概实在没有想到，我居然真就问了。他侧着头细看了我一会儿，似在看我究竟是吃了熊心还是豹子胆，最后转回头看着前方，依旧声音平平地道："黑色。"

我点点头，继续问："最讨厌的熏香？"

他快速回道："栀子香。"

"最喜欢的花？"

"水泽木兰。"

"最喜欢吃的水果？"

"葡萄。"

"什么天气，最开心？"

"微雨。"

"什么天气，最讨厌？"

"毒日头。"

……

我也不知道自己在想什么，大概是现代偶像的个人档案看多了，越问越顺口，后来居然开始问什么最想去的地方是哪里，小时候最开心的事情是什么，最尴尬的事情是什么，等等。而他居然就我问一句，他答一句。

我觉得脑子里塞了一大堆东西，也不知道自己究竟记住了没有。最后，问无可问，我吧唧了一下嘴巴，停了下来。

此时，天色已经昏暗，两人沉默了一会儿，我俯下身子行礼，道："奴婢想知道的都问完了，贝勒爷若没有其他事情，奴婢告退。"

他站了起来，看着半蹲着的我，想了会儿，淡然说道："去吧！"我遂起身，木着脑袋转身离去。

第九章

把酒言欢塞上

快要立秋了，可热气仍然未减，反倒更是酷热，连着还有一个秋老虎，真是难熬的热。康熙决定出塞行围，一则避暑，二则也可以练练身手，以警醒后代不忘满人之本。虽说这次塞外之行途中有很大的意外发生，不过我记得好像除了太子和大阿哥倒霉外，别人都是有惊无险。只要自己小心些，想必不会有什么麻烦。又想着塞外风光和清凉天气，仍然希望自己能跟了去。

我还正在琢磨如何去求了李德全让我也去，王喜已经过来说让我准备好茶器用具随驾同去塞外。我听后暗叫求之不得，遂欢欢喜喜地准备收拾东西。我上高中以前都是在新疆度过的，一直对能一眼看得到天际线的草原充满了感情。

我趁着今日不当值，在屋里把要带去的随身物品整理出来。正在低头叠衣服，听到门外有低低但清晰的两三下敲门声。一面仍低着头叠衣物，一面随口应道："进来吧。"但门并没有如我所想被推开。

我放下衣服，看着门，又说了一声："进来吧。"门外仍然没有任何动静，我纳闷地起身，拉开门，随着室外阳光一起映入眼帘的是八阿哥。他一身竹青长袍，姿态优雅地立在院中的桂花树下，看着扶门而立的我，微微笑着。阳光透过树叶照在他的脸上，让那个笑容显得更是和煦，似乎让你的心也带着阳光的暖意。

我立在门口呆看了他一会儿，他也静静地回看着我。好一会儿才反应

过来，忙上前两步请安。他微笑着说道："这是第一次看你住的地方，还算清静。"

我带着点儿骄傲说道："我现在好歹也是领头女官了，住的地方总不能太委屈自己。"他低头默默笑着，我也忍不住笑了起来。

笑了一会儿，我说道："这院里就我和玉檀住着，今日她当值。"说完之后，觉得自己好像暗示什么似的，不禁脸有些烫。他笑着说道："我知道。"我低低应了一声，越发觉得不好意思起来，装做不经意地从地上随手拾起片叶子把玩起来。

我心里想着这段日子来十四阿哥爱理不理的样子，以及八阿哥一如往常的态度，很想趁此问问他是如何想的，可站在他身边，难得的独处，夏日的阳光又让人暖洋洋的，不禁什么都不想问了。

过了一小会儿，他说道："这次塞外行围，我要留在京里。"我低低地嗯了一声，他又续说道："这是你第一次伴驾随行，去的时间又长，一路小心。"我又嗯了一声。

想了一会儿，我抬头对他认真说道："放心吧，在宫里已经三年了，不是那个刚进宫时什么都不懂、什么都需要提点的小丫头了，什么能做，什么不能，我心里记着呢。"

他看着我的眼睛，笑着点了点头，继而眼光越过我，看着我身后，说道："这几年你做得比我想的要好得多。我从未想到皇阿玛、李德全会如此看重你。"说完，静了一会儿，收回眼光看着我，淡淡笑着说道："不过我还是担心，只怕哪天你那倔脾气又犯了。"

我沉默了好一会儿，叹了口气，说道："做得好，才能为自己争取到更多的。"笑了一下，说道，"要不然你若半年前来，我可不能住在这里，可没有办法站在这里清清静静地说话。"

他微微笑着，说了句："想得到总是要先付出的。"我心里咯噔一下，很想问他最想得到什么，又愿意为此付出什么。可看着他的笑，终是没有张口，只是也朝他笑了一下。

两人正相视而笑，一个太监匆匆在院门口，叫道："八爷。"叫完也不等吩咐，闪身就跑了。八阿哥敛了敛笑意，说道："我得走了。"我点点头，没有说话，他又深深看了我一眼，转身而去。

我目送着他的身影渐渐消失在院门外，后退了几步，头侧靠在树干上，低低叹了口气，想着，是啊！连我自己都没有想到我居然会在宫中做得风生水起。刚入宫时，只知道不管是电视还是历史都在一再强调皇宫是个可怕的地方，抱着千分小心、万分谨慎的心思入了宫。

　　眼里看到的、耳里听到的，都提醒着我不可行差踏错，不可！起先只抱着绝不出错的想法，可后来慢慢觉得要想过得舒服，能管着自己的人越少越好，这样自己才能有一些自主权。所以决定既然已经如此了，只能尽力为自己争取更多，在严格的规矩中为自己争取尽可能的自由和尊严。

　　正在沉思，忽听得芸香的声音："姑娘吉祥。"

　　我忙站直了身子，原来芸香不知何时已经进了院子，正俯身请安。我忙让她起来，芸香笑道："我要带的东西不多，已收拾好了，所以过来看看姑娘可要帮忙。"

　　我一面笑着让她进屋，一面说道："我要带的也不多，不过你来得正好，帮我看看可有什么遗漏。"

　　这次随驾的阿哥有太子爷、大阿哥、四阿哥和十三阿哥，都是能骑善射的主，到了这"天苍苍，野茫茫"的草原上，他们就变回那曾经的游牧民族了。看着他们在草原上策马纵横的身影，我觉得这才是他们的家。其实，他们骨子里都有着一股股的野性狂放，只不过平日被那层层高墙的紫禁城束缚住了而已。

　　正看得入迷，玉檀走到我身边问道："姐姐很喜欢骑马吗？"

　　我仍眺望着远处骑马的人，"是啊，很喜欢，觉得像是在风中飞翔。"说完，叹口气说道，"可惜我不会。"

　　玉檀一笑说道："我也不会，只可惜在这里虽然整天能看到马，却没有机会骑。"

　　我心里一面想着事在人为，一面半转过头笑问道："东西都收拾好了吗？"

　　她回道："都点好了，也都收拾妥当了。"

　　我想了想又问道："让准备的冰块送过来没有？"

玉檀回道："刚才让小太监又去催了。"我点了点头，又回头看了一眼蓝天碧草间的驰骋身影，转身而去。

进茶房时，正在干活的太监看到我，都忙着请安。我一面打量着案上的各色水果，一面让他们起来继续干活。

玉檀看到案上的酸梅，笑问道："是做冰镇酸梅汤吗？"

我嘴角抿着笑，说道："也是，也不完全是。"

两人挽好衣袖，净完手，冰块也恰好送了来。我让太监们拿刨子把冰块刨成一片片的薄片。我拿出准备好的各色器皿，把事先用细纱布裹着榨出的各种果汁，按事先想好的配色，盛入各色器皿，再把冰片放了进去，然后又拿出已经用温水泡开的各色干花瓣，精心点缀进器皿中。

正在低头忙碌，王喜跑进来说道："万岁爷和各位阿哥回来了。"

我头也没抬，回了句："这就过去。"他就匆匆走了。

等全部弄完，玉檀那边茶也刚冲泡好，过来看了一眼，叫道："太精致好看了，只看着都觉得心里凉快。"我抬头一笑，让太监托好盘子，玉檀捧好茶，向大帐行去。

人还未到，先听到阵阵笑声，想着今日康熙心情果然不错。进了大帐，康熙居中坐着，各位阿哥侧坐在一旁。我给康熙请了安，先上了茶，再笑说道："想着皇上骑马也有些热了，奴婢准备了些冰镇的果汁，不知道皇上可愿尝尝奴婢的手艺？"

康熙笑道："端上来看看吧，好了有赏，不好了可是要罚的。"李德全看皇上兴致很好，赶忙走近两步，接过我手中的一套碟碗轻轻放在桌上。

碟子是绿色的菊花叶，碗恰好是绿叶上的一朵明黄色、怒放中的菊花，碗中盛的是半透明的梨汁，片片冰片漂浮在其中，最上层点缀了几片黄菊花瓣。康熙看了一眼，说道："是花了工夫的。"我递了两把银勺给李德全，李德全先尝了一口，然后才拿起碟子端给康熙。

康熙喝了一口后，点点头说道："以前没有吃过这种做法。"又转头对李德全说，"这次带她出来倒是带对了。"李德全忙点头说是。

看康熙满意，我这才转身给阿哥们端上。给四阿哥的是一套碧水碟白木兰花碗，碟子是透碧水波，碗恰好是浮在水波上面的一朵皎皎白木兰，中间盛的果汁是碧绿色的葡萄汁，又放了几片白色的茉莉花瓣在上面。他看到桌上的碟碗，脸上神色淡淡，眼中却带着一丝笑意，掠了我一眼，拿起了银勺。

康熙看到已经端上来的，各桌都不一样：太子爷的牡丹、大阿哥的蔷薇、四阿哥的木兰，不禁来了兴致，一面看向十三阿哥面前的几案，一面笑说道："倒是要看看你还有什么花样。"

我福了福身子，笑道："只要万岁爷高兴，就是没有花样也要想出来的。"

说完，又从立在身后太监的托盘上，捧了一套白雪红梅给十三阿哥。碟子正好是莹白雪花的形状，碗却是一朵迎着霜雪傲立的红梅，中间盛的是梨汁，上面漂浮着几朵红梅花瓣。十三阿哥朝我点头一笑，拿起了银勺。

康熙笑问："这些碗碟以前怎么没见过？"

我看了眼李德全，刚想回答，李德全就躬身回道："碗碟是去年若曦画了图样后，奴才看着倒还新鲜有趣，就让采办太监拿去让官窑照着烧制的。"

康熙又问道："一共烧制了几色花样？"

我回道："一共三十六色，不过这次出来就只带了这几套。"

康熙笑道："有机会倒要看看剩下的还有些什么花草。"又微微点了点头，说道："难为你这片心意，你想要朕赏你些什么？"

我忙躬身回道："这些东西虽是奴婢的主意，可其他人也出了不少力，奴婢不敢自个儿居功领赏。"

康熙说道："那就都打赏。"我忙跪下谢恩，身后的玉檀和太监也是一脸喜色地跪在地上谢恩。

康熙问道："你现在可以说说自己想要什么赏赐了。"

我想了想，回道："奴婢看到万岁爷在马上的矫健英姿，很是钦佩羡慕，所以也想学骑马，不敢指望能赶上万岁爷万一，但只要能学会骑，奴婢就心满意足了，也不枉满人女儿本色。"说完，自己心里先鄙视了自己一把，两边坐着的阿哥们都笑了起来，就连平常面色淡然的四阿哥，也是扯了扯嘴角。

康熙笑道："好听话说了这么多，朕不答应都不行，准了。"我忙磕头谢恩，然后领着玉檀和捧盘的太监退了出来。

他们两个一路走着，一路不停地谢着我，说道："银子倒没什么，关键是个脸面，这可是万岁爷亲自打的赏。"

太监笑说道："过会子他们要是知道了的话，那还不都乐翻天了，我打小进宫到现在，这可是头回得了万岁爷的赏。"说完，又不停地谢我。

我心想，不给你们些好处，你们怎么会尽心为我办事呢？这个道理我在办公室玩斗争的时候就已经懂得了，在这里更是迫不得已将它继续发扬光大，虽不能保证人人都是朋友，但至少减少敌人是没错的。

正在帐外坐着乘凉，看王喜和玉檀满脸喜色匆匆而来，我看着他们问道："得了什么赏赐，这么开心？"

两人笑着过来请安，一面说道："我们再怎么得赏赐，也不敢在姐姐面前轻狂。是蒙古的王爷来觐见皇上，献了两匹宝马给皇上，听说很是名贵，皇上一开心，吩咐今儿晚上开宴会呢！"

我一听，站了起来，笑道："是值得开心，塞外人最是豪爽热情，又擅歌舞，今儿晚上有的乐了。"

玉檀一拍手，笑道："我就知道姐姐会高兴的。"

篝火点起来，美酒端上来，歌声笑声人语声响起来，烤肉香混杂着酒香飘荡在繁星密布的夜空下。我和玉檀都是满脸欢快，毕竟这样的宴会可比紫禁城里严守君臣之礼的宴会有意思得多。

今日夜里皇上以酒为主，所以只让小太监在旁看着风炉随时备好水，芸香准备好茶具，万岁爷想喝的时候，呈上就可以了。别的事情自有李德全操心，我就乐得轻松了。

一个身穿华贵的宝石红蒙古袍子的美貌女子正端着碗酒，半跪在太子爷桌前唱祝酒歌。我不懂蒙古语，听不懂在唱什么，只觉得说不出的婉转热情，太子爷半带着点儿尴尬半带着点儿喜悦，凝神细听着。一曲刚完，太子爷已经接过了碗，一饮而尽，周围爆出一阵笑声和叫好声。坐在上位，面带微笑看着的康熙转头对坐在侧下方的蒙古王爷笑说了两句什么，蒙古王爷立即端碗站起，向康熙行了个蒙古礼，然后一仰脖子，喝干了碗中的酒。

这时，那个美貌的蒙古女子走到了四阿哥桌边，唱起了动听的歌，一面还腰肢轻摆，在四阿哥桌前跳着简单的舞步。我觉得分外好笑，想看看这个面色总是冷冷的人如何抵挡这样的如火热情，一面留神地看着，一面小声对玉檀说道："你去打听一下这姑娘是谁。"

没想到四阿哥的脸部表情如同青藏高原的皑皑雪山，万古不化。淡淡然地听了一小会儿歌，就立起接过碗，在歌声中喝干净了碗中的酒。

没有任何异样表情？！我摇了摇头，心想，我服了你了！

他把碗递还给那个女子的时候，正好看见我朝着他，带着笑意摇晃着脑袋。他眼中闪过几丝笑意，瞟了我一眼，自坐了下来。

看着她又转到了十三阿哥桌前，仍然是唱着歌，平端着酒碗，脸上带着三分笑意、三分傲气。玉檀匆匆回来，附在我耳边说道："是蒙古王爷的女儿，苏完瓜尔佳·敏敏，草原上出了名的美女。"我心想，难怪呢，能挨个给阿哥们敬酒，正想着，看到十三阿哥已经站了起来，脸带笑意，端起酒一干而尽。

十三阿哥喝完后，并没有如其他阿哥那样把酒碗还给敏敏格格，而是招手让一旁服侍的仆役又在碗里注满了酒，接着他居然平端着那碗酒，脸上也带着三分笑意对着敏敏格格高声唱起了祝酒歌。这一出人意料的举动立即引起了全场的注意，人人都静了下来。我不知道十三阿哥用的是蒙语还是满语，反正我是听不懂，可一点儿不影响他歌声的魅力。

十三阿哥身形挺拔，眉目英豪，笑容热情中透着散漫，他的歌声深远而嘹亮，在寂静的夜色中远远荡了开去，好似这就是草原上自古以来唯一的声音。他就如那草原上传说中的天马，惊鸿一现，简单两个轻跃已经震惊了全场。

大家本来就颇为留意地看着敏敏格格敬酒，此时更是人人都直了眼，个个竖着耳朵。我也听得满脸笑意，心花怒放，想着，十三阿哥，好样的！

只看敏敏格格脸色微红，有些惊异，不过很快只是含笑听歌，然后婉转一笑，伸手接过碗，也是一抬脖子，一饮而尽，十三阿哥大笑着拍了几下掌。

随着十三阿哥洒脱的笑声和掌声，满场的人都笑了起来，夹杂着鼓掌声和叫声。我也拍着巴掌，笑叹道："果然是大草原的女儿。"

她饮完酒，随手把碗递给立在一旁的下人，转身面向康熙跪倒在地上朗声说道："请陛下允许敏敏献上一舞。"康熙笑着准许了。

只见她缓缓从地上站起，微躬着身子，摆出一副正在骑马的姿态，静止不动。全场都安静地目视着她。然后她拍了拍双手，随着几声清脆的巴掌声，激昂欢快的草原舞曲响了起来，她也由静转动。俯下，仰起，侧转，回旋，弹腿，展腰，她用自己激越舒畅的舞姿展现着草原儿女特有的风情，他们是雄鹰，他们是骏马，他们是这片天地的儿女。

在场的蒙古人随着节奏拍掌，有人开始随着曲子哼起了歌，慢慢地掌声歌声越来越大，所有的蒙古人都为场中那跳动的红色火焰而激动。她旋过太子爷桌边时，太子不禁一怔，紧接着也随着节奏开始打拍子。她旋过一张桌子，就点燃了一处火焰。只除了四阿哥，她从他桌边旋过时，四阿哥虽然也打了几个拍子，但脸上始终淡淡的。

一舞即终，全场欢声雷动。敏敏格格微笑着环视了全场一圈，目光稍稍在十三阿哥身上一顿，然后目注康熙，右手抚胸，行了一礼。康熙一面伸手示意她起来，一面点着头，笑对蒙古王爷说着什么。

我看到这里心中长叹口气，对玉檀吩咐道："我有些乏，先回去了。虽说芸香、晨樱在前头伺候着，你也留心着点儿。"

玉檀忙笑应道："姐姐放心去吧，准保出不了错。"我点点头挤出了人群。

走远了，欢笑声渐渐在身后隐去，一路上碰到巡营的士兵都侧身站住给我让路。我心中翻江倒海，都不搭理，只管默默走着。

我也曾经有过一舞动全场的经历。从小在新疆长大，维吾尔族的舞蹈跳得绝不比那些最擅歌舞的维吾尔族少女差，在新疆时会跳的人很多，倒也没什么出奇之处，上高中时因为父亲在北京谋到一份教席，遂带了全家移居到北京。

当我身穿维吾尔族服饰，在年级野营晚会上尽心一舞后，也是全场的掌声喝彩声。他大概也就是那时真正注意到我了，虽然以前因为我偶尔会抢了他年级第一的宝座，他也会在擦肩而过时瞟我一眼。

师长父母们都对我们的早恋愤怒过，不明白两个优等生怎么如此出格，公然在校内手牵着手走过，在饭堂吃饭时，仍然握着彼此，他为此迅速学会了用左手吃饭。那样绚烂地燃烧，可又怎样呢？他最终远渡重洋离我而去，而我只能选择远离北京去遗忘。

我躺在草坡上，看着低垂的星空，发现自己原来仍然记得。在我以为那一切都已经是前生的事情时，今夜却因为一支舞而全部涌上了心头。双手紧紧抓着地上的野草，眼泪却慢慢从两侧滚落。如果我知道我的生命如此短暂，我绝不会、绝不会离父母远去，如果那三年我能陪伴在父母身边，也许我现在的遗恨会少一些。我为自己的一点儿伤又去严重伤害了深爱我的人。

哭了一会儿，心里慢慢平静下来。长长地呼了口气，起身跪倒在地上，心里默默祈祷着，老天，不管你将怎样对我，但请一定要善待我的父母。哥哥嫂嫂，一切就全靠你们了。默祷完，伏在地上磕了三个头。又跪着发了一会儿呆，才缓缓站了起来。

刚转过身子，却看见四阿哥和十三阿哥正静静立在不远处。夜色笼罩下，看不清他们的表情，我有些尴尬，一时竟忘了请安。

十三阿哥快走了几步，到我身前，柔声问道："有什么为难的事情吗？"

四阿哥也缓步而来，站在十三阿哥身旁。我强笑了一下，说道："只是想起了父母，心里有些堵得慌。"十三阿哥听我说完，脸上表情也是一黯，沉默了下来。四阿哥侧头看了他一眼，用手轻拍了一下十三阿哥的后背。

我忙岔开话题，问道："你们怎么出来了？"

十三阿哥整了整表情，回道："酒喝得有些急了，所以出来转转，醒醒酒。"我"咦"了一声，说道："那帮蒙古酒坛子也肯放你们走？"

十三阿哥笑道："人有三急，他们不放也不行。"我抿嘴而笑，没有说话。

静了一小会儿，我说道："出来的时候久了，也该回去了。"

十三阿哥看了看四阿哥，说道："我们也该回去了。"遂三人一道向营帐行去。

走在路上，十三阿哥突然问道："你那日为何要选红梅给我呢？"

我心想，因为你将来要被幽闭十年，但过后却可得享尊荣，可不就是香自苦寒来的梅花吗？嘴里却回道："梅乃花中四君子之一，难道你不喜

欢吗？"

十三阿哥笑道："只是看你给四哥的是他最爱的木兰，所以随口一问而已。"

他不说还好，他一说，我觉得火气直往上冒，脱口就说道："当初问你的时候，也不见你答上来，现在倒是什么都知道了。"说完，嘴里还小声嘀咕了一句，"办事一点儿也不牢靠。"

他忙尴尬地看看我，又看看四阿哥，最后赔笑说道："我就是太尽心尽力地帮你打听，才让四哥察觉了。"我冷哼了一声，没有说话。

他脸上堆着笑说道："今日当着四哥的面，你倒是说说，为什么打听四哥的这些……这些……"他想了半天，好像觉得没什么适合的词，索性住了口，只拿眼睛斜瞅着我。

我看了看周围的帐篷，说道："好了，我要回帐休息去了，你赶紧继续喝酒去吧，奴婢这就告退了！"说完，也不等他答话，自快步转右走了。只听得他在身后低笑着和四阿哥说着什么。

因为有康熙的许可，这几日一有时间，我就去要了马，拣一块僻静处，由一位骑术精湛的军士教骑马。

他说不敢让我对他用任何敬称，我看他一脸惶恐，也就答应直接喊他的名字——尼满。看到他，不禁会想到姐姐和那个人。想着那个人恐怕才不会如此恭恭敬敬、惶惶恐恐、拘拘束束的，想着想着就一面看着尼满，一面忍不住地叹气。

尼满被我瞅他两眼就叹口气的举动搞得更是举止拘谨，说话都不是很利落，就更不要提他能把我教得如何了。

一个教得如履薄冰，一个学得很是无趣，在百般无聊中，我也终于可以独自一人骑着马，慢慢遛了。几次想要双腿一夹，马鞭一扬，就跑一下，可都被尼满阻止了，唠叨着，什么我手上力小，马性还不熟，不能急躁。我就慢慢骑着马，遛着！

其实我很怀疑，尼满根本没有打算真正把我给教好了，大概是怕摔了我，担不起责任，所以只是和我磨时间，等回京日子一到，自然万事大吉。

太阳渐渐西落，我还是骑着马徘徊在草原上，尼满催了好几次，见我总是装没听见，也只能由我，稍稍落后半个马头，陪在马侧。

正在闲逛，忽看到远处两匹骏马直奔而来，我看着好像是十三阿哥的那匹大黑马，忙勒住马。不大一会儿，已经奔近，果然是十三阿哥，旁边的是四阿哥，两人都穿着紧身骑装，腰束革带，马鞍上悬着箭壶，斜斜插着些白羽箭。只不过四阿哥是一身青蓝骑装，身子修长，看上去冷峻中含着英气，十三阿哥却是一身白色滚银边骑装，越发衬得身姿挺拔。

尼满看清来人，忙跳下马请安。我却实在懒得跳下跳上，只等着他们近了勒住马后，在马上俯了俯身子。十三阿哥朝尼满挥了挥手，让他起来，赶着问我："学会了没？"

我努了努嘴道："只学会如何坐在马上不掉下来。"

十三阿哥看了眼尼满道："你先回去吧！"尼满抬头看了我一眼，见我没什么意见，遂又躬身行了个礼后，骑着马慢慢退走。看他远了，我才抱怨道："他哪儿是教我学骑马呀？完全在哄小孩子呢。"

十三阿哥笑道："你可别跟小孩子比，比你骑得好的多着呢。"

我一想也是，这些蒙人、满人可是属于马背上的民族，不会走，就已经随着父亲坐在马背上了。笑着叹了口气，没再说话。

十三阿哥想了想，说："现在饿了，要回去用膳，不过晚上倒是有时间，你若晚上得空，我可以教你。"

我听后，一高兴，双手一拍，刚想叫声好，却没想到，我这一闹，又松了缰绳，马在原地打起转来。我惊得闭上眼睛惊呼，直到感觉马不动了，才睁开眼睛，看见十三阿哥正替我勒着缰绳，他把缰绳还给我，又看了我一眼，对着四阿哥叹口气道："看来我是'任重而道远'呀！"

四阿哥嘴角一抿，似笑非笑地瞟了我一眼。不说话，只是同情地看着十三阿哥。

晚上随便吃了些东西，急急漱了口，又叮嘱了芸香和玉檀几句，就忙忙地赶去了约定地点。到了地头，看见空无一人，才惊觉，自己这么着急地赶过来，竟提前了好久。遂把披风铺在草地上，躺倒，看着星空，耐心地等起来。

正等得有些迷糊，觉得有人在看着我，我没有睁眼睛，随手拍了拍身边，笑嘻嘻地说："躺着看星空真美，你也来看一眼。"

一个人坐到了我身边，我嘟囔着说："我都等困了，不如明天再学吧，今儿晚上咱们就在这里躺着看星星。"身旁的人一直不吭声，我觉得不大对，睁开眼睛，看见的却是四阿哥，他正坐在我身侧，仰头望着星空。

我一个激灵，立即就站了起来，一面请安，一面下意识地往周围看。

我期期艾艾地问："十三爷呢？"

四阿哥望着星空，不吭声，好一会儿后，才道："太子爷有事把十三弟叫住了，他托我过来。"

我忙说："那奴婢就回去了，改日再教就可以了。"

他淡淡道："你觉得我教不了你吗？"

我忙摇头说："不是，我这不是有点儿困嘛！"

"那我们就躺在这里看星星。"

我差点儿想用头撞地，和雍正躺着看星星，不如杀了我，立即说："我现在不困了。"

他淡然说："那就上马吧！"

我一面心里犯着嘀咕，琢磨着四阿哥为何有这闲情逸致，只因为十三阿哥的拜托？一面打量着他带来的两匹马。

他指了指一匹看着小一些的马，说道："这是十三弟专门挑的小马，很温驯，我待会儿骑母马，它自会跟着。"说完就翻身上了那匹大一些的马。我也赶忙上了小马，他在前面策马慢行着，一面说："我们先慢慢走一圈，你和马熟悉熟悉，顺便我给你讲一下待会儿跑起来时要注意的地方。"我忙说好。

好不容易熬过一晚上，我回帐篷时，身累心更累，随意擦洗了几把，立即扑到榻上。

不是说四阿哥教得不好，实际上他教得很好，我进步很快，一晚上已经可以骑着小马随着母马慢慢小跑了。可我和他在一起时，总是浑身不自在，一想到他将来是雍正，做事情的霹雳手段，就满是压抑。

这时，我才惊觉我已经不是那个张晓了，张晓是喜欢雍正的，欣赏雍正的，她认为在争夺皇位时不是你死就是我活，对敌人手下留情，就是对自己残忍。而且，八阿哥、九阿哥也有置雍正于死地的心思，所以雍正最后监禁他们并没有什么不对的。

可是现在我抗拒着那个结局，原来现在我已经真的是马尔泰·若曦了。这是什么时候发生的？在我茫然不知时，流逝的时光已经改变了我。

我也曾仔细思量着要不要趁着难得的和未来雍正的独处机会，和四阿哥进一步拉拢关系，为将来多留几分机会和保险。可几次三番，思量好的讨好拍马的话到了嘴边，看着他喜怒莫辨的脸色就又吞回了肚子。一晚上又要想东想西，又要学骑马，能不累吗？

躺在床上，辗转反侧，觉得自己还是不行。原以为凭借三年白领的办公室争斗经验，再加上三年宫内生活的严格磨砺，自己早已经是人精了，没想到遇到真正厉害的主儿，立马破功。

左思右想后，只得安慰自己说，好了，不求有功，但求无过。只要不得罪他就行了，至于说讨好，看来自己还得多磨炼几年。安慰完后，决定再不跟四阿哥学骑马了，一个琢磨不透的定时炸弹放在身边，太遭罪了。

可世上的事情就是这样，老天总是以折磨人为乐子。明明十三阿哥满口保证说，一定不会爽约，可再次出现在我面前的又是四阿哥。我心里长长地叹了口气，决定回头要找十三阿哥好好谈一次话。

我赔笑看着四阿哥道："奴婢今日白天刚当完值，有些乏了，所以今晚就不学了。"四阿哥听完，脸上仍然是冷冷淡淡，只是眼睛看着我。我又鼓了鼓气，俯下身子行礼，说："如果四阿哥没有别的事情，奴婢就先行告退。"说完蹲着身子等了一小会儿，看他仍然没什么反应，就直起身子，以极其缓慢的速度，提着一口气，试探着从他身边走过，等走过他后，觉得他仍然没什么反应，不禁呼出一口气，暗自庆幸一声，忙加快脚步，尽快离去。

可走了一会儿后，听到后面马蹄声，还未来得及回头看，就觉得四阿哥凌空一跃，从马上跳下一把拽住了我。我看着离我很近的四阿哥的脸，不禁失声惊呼。

我叫完后，看他仍然是一副淡然处之的样子，漠漠然地看着我，好像我们现在紧贴在一起的姿势根本没什么不正常。我挣扎了几下，没有挣脱，反倒被他用力一揽，更是贴在了他身上。我静了下来，瞪大眼睛看着他，想着，莫非他想调戏我？这可太离谱了！

念头还没有转完，就感觉他冰冷的唇压在了我的唇上。我一面使劲往后仰头，一面用力推他，但是男女力气所限，并没有起什么作用。他尝试了几次，发现我紧闭双唇，根本不让他进入，遂抬起了头。

我立即下意识地做了电视剧里被非礼女子经常做的动作，一个耳光甩了过去。可惜他不是明玉格格，我的手被他截住，反剪在背后。他眼里带着嘲弄，嘴轻贴在我脸上说："难为你在我身上花了那么多年工夫，引得我上了心，现在又玩欲擒故纵。"他冰凉的嘴唇在我脸颊上印了一下，道："恭喜你，计谋成功了。"

我怒瞪着他，想开口反驳，可一时千头万绪，不知从何说起，最后只能怒声道："放开我！"他又往前倾了倾，嘴在我耳边一面轻柔地逗弄着我，一面轻声说："你若想跟我，我自会向皇阿玛去要了你的。"我觉得我全身无力，四肢发软，感觉身子越来越热，心却越来越冷，强自深吸了口气，定下心神，轻声娇笑起来。

他听到我的笑声，不禁动作慢了下来，我侧着头，嘴贴在他耳边，轻轻呵了口气，然后紧挨着他耳朵说道："四爷是因为没带着女人出来，需要泻火吗？"他身子一僵，我接着轻笑道："如果四爷喜欢用强的，奴婢没资格反对，四爷想要在这野地里苟合也遂四爷的愿。"

他听完，慢慢直起身子，盯着我的脸看了起来。我脸上带着几丝冷笑，半挑着下巴，斜睨着他，一副任君采撷的样子。他忽地缓缓展开一个笑容，我只觉全身一个激灵，冷笑瞬间被冻在脸上，他一面笑着，一面慢慢俯下头，又印在了我唇上。我身体后仰，却无法躲开，只觉得寒意从他没有温度的唇上迅速传到我心里。我慢慢闭上眼睛，全身冰冷地想到，完了！真的完了！原来以毒攻毒不管用的。

正全心冰凉，如坠冰窖时，他猛地离开了我的唇，放开了我，自转身上了马。我一时反应不过来，又被他突然放开，一下子摔坐在地上。

他在马上冷冷看着我，说道："上马。"

我这才反应过来，我已逃过一劫。一面暗自谢谢各路神仙，一面腿脚发软、歪歪斜斜地爬上了马。看他反方向而行，并不是回营地，我刚放下的心，又立即提了上来。

他冷声道："放心，你还不是倾国倾城。"我这才又稍稍安心了些。

他在一侧，开始加速，一面指正着我错误的姿势。我再没有勇气说半个不字，只得顺从地强打起精神学起来。

───────⚬✦⚬───────

第二日再见十三阿哥时，如果眼光可以杀死一个人，十三阿哥现在肯定不死也是重伤。十三阿哥被我看得完全不敢和我的眼睛对视，目光只是游移在别处。我盯着他看了会儿，忽觉得不对，一看四阿哥正淡淡看着我，心里一慌，忙收回目光，乖乖立在一旁。

看大家都注目着场中射箭的太子爷，我装着去换水，经过十三阿哥身边时，步子依旧，只是低低说道："今儿晚上我去找你。"说完，若无其事地继续前行。

晚上，安排妥当一切后，去见十三阿哥。刚走近十三阿哥帐篷，十三阿哥的贴身小厮三才迎上来，请安说道："爷正等着呢。"

我笑说："烦劳你了。"

他忙赔笑道："姑娘这说的是哪里话，都是奴才该做的。"

我笑笑，自进了帐篷。十三阿哥正坐在羊毛毯上，斜靠着软垫看书，看我进来，扔了手中的书。我瞪了他一眼，随手拿了两个软垫，也把自己舒服地安置好，又从几案上倒了杯茶给自己。

十三阿哥挨着坐近了些，赔笑道："我究竟是哪里得罪你了？"

我冷哼了一声说："你一个阿哥若不想教我，做奴婢的不敢有半句怨言，可你犯不着再三戏弄我。"

他整了整脸色道："这可是你误会我了，头一晚是被太子爷叫住了，虽是闲聊，可不好驳了太子爷的面子，才打发了小厮去找四哥；第二次是被……"他停住没有继续说下去，只说道，"的确是有事，绝没有哄你。"

我冷哼了一声道："除了皇上、太子爷，还有谁能绊住你？"

他满脸无奈，尴尬地笑了笑说："敏敏格格。"

我一听，满肚子的火中也不禁透出几丝笑意。想着既然这样，的确不好再说什么，可想着昨晚上的事情，又觉得满肚子的怒气怨气无处可去，只得一仰脖子恶狠狠地灌了一大口茶。

十三阿哥看我信了，复又懒洋洋地靠回软垫上，带着笑意说："不过你应该高兴才是呀！怎么一肚子火呢？"

我侧头盯着他，气声道："高兴，有什么好高兴的？"

他移前了些，盯着我眼睛说："你难道心里没四哥吗？"

我听完此话，怔了一会儿，气极反笑，干笑了几声后问："我何时告诉你我心里有四爷了？"

他笑着一面摇头，一面道："自从你在殿前奉茶，我就觉得你一见四哥就怪怪的，你对太子爷都是淡淡的，可对四哥却极其小心谨慎，当时心里就存了纳闷。半年前，你升了领头女官，又向我打听四哥的喜好避讳，平时端上的茶具、点心一应都是四哥中意的，这三年来你也很是留心四哥的言谈举止。你若没想着四哥，那我可实在想不出其他理由了，也不见你如此待别的阿哥。"

我越听，心越静，只觉得自作孽不可活，我实在没什么可怨天尤人的。

十三阿哥见他一席话，说得我只是低垂着头默默坐着，不禁得意一笑，轻搡了我一下，笑道："别不好意思了，我看四哥对你也有点儿意思，要不然以四哥的心性，断不会亲自去教一个宫女骑马。回头记着敬我谢媒酒，我可没少在四哥面前夸你。"他敛了敛笑意，认真说道，"四哥是个面冷心热的人，你看他对我就知道了。"

我没有搭腔，默默坐了半天，忽然站起道："我要回去了。"然后看着十三阿哥，郑重地说，"反正我心里绝对没有四阿哥，你别再瞎掺和。"说完，转身快步离去。

一路走着，一路想，其实自己打听四阿哥的喜好避讳时就担心引人注意，还特地把别的阿哥的饮茶喜好也顺便打听了一下，可是毕竟一个上了心，别的只是敷衍，一般人倒看不出异样，十三阿哥却和四阿哥朝夕相处，又和我要好，我对四阿哥的一举一动他都看在眼里，难怪他会误会。既然他如此想了，那四阿哥误会也没什么可奇怪的了。

更何况，我只想到在打听私事上会引人注意，却不料三年来的时时小心谨慎、处处留心观察，落在十三阿哥眼里全是别有情意了，我该如何去解释这个长达三年的误会呢？

回到自己的营帐，只觉得心里的一股憋闷无处可去，倒茶烫了手，收拾东西却又撞翻了水盆，弄得地毯全湿了，忍不住扯着嗓子大叫了一声，吓得隔壁帐篷的芸香和晨樱都冲了过来，看我面色难看，又看到地毯上的水，忙赔笑说道："姑娘快别生气了，我们这就帮姑娘把毯子换了。"

我看着她们，静了静心神，强笑道："真是越急越乱。"话出口，心反倒安定了。

自那日后，我下定决心，马是万万不能再学了，十三阿哥有时提起话头，都被我顾左右而言他支开了。他笑笑地看着我，也就不再提起。

一日正在康熙大帐里当班，突然一个军士快步跑来，递给李德全一个快马急件，李德全不敢怠慢，立即呈给康熙。我心里暗想，莫非和太子有关？因为知道太子就在这次塞外之行中被废了，可具体发生了什么事情让康熙下定决心废他，却只是模模糊糊的印象。

康熙一面看着急件，一面脸色渐渐凝重，最后猛地站起来，说道："吩咐快马每日都来报信。"

外头跪着的军士高声应道："喳！"磕完头，快跑而去。

康熙慢慢坐下后沉声说道："传旨！"李德全忙上前跪倒，凝神听旨，"十八皇子胤祄病重，三日后准备回京。朕要见苏完瓜尔佳。"

李德全身子一抖，磕完头领旨后，匆匆而去。

帐内当班的宫女、太监都大气也不敢喘地静立着。我也是心里惴惴，虽知道个结果，可事情在细节上怎么发展却是一点儿头绪也无。拼命想了半天，一点儿也记不起有关十八阿哥的任何事情，只得提醒自己一切小心。

好不容易熬到换班，才发觉自己竟然一直站着一动没动，现在走起路来全身还是僵硬的。康熙刚才接见蒙古王爷苏完瓜尔佳时，已说明要提前回京，蒙古人后日就走，也开始收拾东西。一路上，周围虽人来人往，忙

着准备行囊，却都压着声音，全无前几日的热闹了。我也静静地往回走，想着该如何快速把东西都整好。

又要当班，又要整理东西。但也许因为一再告诉自己千万不可以在这个时候出任何差错，所以虽很累，精神却还好。第二日晚间正在让几个太监小心包裹器皿，忽听到远处嘈杂的声音，不知道发生了什么事情，一面留着心，一面继续忙着手头的活。

过了一会儿，嘈杂的声音没了，又恢复了先前的安静。我也没再理，直到把所有器皿都包裹好后，又放置妥当，这才回了帐篷。

一进帐篷，玉檀就面色严肃地迎了上来，拉着我坐好，小声说："看样子，姐姐还不知道。"我怔了一下，忙凝神细听。她续说道："太子爷骑了蒙古王爷进献的御马，引得蒙古人闹了起来，说是献给皇上的御用之马，却被太子拿来玩耍，大不敬，瞧不起他们。"

我"啊"的一声，忙问道："皇上怎么说？"

玉檀悄声道："还能怎么说？为了平息蒙古人的怒火，当着所有蒙古人的面斥责了太子爷。"停了下，她又小声说道："不过我看皇上除了怒，还很是伤心，毕竟因为十八阿哥的事情，现在人人都面带悲伤，太子爷这个时候却骑马取乐。"她轻叹了口气，没有再说话。

我听完后，默默发起呆来，想来这就是一废太子的引子了。想了会儿，认真叮嘱玉檀道："这几日不管多累，一定要打起精神，否则一个不留神，只怕就是大祸。"

我特意加重了"大祸"的口气，玉檀忙点头，说道："姐姐放心，我也是这么想的。"

两人又默坐了一小会儿，遂洗漱歇息。可心里担着事情，不知道这件事情究竟会对现在的几个阿哥有什么影响，虽然大致结果知道，可具体的过程却无从得知，所以睡得不安稳。

我这个半吊子的先知用处实在不大，哀怨地想，如果早知道要回清朝，一定把清史一字不拉地全记住。可转念一想，只怕记住也没有用，清朝的历史为了避尊者讳，多有粉饰篡改，到最后只怕也是误导，说不定反倒害了我。听玉檀也是不停地翻身，看来她也不好过。

浩浩荡荡的大营总算开拔，因为快报传来十八阿哥的病情又加重了。康熙的表情很是神伤，我们御前侍奉的人都提着一颗心，小心伺候着。众位阿哥也都面带忧色，太子爷的表情最是复杂，愤怒、恨意、不甘，夹杂着不知是真是假的忧伤。康熙一直对他极其冷淡，令他脸上更多几丝惧怕。

一日清晨正睡得迷迷糊糊，忽听得芸香在帐篷外的声音，我和玉檀忙坐了起来，让她进来。她进来后，安也顾不上请，只是快步走到我身边，玉檀也忙随手披了件衣服，凑了过来。

芸香面有余悸地说道："昨日夜里万岁爷大怒。"我和玉檀都轻轻"啊"了一声。她接着说道："太子爷昨夜竟在帐外扒裂缝隙偷窥万岁爷，被万岁爷察觉了，又惊又怒，当场就把桌上的东西全扫到地上，李谙达赶着增调了侍卫守护在帐外。"

我和玉檀听完，都是一脸不敢置信。太子爷疯了？！竟敢做出如此大不敬的事情。芸香又匆匆说道："李谙达说了，今日虽不该姑娘当值，但姑娘还是去御前伺候着。"我听完，忙起身穿衣，梳头洗漱，芸香在一旁帮忙伺候，都知道事情紧急，我也没和她客气。

急赶了几日路，终于到了布尔哈苏台行宫，大家正松了口气，想着可以稍微休息一下了。我却心神越发绷紧，因为记得好像康熙就是在塞外行宫第一次宣布废太子的，说话行动都加倍留了心。

晚间李德全正准备伺候康熙歇息，快报送到。康熙看完后，低垂着头，静静地把手中的纸张一寸寸地揉成了一团，紧紧捏着纸团的手上青筋绷起。我心里叹了一声，想着看来十八阿哥夭折了，才八岁。

李德全跪在地上，不敢说话惊动，四周站立的宫女、太监也人人沉寂地站着。康熙一直以同一个姿势坐在椅子上，纹丝不动。往日因天子威严所慑，看不出来他已经是年过半百的人，今夜默坐于龙椅上的康熙，让人无比真实地觉得他已经五十五了。

坐了好一会子，康熙低声对李德全说道："都退下。"我们安静却快速地退了出来，只留李德全在内伺候着。

出了门，看见各位阿哥都已得了消息在外头候着，神色担心焦急中夹杂着忧伤，看我们出来，都拿眼睛瞅着我们。我回身对玉檀等宫女吩咐道："万岁爷虽说让我们退了，但晚间还是要有人在近旁听吩咐，今日晚上我和玉檀就在外面守着，其余人都回去歇着吧，明日一早来听差。"她

们立即齐齐低声应是，安静地退下。

王喜也只留了自己和另一个太监在外面听候差遣，剩下的都打发回去歇着。我和王喜默默对看了几眼，他立在我身边小声问道："这些阿哥怎么说？总不能在这里站一夜吧？若伤了身子，就是死十个我都不能抵罪。"

我想了想，说道："现在进去请示，只怕是不可能的，不如让他们先散了吧，若有事情，再打发人去叫。不过，你让手下的太监们都暗中给他们个消息，让他们晚上警醒点儿，以防皇上随时召见。"

王喜琢磨了会子，点点头，上前几步，躬身说道："太子爷、贝勒爷、各位阿哥，皇上已歇下了，各位这就先回吧！若有事情，奴才自会通报。"

各位阿哥彼此互相看了几眼，一时好像都有些拿不定主意。四阿哥和十三阿哥都朝我探询地看过来，我避开四阿哥的视线，只朝十三阿哥微微颌了一下首。十三阿哥遂看着太子爷，说道："我们还是回去歇着吧，明日皇阿玛跟前还要人伴驾呢。"四阿哥点点头，正要举步而行。

太子爷却盯着王喜诘问道："李德全呢？让李德全出来回话。"

我一惊，觉得太子爷真是越来越沉不住气。李德全为人公正宽厚，一直近身服侍康熙，深得康熙信赖，有时他一个眼色，就能救人躲过一劫。这宫里宫外的人，不管是妃嫔阿哥还是文武官员，都对李德全十二分的客气，"李公公"、"李谙达"地叫着，今日太子爷竟然当着这么多人的面直呼其名。

王喜也是一呆，想了想，赔笑回道："我师傅正在伺候皇上，恐怕不得空。"

太子爷冷哼了一声说道："不是说皇阿玛已经歇下了吗？既然已经安歇了，他出来说两句话又有什么打紧？"

王喜愣在一旁，不知道该如何回话，转头看我，我向后缩了缩身子，朝他皱了皱眉头，表示无可奈何。我可不想现在和太子爷扯上任何关系。

王喜只得转回头，想再劝几句，话未出口，太子爷就一面向前走着，一面说道："我倒是要看看你们这帮奴才到底在搞什么鬼？"两边的侍卫忙把他拦在了门外，他呵斥道："让开！瞎了你们的狗眼了，也不看看我是谁！"侍卫却绝不肯让路，众位阿哥都有些动容，忙上前半真半假地劝太子爷。

正在喧闹，李德全拉开了门，康熙神情憔悴地看着众位迅速跪倒在地的阿哥，疲惫地说道："命随行文武官员都过来。"

王喜忙应喳，匆匆跑去传旨。

康熙神色死寂地定定瞅着太子爷，太子爷被看得满脸惊惶，低垂着头，伏在地上，纹丝不动。

不大一会儿的工夫，此次随行的文武官员已都到齐，黑压压地跪了一地。

康熙慢慢巡视了一圈，眼光仍落在太子爷身上，他痛心愤怒又哀伤地盯了太子爷半晌，最后一字一顿地沉声说道："胤礽不听教诲，目无法度，朕包容二十多年，他不但不悔改，反而愈演愈烈，实难承祖宗的宏业！"话未完，泪已流了下来。

底下的大臣只知道磕头，再三奏请："皇上请三思！"

康熙开始语速缓慢地历数胤礽的罪状："二十九年，朕在亲征噶尔丹的归途中生了病，十分想念皇太子胤礽，特召他至行宫。胤礽在行宫侍疾时毫无忧色，朕已看出皇太子无忠君爱父之念，实属不孝。

"胤礽对十八皇子胤祄之死，无忧痛之色，毫无兄弟友爱之情。

"胤礽平时对臣民百姓，稍有不从便任意殴打，其侍从肆意敲诈勒索，仗势欺人，激起公愤。

"……"

康熙一面落泪，一面痛述着。一时气急攻心，再加上几日来的伤心，昏厥了过去。全场又是一片忙乱，请太医的，叫皇上的。最后，康熙缓缓醒了过来，却再无精力说什么，只是吩咐让大阿哥领人先把胤礽看管起来，然后挥手，让大家全部退下去。

李德全服侍着康熙进去歇息，可看康熙哀伤的样子，只怕难以入眠。我默默立在外面，心里也是一片哀伤，这个结局我早已经知道，这在当年对我而言，只是打发闲暇时间的一个故事而已。甚至当时我觉得康熙在太子事件上处理得很是不明智，明知道胤礽不堪大用，却总是举棋不定、反反复复。如果他能早日下定决心，也不至于出现九龙夺嫡的惨烈情景。

如今亲眼目睹，不知是因为在康熙身边服侍久了已有感情，还是感受到康熙心中作为父亲对胤礽的偏爱，以及现在的心痛无奈与愤恨，只觉得康熙的落泪深深震撼了我。作为一个皇上，他也许没有处理妥当，可作为一个父亲，他无可非议。

第十章

胡不归，所为何

回京已经多日，宫里宫外仍然暗潮汹涌，不断有大臣出面或真心或假意地奏请康熙收回成命。康熙看完折子后，总是一言不发，谁也摸不透他的心思。

我虽不知道他现在究竟在想什么，却能肯定最后他又会恢复太子的位置，所以心中带着丝莫名的优越感看着那些焦头烂额的大臣。可以说在康熙身边伺候的人中，除了我和李德全外，都或多或少地流露着茫然和无所适从，不知道他们暗地里是哪个阿哥阵营的，也不知道得罪过谁，又结交过谁。

我是因为知道结果，所以内心笃定，而李德全我只能无限钦佩地说，一只千年老狐狸，世情早已通透。我俩偶尔会交换一个眼神，我觉得他好像对我很是赞赏。殊不知，我是另有乾坤。

人心惶惶中，已经是十一月了。

一日正在侧厅清点记录茶叶，王喜进来，一面打千，一面说道："姐姐，三阿哥来了。"我随口应了声，一面从木墩上下来，一面吩咐芸香冲茶。

我捧着茶，轻步走进，将茶搁在三阿哥桌上，退出时，听到三阿哥说："儿臣有关于二哥的重要事情面奏皇阿玛。"我这才心里一下子明白他为什么来了。他要向康熙告发：皇太子胤礽一切行为举止失当，是因为

大阿哥胤禔用喇嘛巴汉格隆魇术魔控了胤礽。

我想着，我怎么总是要事到临头才知道？不过确实也没有办法，我只知道大概有这么件事情，可毕竟具体什么时间发生，又是如何发生的，的确是不知道。

回了侧厅，我想着，现在就是等太子复位了，忽地想起八爷他们，不禁有些担心。自从塞外回来后，就一直未曾见过，不知道最近他们又为了这个位置做了些什么。思来想去，最后只能叹口气想到，不管怎样，总是没有生命之险的，他们的灾难要在四阿哥登基后才真正开始。

三阿哥走后，康熙立即派人去胤礽住处搜查，果然搜出了魇胜之物。康熙大怒，立即下令将胤禔夺爵，在府第高墙之内幽禁起来，严加看守，但并没有对太子作任何处置，仍然将他囚禁在上驷院侧。虽然朝内请求恢复太子地位的奏章纷纷而来。

这几日，我总是情不自禁地想到大阿哥胤禔，我当年读到这段历史的时候就曾经怀疑过，这真的是大阿哥胤禔所做的吗？他真的会用这么可笑的手段去谋取皇位吗？而一切的一切，我现在仍然没有答案。

在我看来，把太子爷的行径归咎于大阿哥的诅咒，实在荒唐。其实自从索额图谋反事败后，胤礽就已经乱了方寸，行为怪异并不难理解。可这一切就是如此发生了，而且表面上看来，康熙似乎也是相信的。至于说他的相信是又一次的感情妥协，一方面为胤礽脱罪，一方面借此惩治大阿哥确实对太子做过的不轨之举；还是古人真的相信这些东西，我就实在不得而知了。

我只是想着，从此时起直至雍正十二年幽死，大阿哥共被幽禁了二十六年！第一个被幽禁的人出现了，然后是太子爷，然后是十三阿哥，然后是八阿哥、九阿哥、十阿哥、十四阿哥……

我强烈地对自己喊停，不可以再想了，不可以再想了。

一日，康熙看完奏章后，沉思了很久，对李德全吩咐："传李光地觐见。"

这已经不是我第一次见这位康熙朝的重臣、平定台湾的功臣。康熙以前也曾单独召见过他。可在这个微妙的时候,康熙找他所为何事?不过,今日不是我在殿内侍奉,所以没有机会知道。

晚上用完膳,我和玉檀一面吃茶,一面还在想着康熙召见李光地的事情。虽然知道玉檀今日在殿内,可以问她。可一则因为御前当值,最忌讳传递皇上与臣子之间的私下谈话,我没必要为此难为玉檀;二则虽然好奇,但也不是真的那么想知道,所以只是自个儿瞎琢磨。

正在暗自琢磨,玉檀走到门口向外看了看,又把窗子和帘子全部打开挑起,一下子周围的景致全通透地落入眼底。我看着她的举动,喝着茶,静静等着。

她一切弄妥当后,才又坐回我身边,一面喝着茶,一面若无其事地低声说道:"今日皇上问李大人关于立太子的事情。"我微微点了点头,示意她继续说。

"李大人推举了八爷。"

她话音刚落,我的手一抖,茶水溅在了身上,忙搁了茶盅,拿绢子擦拭。玉檀也抽了绢子出来,帮我擦拭。我低着头发了会儿呆,和她随意地闲聊起来,什么花样子绣在手绢上最好看,什么花样俗气,宫里谁绘制的花样最好,谁绣的手绢又最好看……

晚上,各自回房歇息后,我才觉得自己的心一直揪着,闭着眼睛却丝毫没有睡意。

第二日,早起梳妆时看见自己面色苍白,不禁狠狠地往脸上多涂了些胭脂。站在殿中当值,心神却有些恍惚。李德全盯了我几眼,这才强打起了精神。

从早上起,康熙就一直坐着默默沉思,我端进来的茶,总是热着端进来,又一滴不少地端出去重新换过,换了一盅又一盅,康熙却连坐着的姿势也没有变过。殿内只有我和李德全在一旁服侍,我看李德全面无表情地立在康熙侧下方,也有样学样,木立在一旁。

正站着,外殿的小太监进来回道:"二阿哥已经到了,正在殿外候着。"

皇上淡淡说道:"宣他进来吧。"

胤礽进来后，立即跪倒。康熙默默地看着他，两个多月的监禁，太子爷明显瘦了很多，面色很是苍白，神情拘谨不安。

过了好一会子，康熙起身说道："随朕进来。"说完，走进了里进的暖阁，胤礽也赶忙站起来跟随而入。

李德全打了个手势，让我去把门掩上。

他走到我身边低声说道："待会儿想法子劝万岁爷吃点儿东西。"说完，也进了里面的屋子。

我静静立在外面。看着刚才康熙坐过的龙椅想着，值得吗？也许是值得的，我当年不也是为了升经理而拼了命地苦干吗？各类职称考试，上下人际关系，也是费尽了心思。虽有不同，可不也是为了利益而蝇营狗苟吗？只不过眼前的这个利益是天大的，所以也要付出天大的代价才有可能，所以也许我不应该质疑他们。有几个人能真正跳出名利之外呢？话又说回来了，真跳出来了，空闲的日子用来干什么呢？总不能都去做和尚、隐士。若人人都去做了和尚、隐士，无人做那蝇营狗苟的俗人，那谁又养他们呢？

正在那里胡思乱想，天马行空，忽听得胤礽的哭声，仔细听了听，觉得里面说话声低沉沉的，听不清楚，也就没再留意。想着反正康熙终究又心软了，现在只是时间而已。

过了很久，才看到太子退了出来。我忙拉开门，俯身送他出去，外面自有人带他回监禁处。又赶紧吩咐外面守着的玉檀去准备热茶和点心，仔细叮嘱了一番。

我托着茶、点心轻轻走进里屋，看康熙正立在窗边，我把茶和点心放在炕上的小桌上，看了眼李德全，他朝我点点头。

我躬身走近康熙，柔声说道："皇上，今日的香卷是特意用皇上夏天赏荷时赞过的荷花蕊晒干后碾成末做的，很有荷花淡雅不俗的味道，皇上试试吧。"

康熙听完，没有说话，走近桌边。李德全忙先划了片吃了，然后将剩下的用银筷子夹进康熙面前的小碟子。

康熙默默吃了一个，又端起茶喝了一口，问道："这茶叶里加了什么？怎么几丝甘甜又夹杂着一点儿苦味？"

我忙躬下身子，还未及回答，就听到李德全说道："若曦昨日问奴才可不可以用银杏叶泡茶，奴才问她缘由，她回说，近日皇上偶有咳嗽，又有些心热，因是小恙，皇上也未留心，再说'是药三分毒'，不如用炮制过的银杏叶子泡茶，既简单又有效。奴才问了王太医，他也说使得，所以奴才就准了。"康熙看了我一眼，微微点了一下头，默默吃了起来。

~~~~~~~~~~~~~~~~~

康熙虽然单独召见了胤礽，但过后却没有任何动静，胤礽仍然被监禁着，满朝文武仍自惶恐，实在琢磨不透康熙究竟怎么想。各个派系的斗争越发激化，有人力保太子，也有人历数太子恶行。纷纷扰扰，黑脸红脸，你方唱罢，他又登场。

各位阿哥的态度也很是各异，自塞外回来后，十三阿哥入宫的次数明显减少，我基本上没有怎么见过他，四阿哥干脆称病在家，闭门不出。八阿哥也不曾在乾清宫露面，九阿哥和十四阿哥偶尔还能看到，可两人总是来去匆匆，人多眼杂也没什么说话的机会。

康熙一直冷眼看着这一切，不置一词。有时休息时，他甚至会和我聊一会儿茶方面的事情。何地的水好，哪种茶叶的名字起得最有意境，谁写的吟咏茶的诗词最是贴切。他看上去态度闲适，我和李德全也悠悠然地伺候着。似乎什么都没有发生过。

我静静看着这一切，心里极度崇拜康熙。他虽然心头也在煎熬着，可面上却任谁也看不出来丝毫，而他却在不动声色间已把每个人的举动尽收眼底。

就这样日子晃晃悠悠地到了大年三十，废太子胤礽仍然被拘禁着，大阿哥胤禔也被幽禁着。朝内人人都心心念念惦记着这个未决的太子之位，所以今年的除夕宴会表面上是张灯结彩的喜气，可暗地里是掩也掩不住的波涛起伏。

我不想去看这粉饰出来的喜气，正好也轮到自己在殿中值夜，所以玉檀虽主动要和我换班，却被我推辞了，嘱咐她好好去乐吧，自己一个人安

安静静地守着殿中的火烛和熏炉，迎来了康熙四十八年。

　　大年初一的清晨，天刚蒙蒙亮。

　　我静静坐在桌前，凝望着窗外。玉檀从窗前过，看我坐着出神，纳闷地问道："姐姐昨日夜里守了一夜，这会子不睡一会儿吗？"

　　我这才回过神来，笑道："这就睡。"说完，掩了窗户。玉檀一笑，自出了院门。

　　我仍然静静坐在桌前，感觉窗外的太阳由弱变强，屋里渐渐越来越亮堂，心却越来越沉。我趴在桌上想，为什么？为什么还没有来呢？难道今年他忘了？还是有其他事情耽搁了？或者以后不会再有了？

　　从早晨等到中午，直到小太监来送午膳，仍然没有人来。我半点儿胃口也无，连看都懒得看，把膳食盒子撂在一旁，走到床边，鞋不脱，棉被也不盖，就躺倒了。我一直认为自己心里早作好了准备，会平静地接受他随时会放手，随时有可能就此从我生命中淡去，毕竟一个男人对一个女人能有多大的耐心呢？可是原来我只是以为而已，事到临头时，我居然不能平静，原来我会失落，会伤心，会痛苦！

　　正心中冰凉，忽听得敲门声，忙一骨碌坐了起来，几步冲过去拉开了门，却是一愣。门前立着的是一个不认识的小太监，他看我疑惑地看着他，忙一面请安，一面赔笑说道："奴才小顺子，平常不在乾清宫走动，所以姐姐看着眼生。"

　　我听完，未说话，只是看着他。他回头左右打量了一下，从怀里掏了个红色丝绸的小包裹给我，我虽满是纳闷，想着怎么是个小包裹，但还是心中一定，忙伸手接了过来。他看我收了东西，满脸笑意地打了个千就匆匆跑走了。

　　我赶忙关好门，走到桌边坐下，稳了稳心神，打开了包裹，里面是一条项链。

　　拿起细看，纤细如发丝的几股银丝缠绕在一起，彼此交错，仿若水波起伏流动，链坠子是一朵晶莹剔透的羊脂玉木兰，精雕细琢，似乎是一朵缩小了的真花，只需凑到鼻边就能闻到它的清远香气。

一个念头闪电般从脑海中闪过，我全身一震，原来这不是"他"送的，而是"他"送的！只觉得手中清凉的白木兰好似那人的唇，一股凉意一下子从手心直冲到心底，忙一下把链子扔回桌上，叮咚一声脆响，正好落在刚才打开的丝绸上。

摊开的鲜红丝绸是底色，其上蜿蜒流动着银色水波，一朵皎皎白木兰静静地浮在水波之间。我呆看了半晌，只觉得好似又有微微的呼吸声响在耳边，冷冷的唇轻轻抚过脸颊，身子发冷，而心却发烫。我猛地从椅子上跳了起来，急急把丝绸裹好，打开箱子，塞到了最底层。

看到也被我压在箱子最底下的三封信，不禁手指轻轻滑过，默然半晌，终是没有忍住，拿了出来。把信放在桌上，默默盯着它们，其实内容早已熟记，字迹墨色，都深深印在脑海中。在宫里寂寞压抑的漫漫长夜里，脑中诵着它们静静度过了无数个难眠之夜。

我嘴角扯出个比哭还难看的笑容，小声对自己说道："以后再没有了。"慢慢地深吸了口气，拿过最底下的一封，缓缓打开：

> 东门之墠，茹藘在阪。
> 其室则迩，其人甚远。
> 东门之栗，有践家室。
> 岂不尔思？子不我即。

这是康熙四十四年大年初一清晨收到的。

> 出其东门，有女如云。
> 虽则如云，匪我思存。
> 缟衣綦巾，聊乐我员。
> 出其闉阇，有女如荼。
> 虽则如荼，匪我思且。
> 缟衣茹藘，聊可与娱。

正在心中默念，忽听得几声"笃笃"的敲门声，一惊忙把信全拢了起来，一面问着："谁呀？"一面四处一看，把信藏到了被子里。

门外一个声音回道："姑娘，奴才方合。"我心中如打翻了五味瓶，酸喜苦惊混杂在一起，一时竟怔在当地。

方合等了一会儿，看屋子里没有任何动静，又试探地敲了敲门，轻声叫道："姑娘。"

我这才惊醒，忙去打开了门，看着方合，没忍住，问道："今年为何这么晚才来？"

方合赔笑低声说道："八爷特意嘱咐了，姑娘昨日夜里守殿，不要太早过来，扰了姑娘休息。"我听后，心中更是百般滋味，只觉得咽不下，吐不出，梗在胸口，人定在当地。方合四处打量了一下，掏出封信，递给我，然后打了千，退走了。

我手里捏着信，关好门，坐在桌前，半日没动，最后还是慢慢拆开了信封。仍然是上等的百合香熏过的笺纸，温柔中含着刚劲的蝇头小楷。

> 式微，式微！胡不归？
> 微君之故，胡为乎中露！
> 式微，式微！胡不归？
> 微君之躬，胡为乎泥中！

只觉心中一痛，宛若刀尖猛地一触心口，不禁捂着胸口，趴倒在桌上，万千思绪，波涛汹涌，激荡在胸，却无处可去，只得一遍又一遍地默问自己："胡不归？所为何？胡不归？所为何……"

春节刚过没多久，几树梅花开得正好，站在树下闭上眼睛，浮动着的香气越发浓郁。我想着，康熙究竟打算什么时候给太子复位？已经两个多月了。

仔细回忆过，可我实在不大记得具体的日子，只记得是在今年年初。可现在连我都快等得不耐烦了，那些不知底细的人只怕更是心下难熬，度日如年。

正暗自想着，耳边响起十阿哥的声音："又在发呆。"

我微笑着睁开眼睛，转身看向十阿哥，却见九阿哥、十四阿哥和从塞外回来后就一直未见的八阿哥都立在身后。我忙俯身请安，抬头时，下意识地眼光瞟向八阿哥，却正好迎上他似笑非笑的眼睛，心头突地一跳，忙低头静静站着，再无勇气抬头。

九阿哥四处打量了一圈，看仔细了周围无人，直直盯着我问道："今日有件事情要问问姑娘。"

我纳闷地看着他，不明白这位很少和我说话的主子要问我何事，只得恭声回道："请九阿哥问吧。"旁边几位阿哥都是一怔，但八阿哥紧接着皱了一下眉头，目视着九阿哥。十阿哥茫然地看向九阿哥，十四阿哥却目光清亮地盯着我。

"皇阿玛单独召见二哥都说了些什么？"

我"哦"了一声，明白过来原来是为了这件事情呀！不过也难怪，当时只有我和李德全留在屋中，不管他们安插了谁在康熙身边，只怕也无法知道这次谈话的始末。除非他们能撬开李德全的嘴，不过那和想摘月亮的难度差不多。

正想告诉他们我当时守在外进的屋子，并没有听清楚具体说了什么。却听到八阿哥说道："若曦，你先回吧。"

我刚张口还没有来得及说什么，就听见十四阿哥说道："问问她又有什么打紧？就她和李德全知道，这事除了着落到她身上，再无别人能答。"

八阿哥看着十四阿哥说道："御前侍奉的人传递皇上与臣子私下间的密谈，一旦被知道，下场是什么，你有没有想过？"说到后来，声音已很是清冷。

十四阿哥怔了一会儿，看了我一眼，眼光转开看向梅花，再没有说话。十阿哥一听，忙说道："那若曦你赶紧该干吗就干吗去吧！"

九阿哥却冷哼了两声说道："这里就我们几个人，她不说，我们不说，又有谁能知道？"说完，冷冷看着我。

我看八阿哥神色清冷，忙赶在他开口之前，急声说道："奴婢当时虽然在屋子里，可守在外间，皇上和二阿哥在里间，奴婢听不清楚。"

话音刚落，就听到九阿哥一面冷笑着，一面看着八阿哥说道："八哥，好好看看吧！这就是你费尽了心思的人，我就是养条狗……"

还未说完，八阿哥已冷声截道："九弟！"他并不看我，目光只在几位阿哥脸上慢慢掠了一圈，最后盯着九阿哥说道："谁都不许再向她打听任何关于皇阿玛的事情。"

九阿哥神色阴沉地和八阿哥对视了半晌；八阿哥神色淡淡地回视着他；十四阿哥却神色冷冷地看着我；十阿哥看看八阿哥，又看看九阿哥，嘴巴张张合合，却无声音。

最后九阿哥转过视线盯着我冷笑了几声，猛地一甩袖子，转身就走；十四阿哥嘴边含着丝冷意也立即随九阿哥而去；十阿哥打量了我们几个一圈，挠了挠脑袋，也走了。

八阿哥这才微微笑着，眼神淡淡地看了我一眼，转身缓步而去。

我默默呆立着，只是想着，他们都不相信我没有听到！抬头看着八阿哥渐渐远去的背影，却只觉得丝丝冷意，连他也不相信！心中一酸，强忍着泪意，转身快步就往回走，可走了几步，脑子里全是他平时淡淡的笑意，阳光下温暖的笑容，还有难得一闻的大笑声，脑中回来荡去，不禁心中疼痛，停住了脚步。站住想了会儿，终是长长地叹一口气，想到，罢了！罢了！这些年我又为他做过什么呢？遂回身快跑着去追他们。

他们听身后有脚步声都回了头看，见是我，九阿哥冷冷一笑，继续前行，而八阿哥、十阿哥和十四阿哥停了下来。

我停下，喘了两口气，又看了看周围，刚要张口，八阿哥已经说道："我不想听，你回去吧。"

我摇了摇头，说道："我就是想告诉你也没有办法，我的确没有听见。"他们都面露疑惑之色。我侧头笑看着十阿哥说道："你随九阿哥先去吧。"

他一急说道："干吗要支开我？"他侧头看向八阿哥，八阿哥看着他，温和地说道："先去吧。"

十阿哥怨怒地瞪向我，我忙上前两步，扯了扯他的袖子，软声说道："反正是为你好。"说完看他不为所动，又一面笑着，一面扯着他袖子说道："求求你了，别生气，好不好？好不好？"

他被我弄得无所适从，只得把袖子从我手里恶狠狠地拽了出去，一面粗声说道："一点儿格格小姐的样子都没有！"一面转身而去。

我看他已经没什么怒气了，不禁吐了吐舌头，笑看向八阿哥和十四阿哥。八阿哥脸上早没了刚才的漠然，脸上带着笑意看着我，微微摇了摇头，十四阿哥却是瞟了眼八阿哥，看着我重重叹了口气。

我又打量了一下四周，轻声说道："皇上是很疼太子爷的。"说完，仍旧看着他们，笑问道："上次我从塞外给姐姐带的牛皮画，姐姐可中意吗？还有给巧慧、冬云带的珠饰，她们可喜欢？"

八阿哥笑着说道："都很是喜欢。"

我又笑说道："除夕夜姐姐进宫来赴宴，我却要守殿，不曾相见。姐妹也没有说话的机会，只能麻烦八爷帮我给姐姐带个好。"

八阿哥笑着点了点头，我这才躬身做福，说道："那奴婢就先退了。"

八阿哥轻声说道："去吧！"我转身自回去。

这几日我心中不安，为我当时未经仔细考虑就说出的话而担心。一直在思量我说的那句话究竟会起什么作用，是让他们缓下谋位的步伐呢，还是采取更多的举措来打击皇太子，以减少皇上对太子的宠爱？思来想去，没有答案。心里不禁暗问自己，我那句话究竟说得对还是不对？会不会事与愿违？正在一面往回走，一面再次思量这个问题，却听见十三阿哥在后面叫我。

一直未见的四阿哥和十三阿哥居然都碰上了。自从和十三阿哥在帐内说过话后，发生了那么多事情，一直没有机会面对面地对着四阿哥。站在四阿哥身前，只觉得耳朵发烫，心中异样，脑子里不禁想到草原的夜色中他冰冷的唇滑过我的脸颊、嘴唇和耳朵，很是有些尴尬，请完安，就急急地想走。

十三阿哥却笑着伸手拦住了我，说道："那么久没见，你怎么这么生分起来了？"

我忙笑道："哪里有，不过手头还有事情要做呢。"

十三阿哥不相信地朝我笑着摇了摇头，但还是说道："那你去吧。"

我还未及提步，四阿哥就淡淡说道："我有话要问你。"

我一下僵在那里，十三阿哥轻笑了几声，又咳嗽了几声，强忍着笑说道："这个……这个，我还有点儿事情，就先走了。"我忙伸手去拽他，却被他轻巧地闪开，一面低声笑着斜睨了我一眼，一面快步走开。

我心里愁肠百转，想着，该如何解释呢？如何解释他才能相信？又如何解释才能让他不会恼羞成怒呢？

正心里七上八下，忐忑不安。他却淡然问道："那日皇阿玛和二哥都说了些什么？"

我的忐忑不安、万千思绪立即消失无踪。只是一时心里说不清什么滋味，应该是安心，可居然还有隐隐的失落，不禁暗自嘲笑自己也有自作多情的一天。

静了静心神，淡然答道："奴婢当时守在外进，皇上和二阿哥在里进，奴婢不知道他们说了什么。"

他瞟了四周一眼，紧走了两步，我不禁后退，他又随了上来。我发觉已经紧贴着树干，退无可退，只能和他近距离地站在一起，感觉他的呼吸可闻。他轻声说道："你是在恼我那天晚上吗？"

我忙摇了摇头，想着你不恼我就行，我可不敢恼你，一则本就是自己先引得他误会，二则我还没吃熊心豹子胆。

他盯着我的眼睛慢声说道："当时我也许错解了你的意思。"我忙不停点头。心想，明白就好，明白就好！心还未来得及放下，就看他凝视着我缓缓一笑，我立即觉得浑身毛骨悚然，冷气从脚底直往上冒，果然，他带着笑意接着说道："可我不后悔亲了你。"我立即心头狂跳，还得强压着紧张，思索他话里意思，看看怎生应对。

他说完，手伸到我脖子处，轻轻扯了一下我的衣领，朝里看了一眼。冰凉的手指若有若无地滑过我的肌肤，只觉得身子也在变冷。如此轻佻的举动，他却做得坦坦荡荡、自然无比，好似我与他天经地义就该如此。我心中一怒，火气直冲脑袋，也顾不上他将来是不是雍正，挥手就把他的手用力打开。

他倒并未在意，顺着我的动作，收回了手，退后两步，声音平平地问道："怎么没戴着？"

我立即反应过来原来他是要看我是否戴了那条链子，硬邦邦地回道："在屋子里，下次四爷进宫，奴婢还给四爷。"

他眼中带着几丝冷意和讥讽，看了我半晌。我牛脾气一上来，再不愿意计较后果，也直直地盯着他看。

他忽而嘴角露出一丝笑，说道："既然收了，就没有退回的道理。"

我张嘴想解释当时纯属误会，根本不知道是他送的。可张了张口，觉得这又如何解释？难道告诉他我以为那是八阿哥送的？只得又闭了嘴，心中万分懊恼。

他看我在那里欲言又止的，又说道："有些事情虽是你起的头，但却由不得你说结束。"

我只觉得心中有怨无处诉，有火发不出，带着几丝怨气和怒意瞪着他。他嘴角噙着丝笑意，神色淡定地看了我一会儿，收了笑意，淡淡说道："总有一日，你会愿意戴上它的。"

他语气虽淡，但是里面却有一种绝对无人能逆转的力量，我猛然一惊，想着，我和他硬对硬的来，岂能有赢的道理？需得想其他法子。我那么多年书是白读了，怎么连以柔克刚、四两拨千斤这些道理都不懂了？一面想着，一面脸上的神色渐渐缓和。

他静了一会儿，问道："虽说听不具体，可总不能一点儿都没听到吧？"我忙收回心神，看着他，平平说道："没有。"

他不说话，只是神色淡然，双手悠然负在背后，深深地盯着我看，我只觉得刚才稍微缓和的心，又提了起来。

脑子里迅速地思前想后，李德全那日把我放在屋中，难道就没有想到会有人向我打听？答案很明显，他肯定会想到，所以才把我留在了外间，即使有人打听也不妨。二则，当时李德全对我未尝不是一种试探，如果我真是阿哥们的人，那我势必会想方设法去听皇上与太子之间这场非常重要的对话，可我当时站在外间靠门口的地方，根本就没挪过位置，还在走神想别的事情，如是有意试探，这一切肯定都落在李德全这只老狐狸眼里，那就根本不存在我走漏消息的可能。想到这里，不禁有些后怕，如果当时我真一时生了好奇心想法子去听，只怕……

赶快拉回心神，现在不是分析李德全的时候，眼前最重要的是要过四阿哥这一关。他显然打定主意要从我口里知道一二。我若回绝了他也不是不可，可他是四阿哥，将来的雍正，我真有必要在这件事情上和他过不去吗？那以前的小心谨慎不就全白费了吗？

脑中念头转了几圈，最后笑着抬头，看着四阿哥说道："当时我在外间只隐隐约约听到二阿哥的哭声。"说完后，我躬身想请安告退。

他声音平地问道："你也是如此告诉你姐夫的吗？"

我躬着的身子微微一僵，缓缓起身，一面笑如春花地回道："正是！"

他眼光没有什么温度地目视着我，我保持着我春花般的笑容，目光柔和地回视着他。过了半晌，他轻声说道："你去吧。"我笑着又向他行了个礼，慢慢转身而去。

直到进了院门，玉檀看见我，笑问道："姐姐今日怎么如此开心？"

我一愣，这才反应过来，我居然一直笑着回来了，一回过神来，脸上神色立即垮了下来。玉檀一惊，不明白她的一句话，怎么就让我表情天翻地覆的。我只朝她点了点头，径自回了屋子，再不愿多想。

只希望康熙快点给二阿哥复位吧！我实在不想再被人问了。连最能沉得住气的四阿哥都静不住了，满朝文武可想而知。一方面把太子的倒行逆施归咎于大阿哥下了咒术，一方面又继续囚禁着二阿哥，的确是人人一头雾水，摸不着东南西北。

几天之后的一个午后，正在屋内闲坐着翻书，王喜匆匆跑了进来，认认真真地打了个千，立起后也不说话，只是静静站着。我放下书，纳闷地看着他，问道："有什么事情直说吧。"

他瞅了我一眼，低着头沉吟了一会儿，才慢慢说道："今日朝上万岁爷大怒。"

我一惊，想着万岁爷大怒固然是要紧事情，可他为何特地跑来告诉我呢？定了定心神，问道："为了什么事情？"

他抬头飞快地瞟了我一眼，看我目光清亮地正盯着他，又低下了头，犹豫了一下，说道："今日朝堂之上，万岁爷询问立太子之事。大臣阿灵阿、鄂伦岱、揆叙、王鸿绪等大人，还有九阿哥、十阿哥、十四阿哥都出面保奏立八阿哥为太子。"我一下子从椅子上站起，只想着，自古皇帝最恨儿子们私下结交大臣，唯恐出现党派之争乱了朝纲和自己被架空，康熙也绝对不会例外。

沉默了一小会儿，我问道："皇上怎么说？"

他略微犹豫了下，说道："万岁爷极为生气，说……"

他停了下来，我肃声说道："照实说。"

他这才又接着说道："因为大阿哥被幽禁前曾说过他愿意将来辅助八阿哥，万岁爷说八阿哥和大阿哥彼此勾结庇护，谋夺太子之位；说八阿哥在朝内私结党派，还说……"

他又停了下来，我心急如焚，忍不住喝道："往下说！"

他从未见过我疾言厉色，不禁吓了一大跳，赶紧接着说道："说八阿哥柔奸成性，妄蓄大志，党羽相结，谋害胤礽。今其事皆败露，削其爵位，即锁系，交议政处审理。"他一口气地把康熙的原话重复了出来。

我只觉得背心冰凉，眼前一黑，浑身无力地软倒在椅子上，脑袋只余一片空白，耳内不断地重复着那句"即锁系，即锁系……"却似乎不太明白它是什么意思，过了大半晌，才慢慢真正理解了这句话，可明白了更觉心痛难忍，他那样风姿雅洁的人居然被锁系！

王喜看我坐在椅子上，身如雕塑，半天没有反应，只得试探地叫道："姐姐，姐姐。"

我强自定了定心神，没有力气地问道："后来呢？"

"几位阿哥给八阿哥求情，十四阿哥跪奏万岁爷说'八哥无此心，臣等愿以死保之'。"他学着十四阿哥的语气道。

我点点头，示意他继续往下说。

"可万岁爷最恨阿哥和大臣为谋夺太子之位而私下结交，而且当时正在气头上，十四阿哥又硬驳万岁爷的话，最后还说愿不惜一死来保八阿哥，以死明其心志。万岁爷震怒之下，竟拔了侍卫的佩刀欲诛十四阿哥。"我"啊"的一声惊叫，看着王喜，王喜也是面有余悸地回看着我。

我静了静，安慰自己，没有什么事情的，十四阿哥可是一直活到乾隆登基了。看着王喜，说道："接着说。"

王喜说道："当时五阿哥急忙扑上前跪抱着万岁爷双腿哭劝，别的阿哥也都不停磕头恳求，万岁爷才稍微缓解了怒气。"

王喜又停了下来，我长叹口气说道："事已至此，还能有更坏的吗？说吧，别再吞吞吐吐。"

他赶忙说道："万岁爷打了九阿哥一个耳光，又命责打十四阿哥四十大板。"

我听后木木地坐着，过了半晌忽然想起，忙问道："十阿哥呢？"

王喜回道："因万岁爷训斥八阿哥时，虽然九阿哥、十阿哥和十四阿哥都上前跪倒为八阿哥求情，但只有十四阿哥和万岁爷起了争执，而十阿哥当时只是跪地磕头。所以十阿哥没有事情，万岁爷只是斥令他回去闭门思过。"

我一时静默无语，只觉得脑袋重如巨石，根本无力思考。心如被千针所刺，先时还觉得疼痛，这会儿却只觉得麻木。

王喜在旁默默站着，过了半晌，才说道："我师傅……"

我才反应过来，他特地过来告诉我这些，只能是李德全的意思，忙强打精神问道："李谙达有什么吩咐吗？"

王喜说道："我师傅的意思让姐姐今日好好休息，明日还要当值，不要误了正事。"

我问道："就这么多？"

王喜回道："就这些。"

我沉默了一下，对王喜认真地说道："回去告诉谙达，若曦就不说什么谢谢的话了。"

王喜转身要走，临走又弯了回来，说道："好姐姐，虽说你姐姐是八阿哥的侧福晋，可你也不用太担心，万岁爷这么看重你，断不会因此而薄待姐姐的。"

我感激地说道："谢谢了。"他这才转身离去。

一个人静静坐着，只觉得一颗心乱跳，竟没有个落处。我一遍又一遍地告诉自己，还好，还好，只是四十大板而已！八阿哥也没有事情，只是暂时被关起来了而已！可想着想着，不知为何，眼泪却只是往下掉，止也止不住。

我不停地问自己，我知道结果，可不知道过程，原来一个简单的结果，居然要经过这么多的痛。前面还有什么要发生呢？还有多少是我不知道的？究竟还要发生多少事情，太子才可以复位。我一直鸵鸟地不肯去想十几年后的事情，可原来眼前就有苦痛。几次站起来，想跑出屋子，想去看看他，可走到门口，却知道我见不着的，我是连这宫门都出不去的人！

只觉得心神躁乱悲伤，却无计可施、无法可想，只得又坐回到椅子上。

天渐渐黑了，我却一无所觉，只是坐着，因为心本就沉浸在黑暗之中。

玉檀进屋时以为屋中无人，待点亮了灯，才发觉我静静坐在椅子上，唬了一大跳，忙上前问道："姐姐用过膳了吗？"

我收回心神，说道："还没呢，你呢？"

她回道："我也没用过，待会儿一起吧。"

我点了点头，玉檀看着我，犹豫了会儿，终于没有忍住，说道："姐姐一向尽心服侍皇上，待人又谦和宽厚，皇上很是看重姐姐，不会因为其他事情而牵累姐姐的。"停了停，又说道，"再说了，都是皇上的儿子，一时生气责罚也是有的，过几日等皇上气消了，自然就好了。"

我拉起她的手，没有说话，只是轻轻摇了摇。想着，我虽然这三年来在宫里费尽了工夫和心机，可毕竟没有白费。李德全向来对我就不错，从此事看来，更是极为照顾，已经间接向我暗示了康熙的态度，以示宽慰，而王喜、玉檀也待我不薄，这些话虽根本没有说对我的心事，可毕竟是暖人的。

第二日去应值时，明显感觉周围的宫女太监们都暗里打量我，有人难掩开心，有人充满探究，有人伺机而动，有人略带同情，还有人面色虽平静但眼中却锋芒毕露，但他们看我表情自若，应对得体，嘴角微微含笑，而更重要的是李德全待我一如往常，又都带着思索慢慢收回了目光。

我心里半带嘲讽地对自己说，原来我往日的气派固然和自己的努力有关系，但也脱不了我和八阿哥的这层关系。毕竟在朝堂之中，连太子爷现在也比不上八阿哥的势力。

明面上四阿哥和十三阿哥是站在太子爷这面，支持太子爷的，可八阿哥身边有九阿哥、十阿哥和十四阿哥。五阿哥虽保持中立，并不表态，可他毕竟是九阿哥一母同胞的兄弟，而且兄弟两人感情甚好。至于朝中大臣，更是对太子不满者多、拥八阿哥者多。

康熙从面色上已经完全看不出昨日的怒气了，表情温和，像往常一样批阅公文奏章，只是眉梢眼角有几丝疲惫。看到我，也没什么特别表情，我也该干什么就干什么。因为怕的根本不是在康熙跟前失宠，所以心态很

是平和。

李德全看我不卑不亢，举止如常，在晚间略带赞赏地对我说道："真是个难得的真正明白人，我在你这个岁数，都做不到宠辱不惊。"

我无话可以应对，只回道："谢谢谙达照应。"他根本不明白我虽在康熙身上很花心思，可那都是另有所图，我并不真正看重这些，既不看重，又何来忧惧？

这几天，九阿哥、十阿哥都在家闭门思过，十四阿哥行动困难在家养伤，可其他阿哥我也一个没有见到，有心想找个人问问，却无人可问。又不敢莽撞行动，毕竟现在周围的人都睁大眼睛瞅着我，行差踏错，后果难料。只得自个儿内心煎熬着，面色还不能露出丝毫。因没有什么食欲，思虑又重，人迅速瘦了下来。

晚上独自守在灯前发呆，想着不知道姐姐现在如何。忽听得有人敲门，我一时反应不过来，愣了一会儿，才慢慢起身开了门，门口却无一人，只地上躺着一封信。

心猛地几跳，我赶忙捡起，掩上了门。背靠着门，深吸了口气，迅速打开了信，是十四阿哥的笔迹。

"安好，勿挂。"

四个龙飞凤舞的大字压满纸面，墨迹淋漓，力透纸背。我把信重重地压在胸口，似乎十四阿哥的力量透过他的字直达我的心。闭上眼睛，泪水无声地滑了下来，多日未曾落到实处的心稍稍安定。

第二日午后，我正在侧厅整理茶具，王喜进来，朝我打了个千，郑重说道："今日朝堂上万岁爷复立二阿哥为太子。群臣朝贺，万岁爷很是高兴。"

我淡淡笑道："这可真是一件喜事。"

王喜一面笑，一面说道："皇上复立太子，心情大好，又宣布等太子册立次日，就宣封三阿哥、四阿哥、五阿哥为亲王，七阿哥、九阿哥、十阿哥、十二阿哥、十三阿哥、十四阿哥为贝子，恢复八阿哥的贝勒封爵。"

终于雨过天晴了！我缓缓吐出一口气，这才露出了真心的笑，心中压着的石头终于搬开了。可一面又觉得同样是儿子，康熙真的是非同一般的偏心，不禁很是替其他阿哥不值。不过，这样的事情即使在民间百姓家也是有的，何况对这个有四十多个子女的皇帝呢？毕竟二阿哥是唯一由他亲手抚养长大的孩子，几十年的感情岂是说放手就能放手的？更加重要的是，八阿哥在朝中过大的势力已经引起了康熙的忌讳，所以他宁愿选择太子这个由他亲自培养的势力，一个他清楚来龙去脉的势力，一个他绝对可以掌控的势力。

第十一章

劝君惜取少年时

恰是人间四月天，蝶飞燕舞，花开草长，山水含笑，生机勃勃。

这时的北京还未有沙尘的困扰，天空是清澈蔚蓝的，色彩虽纯但轻透，好似清新的水彩画一般。风则在空中回旋游荡，时能听到它在林间游玩时与树叶嬉戏的轻柔笑声。才吐未久的叶儿，在阳光下泛着青翠的光泽，翠得让你眼前一亮，翠得好似能点亮你的心。

这是丁香花的季节，深深浅浅的紫色小花密密匝匝地压满了枝头，香气远远地就能闻到。我拿了竹篮采摘丁香花，晒干后，入菜调味很是不错；拿来泡澡，润肤止痒更是好。不过丁香花小，又要选开在正盛时的采，未全打开的和快开败的都不能要，一上午，才摘了小半篮子，而我已经站得腰酸酸的，额头上也满是细密的小汗珠。

正拿手绢拭汗，十阿哥和十四阿哥笑着走过来，我忙俯身请安。两人看了看我篮子里的丁香花，十阿哥说道："这些活也要自己干吗？打发小太监采不就行了？脸都晒红了。"

我笑说道："让他们干，根本不辨花的好坏，全给我塞在篮子里，我可不放心他们。"

十四阿哥笑叹道："偏你有那么多花样。"

我笑了笑没有说话。

过了一会子，我看他俩没有要走的意思，笑问道："你们今儿很闲吗？难不成要看我摘花？"

　　十阿哥说道："特意来找你的，玉檀说你采丁香花去了，我们琢磨着也就这里有丁香花。"

　　十四阿哥看着我身后的丁香花说道："这几株丁香还是当年孝庄文皇后亲手所植。"我"啊"了一声，不禁转身看花。大玉儿！那个来自草原的传奇女子，一时不禁有"丁香依旧笑春风，人面却已随风逝"的苍凉之感。

　　收回思绪，才问道："特意找我？所为何事？"

　　十四阿哥对着十阿哥说道："我说得不错吧？她又忘了。"

　　十阿哥点着头说道："她把别人的生日都记得清清楚楚，就唯独不记自己的。"

　　我听完，才一下子想起来，再过三天是自己的生日了。马尔泰·若曦的十八岁生日，张晓的三十岁生日。说来也巧，若曦和张晓竟是一天的生日。不过，说不定这个巧合也是我来这里的原因。

　　一瞬间竟有苍老的感觉，不禁说道："哪个女孩子耐烦记着自己的生日呀？年年提醒自己又老去一岁。"

　　十四阿哥对十阿哥笑说道："听听，倒成了我们的不是了。"

　　十阿哥也是笑着，问道："老不老先不去管它，你倒是有什么特别想要的没有？"

　　我说道："和往年一样给我买些小东西就可以了。"

　　十阿哥说道："去年就没正经过，今年总要送些特别的东西的。"

　　我随口说道："真想要的东西，又得不到，随便从宫外给我买些新鲜有趣的玩意儿也就可以了。"

　　我话刚说完，十阿哥和十四阿哥互相对看了一眼，十四阿哥凝视着我，很是认真地说道："你且说来听听，办不办得成再说。"十阿哥也眼巴巴地盯着我。

　　我侧头默想了会儿，自打进宫后，虽逢年过节也能见着姐姐，可只是请安问好，从未和姐姐私下里说过话。若姐姐能在生日那天陪着我，就是最好的寿礼了。可宫里规矩森严，岂能随便容我们姐妹闲话家常，相比那些连见一面都难如登天的人，我已经很是幸运了。再说，太子风波刚过去没有多久，八阿哥现在自己都很少在宫中走动，我一直都未曾见过他，我又何必因自己的一点儿私心再替他招人口舌。遂一面微笑着，一面说道："只是一个生日而已，你们拣着好玩的送就可以了。"

十阿哥和十四阿哥一听都静了下来，十四阿哥注视着我说道："你在宫里待久了，也把那说话只表三分意的毛病全学会了，再无当年的爽利。"

我心想，这皇宫是什么地方呢？再粗爽的人入了宫也得变得谨慎。不想再解释什么，只是看着十四阿哥认真地说道："生日有什么打紧的呢？其实最紧要的是你们都好好的，我们大家都好好的。"

十四阿哥听完，没有说话，只是默默地注视着我。十阿哥也好像想起了刚过去的那场风波，面色也一下子沉静了下来，安安静静地在一旁立着。

自从那件事情后，我虽见过十阿哥和十四阿哥两次，可大家都装做没有发生任何事情的样子，一如往常地请安对答，从未提起过这个话题。今日我心急时的一句话，引得两人面色都静了下来。

我忙把心里的感伤赶走，微笑着说道："你们不走，我可不理你们了，我还得摘花呢，趁着这几日有空，赶紧摘一些，若不然错过了，就要等明年了。"

十阿哥忙笑说道："这就走，不耽误你工夫了。"

十四阿哥听完后，却很是一愣，看着我半天没有说话。我和十阿哥疑惑地对视一眼，十阿哥拍了拍他肩膀说道："十四弟，想什么呢？"

十四阿哥这才笑道："没什么，只是想起一首诗词而已。"

十阿哥嘲笑道："你们这些书袋子，随时随地都怕别人不知道你们读过书，想着什么了？"

十四阿哥微笑地看着我，慢慢吟道："劝君莫惜金缕衣，劝君惜取少年时；花开堪折直须折，莫待无花空折枝。"

静静听完，我微微一笑没有回话。十阿哥却有些发呆，怔怔看了我一会儿，轻轻叹了口气。我朝他俩俯了俯身子，自转身开始摘花，不再理他们。

他们走后，我嘴角的笑渐渐消失，嘴里苦苦的。我的年龄不管是在古代还是在现代，都已经过了适嫁年龄。一面挑着花，一面问上天，我不要做传奇，我只是个普通的女子，即使曾经受过伤，把心收藏在最深处，也仍然企盼着有一个人愿意用他的真情拨开那层层花瓣下的花心，可是那值得托付的良人在哪里？

看着菱花镜中的容颜，手指轻轻抚过自己的脸，皮肤是白皙水滑的，眼睛是清亮晶莹的，嘴唇是胭脂红润的，这还是一张年轻的脸，可心却老了，丝丝苍凉存在心底。

今日不该我当值，可我该如何过这个生日呢？在北京时，母亲每年都会给我买一个生日蛋糕，后来到了深圳，母亲也会嘱咐哥哥在网上帮我定购生日蛋糕，把祝福和爱送到。我趴在桌上再不愿想起。已经四年了，回去的希望已经消失，看来此生只能是马尔泰·若曦了。

忽地想起生日不就是母亲生我的日子吗？一下子难以自持的悲伤涌上心头，不禁再无任何欲望去想这个日子，起身从书架上随手拿了本书，倚在榻上看起来。

看封皮是本唐诗，也没有在意，随手翻到一页，看起来，竟然是孟郊的《游子吟》。我啪的一声把书丢到桌上，可整首诗词仍在脑海里回旋不去。

慈母手中线，游子身上衣。
临行密密缝，意恐迟迟归。
谁言寸草心，报得三春晖。

我长叹一声，躺倒在榻上，闭上了眼睛。正自神伤，忽听得敲门声，忙坐了起来，理了理衣裳，说道："进来吧。"

一个看着眼生的宫女满脸笑容地推门而进，我不禁一愣，赶紧站了起来。她福了福身子，说道："若曦姑娘吉祥，奴婢彩霞，是伺候良主子的宫女。主子说无意中看到宫女手中的手绢花样很是别致，问了知是姑娘所绘，想请姑娘过去，帮着绘几个花样。"

我愣了一会子，说道："好。"

她在前面领路，我随后跟着，以前虽也见过几次良妃，可这是我入宫以来，第一次去良妃宫中。她虽说是八阿哥的额娘，中间有我和姐姐这层关系，可对我一直淡淡的，我也只是按规矩请安行礼。反倒是其他娘娘在这四年里对我态度变化很大，由起先的猜疑冷淡到现在的和蔼可亲，毕竟如今康熙身边服侍的人中，除了李德全，就是我最受倚重。连在废太子事件中，人人都以为我会因为八爷党受到波及时，康熙却对我一切仍旧，宫里的人对我更是上了心。

彩霞帮我挑开帘子，说道："姑娘自己进去吧。"我点了点头，进了屋，正厅并无人，只听到谈话声从侧厅传来，于是向侧厅走去，守在珠帘后的宫女彩琴看我来，忙分开帘子。因为彩琴是良妃宫里品阶最高的女官，又最得良妃看重，所以我紧走了几步，笑着低声说道："烦劳姐姐了。"彩琴笑着回了一礼，没有说话，只示意我进去。

进去后，一眼就看到良妃斜坐在榻上，姐姐一身宫装，侧坐在下方。我心里一热，忙俯下身子给良妃和姐姐请安："良妃娘娘吉祥，福晋吉祥。"

良妃轻抬了抬手让我起来，淡淡说道："看你绘的花样子不错，就打发人叫你来帮着绘制几张。"

我笑说道："娘娘能看得上眼，是奴婢的荣幸。"

她让宫女搬了绣墩赐我坐在一旁，我忙说不敢，她淡淡说道："难道你过会子绘花样也是站着吗？"

我想这屋里除了姐姐、良妃，也就守在珠帘旁的宫女彩琴，于是依言坐了下来，这才朝姐姐抿嘴一笑，姐姐也是微微一笑。

良妃看了我们一眼，说道："若兰难得进宫一趟，倒是真巧，你们姐妹竟碰上了。"正说着，彩琴已经在桌上把笔墨纸张都摆好了。良妃一面起身，一面说道："若曦，你就在这里绘吧，若兰，你给她说说我喜欢的样式。"我们忙站起来听着。良妃说完，自带着彩琴去了正厅。

姐姐走过来，轻轻摸了一下我的脸，嗔道："又是你捣的鬼，前两日，爷就打发人来说让我今日进宫来给额娘请安。我还纳闷，非年非节的，怎么特地让我进宫呢？可一想不正是你的生日吗？就知道肯定能见着你了。"

我笑着，轻轻依在姐姐身上，半带着撒娇问道："难道姐姐竟不想见我吗？"

姐姐含着笑，没有说话。两人静静依偎了一会儿，我牵着姐姐的手，走到桌边坐下，姐姐也挨着我坐了。我朝她一笑，一面拿笔，一面问姐

姐："娘娘都喜欢什么花？"

姐姐说道："颜色淡雅素净的。"

我点了点头，想了想，开始画梨花。不要叶子，只把花密密地画了几朵。

姐姐一直在旁边默默坐着看我画，等我一口气绘完后，才说道："你这几年在宫里，倒是学了不少东西。我起初还以为只是个借口呢，没想到竟画得这么好，看得我也想要了。"

我搁下笔，一面笑说道："那还不是想要多少，有多少。回头我画好后，让人带给你。"一面想着，我打小可就学着画了，虽不好，可画个花样什么的还绰绰有余，在宫里没有什么娱乐项目，只好在这些事情上磨功夫了，可不就越来越精了。

姐姐一笑，没有答话。两人都静静地坐着，我心里满是欣悦，好似又回到了初到贝勒府的日子，什么也不用多想，只管想着怎么打发无聊的时间，每日最紧要的事情不过是如何玩。嘴角含着笑意，头轻轻靠在姐姐的肩膀上。唱戏、打架、与老十斗嘴、被十四阿哥嘲弄、和丫头们踢毽子，一幕幕在脑海中闪过，仿若昨日，却已经隔了四年。原来，我这些年最快乐的日子竟然是在八贝勒府中度过的。

过了一会儿，姐姐轻轻说道："已经十八了。"我随口"嗯"了一声。姐姐把我的头推正了，看着我，认真问道："你在皇阿玛身边已经四年了，自个儿有什么打算？"侧头看了看帘子外面，又低声问道，"你心里究竟有没有中意的人？"

这个姐姐呀！可真像我老妈！前几年唯恐我早恋，后来又担心我为何还没有男朋友。我心里又是感动，又是难受，面上却未露分毫，嘻嘻笑着问道："前几年，姐姐不是说让我别乱动心思吗？"

姐姐笑瞪了我一眼，说道："前几年你要入宫，谁知道皇阿玛会不会挑中你，或者又会把你赐给哪家的公子哥，有了心思也是白有，又何苦自苦呢？可现在你已经这么大了，又是皇阿玛看重的人，在皇阿玛面前也能为自己说得上话，总得为自己谋算谋算，总不能做一辈子的宫女吧？"

我微微笑着，没有说话。

姐姐拿起我的手，看着我手上的镯子说道："还带着呢！"我心里一紧，忙抽了手回来。姐姐也没有在意，静静想了一会儿，说道："你若真喜欢十三弟，就让十三弟去求皇阿玛要了你。可我看十弟也还惦记着你，跟他也未尝不可，不过十福晋……"她停了一下，又接着轻笑着说道，"那倒也不怕，你的性子还能让她占了便宜去？"

我默默听着，想到让我为一个男人，和另一个女人在同一个屋檐下，钩心斗角地过一辈子，需要多少的爱才可以支撑？

过了一会儿，姐姐又说道："我看十四弟对你也不错。"

我忍不住开始笑起来，笑问道："这么多呀？还有没有？"本是一句玩笑话，可姐姐看着我认真地说道："爷对你也很好。"

我的笑意在脸上僵了僵，自侧转头，强笑着说道："姐姐再这么说下去，简直个个阿哥都对我很好了，我竟不知自个儿何时成了香饽饽了。"姐姐笑问道："依我看，这些人个个都嫁得，况且你和十三弟、十四弟他们自小一起玩大，脾气秉性都知道，嫁他们总比嫁给一个话都没说过的人强。"

我不吭声，姐姐问："若曦，你究竟想要什么样的人？"

我望着前方，幽幽说道："我若要嫁一个人，他须要全心全意地待我。姐姐，你懂的。"

姐姐静默了下来。

我一面想着姐姐竟真的对八阿哥一点儿心思也没动，一面看着姐姐柔声问道："别光说我，姐姐这些年过得可好？虽有见面，可从未有机会亲口问问。"

姐姐听后，目光低垂，注视着桌上我绘好的梨花，淡淡说道："还不是老样子。"

我一听，忍不住脱口而出："为什么不可以遗忘？"

姐姐身子一硬，过了半天，才淡淡说道："想忘却绝不能忘。"

我问道："为什么不珍惜眼前的人呢？"

姐姐猛然抬头看着我，我直勾勾地回看着她，我俩对视了一会儿，她凄然一笑，转过头，说道："我虽不恨他，可我也不能原谅他。若不是他派人去打听，那……怎么会……死呢？"姐姐语带哽咽，声音颤抖，没有再往下说。

我长叹了口气，无力地辩解道："可他是无心的。"姐姐却再不肯说话。

我心中哀伤，只觉得我们这些人就像一团乱麻，怎么理也理不清，我们都有自己的执念，宁肯孤独地守着，也决不肯放，即使代价是孤寂一生。看了姐姐好一会儿，忍不住又提起笔，静静画了一株恣意怒放着的欧石楠，画完后，才觉得心中的哀伤宣泄出来一些。

墨迹刚干，彩琴正好进来，笑问道："姑娘可绘好了？"

我笑着说："好了。"把花样交给彩琴，和姐姐一块儿进了正厅。

良妃接过花样，边看边说道："这是梨花，不过倒是少见人绣在绢子上。"

我忙笑回道："是化自丘处机的《无俗念·灵虚宫梨花词》。"

良妃微微一笑说道："'天姿灵秀，意气舒高洁''浩气清英，仙材卓荦'，我可不敢当。"接着看下一张，一面看着，一面说道，"这是什么花，我倒从未见过。"

我这才反应过来，心里暗叫不好。当时光想着欧石楠的花语是"孤独"，一时情绪激荡就画了出来，竟然忘了这是生长在苏格兰荒野上的花，没仔细思量过现在的中国是否有这样的花。愣了一愣，才慢慢回道："这是杜鹃花的一种。"想着欧石楠属杜鹃科，不算撒谎，"一般生在悬崖峭壁上，平常不得见。奴婢也是从西北进京的路上，偶然看到过一次"。

良妃点点头，看着花样说道："是有遗世独立的风韵。你倒真是个七窍玲珑心的人。"正仔细打量我，忽然瞥到我腕上的镯子，笑容一怔，我下意识地把手往后一缩。心中正慌，良妃却已恢复常态，转头让彩琴收好花样，命人照着去绣。

我看已经得偿所愿，就行礼告退，姐姐朝我微微一笑，我也回了一笑，然后自转身退出。

默默走着，不知有意还是无意，我竟走到了太和殿外，我隐在墙角，遥遥目视着殿门。也不知站了多久，散朝了，大小官员纷纷而出，看到一个身着官袍的熟悉身影缓缓走了出来，身子似乎更加单薄瘦削了，可气度是一贯的雍容优雅。虽因为隔得远，看不清面容，可我觉得能感觉到他那微微笑着的脸，和没有丝毫笑意的眼睛。

我脑子里一片空白，只是定定望着他走下了台阶，又看着他走过殿前的广场。周围虽还有其他人相伴，却只是觉得他是那么孤单寂寞，正午的阳光虽然照在了他身上，却照不进他的心。正如那苏格兰荒野上的欧石楠，表面极尽绚烂，却无法掩盖那寂寥的灵魂。

他猛然顿住身形，转回头朝我藏身的方向看来。我一惊，快速缩回了脑袋，背脊紧紧靠在墙上，只觉得心突突地乱跳。过了一会儿，终是没有忍住，又悄悄探出脑袋，却只看见他的背影。

他渐渐越行越远，慢慢消失在大门外，我忍不住沿着汉白玉的侧廊快步小跑起来，立着的太监侍卫虽有些诧异，可都知道我是谁，只是多看了两眼。

想着清朝规定平日文武大臣出入午门左侧门，而宗室王公出入右侧门。沿近道跑到高处，隐在廊柱后看去，果然右面只有王爷阿哥们走着。我从高处看过去，仍是他的背影，与身边的人一面谈笑着，一面缓缓走着。

渐渐到了午门，临出门前他又突然顿住身形，转回身子，仰头向我藏身的方向看来。我紧贴着廊柱站着，脑袋抵在柱子后，一动不动。

过了好一会儿，等我再探出脑袋时，下面已空无一人，只有午后的阳光洒在地面上，白花花地反射回来，刺得眼睛生疼。我凝望着下面，背贴着柱子，一点点地慢慢滑倒，坐倒在了地上。

我感叹姐姐守着自己的执念不肯放手，我又何尝不是呢？如果我不是念念不忘那个最终的结局，勇敢一些，是不是会好一些呢？如果我不那么狷介，要求少一些，能接受与其他女人分享一个丈夫，是不是会好一些？如果我单纯一些，肯简单地相信他是唯一地爱着我，是不是又会好一些？

一个太监从我身边走过，猛地看见我，唬了一大跳，赶着给我请安，我也忙站起来，让他起身。这才收拾心绪，往回走。

正往住处走，却看到前面隐隐约约走着的身影像是十四阿哥，忙快走了几步，仔细打量，果然是他，叫了一声。

他一回头，看是我，停了下来，等我赶到，笑说道："寿星，这是打哪儿来呀？"

我一笑，也不请安，只是问道："你这又是去哪儿呀？"

他笑说道："下朝后，去给额娘请了个安，正打算去看你。"

我随口问道："怎么也没有多陪娘娘会儿呢？"

他却半天没有回话，我不禁有些纳闷，难道这个问题很难回答吗？他过了会子才说道："我也不瞒你，我看四哥和十三哥都在，就没有多待。"

我心里一面琢磨着，一面默默走着，直到院内。我说道："你等等，我去搬个小桌子出来，今日给你煮壶好茶。"说完自进了屋子，他也随了进来，要帮我搬桌子。我忙推了他出去："你赶紧出去，被人看见你喝茶倒也罢了。若被人看见你在我这里搬桌子，那可了不得。"他听完，只好又退了出去。

我把桌子在桂花树下放好，又拿了两把矮椅，桌上放一套紫砂茶具，旁边摆一个小小风炉烧水。看了看敞开着的院门，觉得还是开着的好。

我扇着蒲扇看火，十四阿哥把玩着桌上的茶具，说道："这茶具好像是前两年，你让我帮你搜罗的，我特地托人从闽南带来的。我当时还想着这南方的东西和我们就是不一样，茶盅这么小，只不过一口的量，茶壶才和宫里常用的'三才碗'差不多大。"

我笑说道："是呀，闽粤一带人爱喝功夫茶，要的就是小小杯地慢慢品，花功夫，所以才称其为功夫茶。"

看着水烧到蟹眼，忙提起壶，烫好茶壶，加入茶叶，注入水，直至溢出。第一遍的茶水只是用来洗杯子，第二遍的茶水才真正用来饮，先"关公巡城"再"韩信点兵"。

倒好后，我做了一个请的姿势。十四阿哥笑拿起一杯，小小啜了一口，静静品了一会儿，然后一饮而尽，笑说道："可真够苦的。"

我也拿起一杯，慢慢饮尽，说道："这是大红袍，你一般喝的都是绿茶，味道要清淡一些。"

十四阿哥笑了笑，又拿起一杯喝了。

我看着他，问道："你是为了上次的事情，恼四王爷吗？"

十四阿哥目视着手中握着的杯子，说道："不是恼，而是心寒。当时皇阿玛拿佩刀要诛我，第一个冲上去紧抱住皇阿玛的是五哥。五哥虽是九哥一母同胞的兄长，可一般不和我们来往。可就这样，他仍是哭着求皇阿玛饶了我。"

他停了下来，把茶一饮而尽后，才又说道："四哥可是我的亲哥哥，虽说我打小跟着八哥玩大的，和他不亲近，可他……可他……"他猛地停住，不欲再说。静了半晌，又冒了句："当年八哥和他一块儿被封的贝勒，可现在人家已经是亲王了，趋利避害再没有人比他做得更好了。"

我说道："可我听说，四阿哥也是跪着求情了的。"

十四阿哥摇了摇头说道："后来哪个阿哥没有跪呢？"

我实在不知道再能说什么，他们之间的心结打小就有，性格不合是一个原因，一个飞扬跳脱，一个阴沉不定。两兄弟又不是一块儿长大的，四阿哥是由孝诚皇后养大的，德妃娘娘自然偏宠自己亲手带大的十四阿哥，再加上从康熙四十二年到现在暗地里的太子之位的争夺，四阿哥一直站在太子那边，而十四阿哥一直跟随八阿哥，谋划着废了太子，两个亲兄弟只能越走越远。至于说到将来，两兄弟更要直接为皇位而反目成仇。想到这里，不禁轻轻叹了口气。

我又冲了一壶茶，举杯笑说道："今日我见着姐姐了，还说了好一会子话，谢谢你了。以茶代酒，敬你一杯。"

他一笑说道："该我给寿星敬才对。"不过说着，仍是喝了一杯。喝完，认真说道："你真要谢谢的人可不是我。"

我低头默默看着自己的茶杯，没有说话。

十四阿哥瞅了我半晌，见我没有任何动静，叹了口气，问道："若曦，你究竟心里在想些什么？八哥这些年为你做的事情还少吗？爱新觉罗家老出痴情种，八哥如今也这样。"

我愕然一惊，心叹道，八阿哥可不会是多尔衮、顺治，他们能为美女舍弃江山，八阿哥能吗？

十四阿哥说道："你还未入宫，八哥就要我求了额娘，设法把你划在名单之外，让你到额娘宫中服侍。八哥的额娘良主子因为地位所限，不能明着出头，可暗中肯定也设了法子。"

他冷哼了一声，说道："不过这件事情上我也不想居功，四哥也替十三哥求了额娘，额娘看我们两个难得有一次意见一致，倒是很爽快地答应了。"

我听到这里，不禁问道："那后来为何惠妃娘娘也要我？"

十四阿哥说道："我还以为你这辈子真就不打算问这些事情了。"

我微微一笑，没有说话。

他说道："十福晋的大哥是大阿哥的伴读，惠妃要你，据我想只怕是八福晋和十福晋的主意，她们也不想你被皇上选中。不过倒是因祸得福，有惠妃帮忙，省了额娘很多工夫。只是没料到，你也因此去了皇阿玛跟前伺候。"我这才明白过来。

十四阿哥看我一脸恍然大悟的样子，不禁笑了起来，一面笑着，一面说道："你不知道，当时初听说你去了皇阿玛跟前伺候，八哥又急又怒，足足有大半年都不去见八福晋，怕自己一时控制不住脾气，直到后来看皇阿玛对你压根儿没有心思，又看你自己小心谨慎，这才好起来。"

我听着，只是默默无语，过了好一阵子，才问道："后来惠妃娘娘并没有为难过我，是否也和八爷有关？"

十四阿哥点点头，说道："八哥本来就由惠妃娘娘抚养过一段时间，求情也不是那么难，再说了……"他停住，皱了皱眉头，没有往下说。我却心里明白，因为大阿哥后来放弃了自己夺位，决定支持八阿哥争夺太子之位，自然不会再有为难一说。继而想到大阿哥现在的境况，和他曾在皇上面前所进言的"儿臣愿尽心辅助八弟"，不禁心中难受。

两人默默坐了一会儿，十四阿哥又拿了杯茶，我忙说道："这个凉了，再冲一壶吧。"一面说着，一面又冲了一壶。

十四阿哥目视着我的动作，说道："若曦，你心里究竟有没有八哥？"

我静静倒好茶，慢慢品完一杯，因是第四道，味道已淡，可嘴里很是苦涩。过了半晌，硬着心肠想回说没有，可到了嘴边不知怎么却变成了："我不知道。"

十四阿哥一听此言，猛地站起来，脸带怒气地说道："这样你还不知道？这些年来，八哥唯恐你受了委屈，暗地里为你在宫里打点了多少事情？要不然你真以为宫里的日子就那么顺当的？这些事情我也懒得和你细说。可你想想，八哥这些年来身边只有早些年娶的嫡福晋和你姐姐侧福晋，两个侍妾也是打小服侍他的，这紫禁城里哪个阿哥有这样的？就我现在都有四个福晋、一个侍妾。十三哥有三个福晋。十哥前两年也收了两个侍妾。你知不知道？紫禁城里的爷们儿私下里都说八阿哥畏惧悍妻不敢再娶，可八哥能是那样的人吗？我们几个兄弟能跟着一个怕女人的人？"他说着说着，一时气急，停了下来，最后深吸了口气，怒气冲冲地大声喝问道："马尔泰·若曦，你究竟想要什么？"

我正对院门坐着，一面看着门外，一面听着十四阿哥的话，只觉心中凄楚难耐，我想要什么？即使我告诉你，你能明白吗？他又能给吗？忽看着不远处，四阿哥和十三阿哥正缓步行来，忙想要他住声，可他那句大声喝问出来的"马尔泰·若曦，你究竟想要什么"，显然已经被四阿哥和十三阿哥听着了，两人都是步子一顿。

我赶忙站起，对十四阿哥说道："四阿哥和十三阿哥来了。"

十四阿哥回头看了一眼正走过来的两人，冷声说："难怪你不知道呢！"说完，甩袖就走，经过四阿哥和十三阿哥时也不理会，只是快步擦肩而过。

四阿哥和十三阿哥对视一眼，都停了下来，十三阿哥出声叫道："十四弟。"十四阿哥却假装没有听见，急步而去。两人转头又看向了我。

我紧追了两步，想叫住十四阿哥，可看着已经到了院门口的四阿哥和十三阿哥，只得把那声"十四阿哥"吞了回去，向他们俯身请安。

十三阿哥看了看院中的茶具，瞟了我一眼，自走过去坐在矮椅上，顺手把手中拿着的木匣子放在桌上，说道："我们也来向寿星讨杯茶喝。"

我无奈至极，只得苦笑起来，请四阿哥坐到了另一把矮椅上，半蹲着把壶中剩下的茶水倒掉，又用开水烫了杯子，新添了茶叶，冲泡了一壶。倒好茶后，我站起来说道："请四王爷、十三阿哥用茶。"

十三阿哥并没有去拿茶杯，看着我笑说道："你寻把椅子坐。"

我听后，恭声说道："奴婢不敢。"

十三阿哥一听此话，腾地站了起来，还未说话，四阿哥站起，说道："我在这里，她过于拘谨，我先走了。"说完，就要走。十三阿哥一把拽住他，看着我懒洋洋地笑道："我今儿个，偏要你坐。"说完自快步进屋，随手拿了个凳子出来。

我不想驳了十三阿哥的面子，他特意过来给我贺寿，我总不能让他带着一肚子不快走，朝四阿哥俯了俯身子，说道："谢王爷赐座。"坐了下来。

十三阿哥这才拿了杯茶，慢慢品了一口，微闭着眼睛说道："武夷山九龙窠岩壁上的大红袍，历代均为贡品，产量极少，最高年份也只有七两八钱。"睁开眼睛看着我叹道，"难怪十四弟在这里吃茶，果然是好茶。皇阿玛也真是待你甚好，连赏赐的茶叶都是极品。"他又仔细看了看茶具说道："你可真是费了心思，连这闽粤人用的茶具也搜罗了来。不过品饮大红袍茶，倒真必须按功夫茶小壶小杯、细品慢饮的程式，才能真正品尝到岩茶之巅的韵味。"

我看他识货，朝他会心地一笑。

喝完一小盅茶，十三阿哥放下茶杯，笑看着我，学舌道："马尔泰·若曦，你究竟想要什么？"

十四阿哥当时是带着怒气喝问的，他却问得软绵绵，颇为滑稽。我心中酸苦，却也不禁一笑，说道："想要寿礼呀。"说完，朝他把手摊开伸了过去，看着桌上的木匣子，说道："你吃了我的茶，礼呢？"

十三阿哥笑着伸手打了一下我的手，说道："没有。"

我缩回手，嗔了他一眼，说道："没有？还敢来要茶喝？"他笑笑，没有理我。

我静了一会儿，看着十三阿哥，说道："谢谢你了。"

十三阿哥一怔，笑问道："你要谢我的地方可多了，只是不知今儿这谢是为哪桩？"

我抿嘴而笑，说道："为你帮我在德妃娘娘跟前说话。"

他看着四阿哥笑说道："那你该谢谢四哥，说话的人可不是我。"我站起来，对着四阿哥福了一下身子说道："谢王爷。"

四阿哥神色淡然，只让我起来，十三阿哥却呆了一下，没料我竟这么郑重。

我坐下后，仍看着十三阿哥说道："王爷是因你才帮我说话，所以还是要谢谢你。"说完，向他举了举茶杯，他一笑端茶而饮。

饮完后，他微微笑着说道："不帮你说话也不行呀，你连'宁为玉碎，不为瓦全'这种话都说了，我总不能眼看着吧。"

我微微思索了一会儿，才想起，不错，当时刚入宫待选时，十三阿哥来看过我，曾问我，如被皇上看中会怎样。我的确说过"宁为玉碎，不为瓦全"。想着，心中一暖，只是看着十三阿哥微微笑，十三阿哥也看着我笑，两人不约而同，同时举杯碰了一下，一饮而尽。

我心叹道，非关私情，却这般待我。当年的十三阿哥也不过半大少年，又没有什么势力，为了我竟不惜求了唯一可信赖的人。人生得一知己，足矣！

四阿哥看我和十三阿哥相视而笑，又对饮了一杯，嘴角也浮着一丝笑，瞅了瞅十三阿哥，又瞅了瞅我。

我正打算再冲一壶茶，侧身拎水壶时，看见玉檀走过来。她走近院门后，猛地看清楚院中坐着的人是谁，不禁面露惊色，停住了脚步。

我把水壶放回风炉上，站了起来看着门外的她。她忙快走了几步，躬身向四阿哥和十三阿哥请安，四阿哥淡淡说道："起来吧。"一时各人都无话。

我看玉檀很是局促，笑对她说："你先进屋休息吧。"她听后，忙匆匆又道了个福，进了自己屋子。

四阿哥和十三阿哥站了起来，十三阿哥笑说道："茶喝了，我们这就走了。"说完，拿起放在小桌上的木匣子递给我。

我伸手接过，笑着说了声多谢。十三阿哥一笑，朝四阿哥看了一眼，说道："这是四哥让李卫办差时从西北带回来的，我看后觉得没有更好的了，索性就不送了，这就也算我一份吧。"

我看了四阿哥一眼，想说谢谢，可张了张口，却没有发出声音，低下了头。

四阿哥看了我一眼，提步而出；十三阿哥低笑了两声，也转身快步而去。我站在院中，捧着木匣子站了一会儿。匣子倒是平常，木头是平常的桃木，既无雕花也无镶嵌。打量了一下，随手打开，里面是三个颜色各异的玻璃彩瓶，在现代很是稀松平常，但古代能做到如此精致，已非凡品。

我不禁来了兴致，走到桌边坐下，先拔开了一个乳白色小瓶的木塞，凑到鼻前一闻，不禁大吃一惊，居然是依里木的树胶。我控制着自己惊诧的心情，匆匆打开了另一瓶，色泽殷红，果然是海乃古丽的汁液。忙放下，打开最后的墨黑色小瓶，其实心里已经猜到，这是奥斯曼的汁液，但还是忍不住轻轻嗅了一下，果然不错。

心情沉浸在这么多年后能再见这些东西的喜悦哀伤中，我有多少年未见过这些东西呢？这些都是我童年的记忆。

维吾尔族姑娘从一出生，母亲就会用奥斯曼的汁液给她们描眉毛，这样她们才会有新月般的黑眉。而海乃古丽是我们小姑娘的最爱，包在指甲上，几天后拆去，就有了美丽的红指甲。依里木更是我们梳小辫子时不可少的东西。幼时，定型啫喱这些东西还很少见，全靠依里木的树胶才能让我们的小辫子即使飞快地旋转跳跃后，也仍然整齐漂亮。

我看着桌上的小瓶子，心潮澎湃，沉浸在喜悦愁苦参半的心情中，猛地意识到这些是四爷送的，不禁心中滋味更是复杂。想着他居然如此细心，只因为考虑到马尔泰·若曦是在西北边陲长大，就送了这些东西，却不知道竟真正合了我的心意。东西虽不贵重，可千里迢迢定要费不少心思。

我心情错综复杂地盯着瓶子看了半晌，又装回木匣子中，拿进屋子收好。出屋后，开始收拾茶具和桌椅，玉檀出来帮忙，已经没有了先前的惊异之色。我看她神色如常，也就没有多说。

晚间用晚膳时，我对玉檀说道："今日是我十八岁的生辰，十三阿哥过来是送一点小玩意儿。"

玉檀听后沉默了半晌，挤出一丝笑说道："我和姐姐可真是有缘，没想到竟是同一天的生辰。"说完起身向我做福，"恭贺姐姐寿辰。"

我笑叹道："可真是巧呢。"

用完膳后，我说想去外面走走，玉檀笑说，她也正好感觉吃得有些过，想出去走走，于是两人相携而出。

因是月末，天上只挂着一弯残月，月色却很是清亮。我和玉檀分花拂柳地静静走着，一路一直无话。

过了半晌，我问道："玉檀，在想什么？"

玉檀沉默了会儿，才轻声说道："想起了家里的母亲和弟妹。"

我说道："难怪你处事稳重，原来是家里的长女。"当年就是看她比别人多了几分老成，手脚麻利，心也细致，平常嘴又很紧，从不随其他宫女议论他人是非，所以才特地把她留在了身边。

玉檀听后说道："姐姐过誉了，只不过穷人的孩子早当家，又没了阿玛，比别人多了几分经历，多懂了几分世情而已。"

我一听，不禁侧头看了她一眼。我一直保持着现代社会的不打听他人私事的习惯，所以玉檀虽已经跟了我一年多，可我只知道她是满人，出身包衣。包衣虽地位低贱，但也时有显贵之人，比如八阿哥的生母良妃就是包衣，鼎鼎有名的年羹尧也是雍正的包衣奴才，还有《红楼梦》作者曹雪芹的祖上也是正白旗汉军包衣出身。

这时听她提到家里，才又知道原来不仅低贱，还很穷苦。不管是现代还是古代，穷苦这个词都离我很遥远。我不知该如何安慰，只好默默地陪她走着。

玉檀看我这样，忙扯了个笑说道："今日是姐姐的好日子，我却说这些不相干的话，真是该打。"

我看着她微微一笑，说道："我倒觉得说这些，反倒显得我们亲近，你若不嫌弃，就把我当成自己的姐姐好了。"说完，我轻轻叹了口气，想着，你虽然与父母难见，可将来放出宫后，也总是可以见到的，而我恐怕是永不得见了："我也很想父母。"

玉檀叹道："自打进宫，谁不是父母兄弟难得相见呢。"她看了我一眼，说道："说句不怕姐姐恼的真心话，姐姐比我们可是好得多。八贝勒爷是姐姐的姐夫，各位阿哥平时待姐姐也很好，生日都有人惦记着。"她轻轻叹了一口气道："在这宫里，都是主子，谁能记得一个奴婢的生日呢？"我听后无语。

两人走到水边，都看着水中的月亮发呆，我抬头望着天上的月亮说道："我们和父母是在同一个月亮下的。"说完，心里问自己，父母能和我看到同样的月亮吗？

玉檀也随我抬头望着月，望了一会儿，她说道："姐姐，我想给月亮磕个头，全当是给父母磕头。"

我点点头，两人都跪了下来，拜了三拜。正在叩拜，忽听得身后窸窸窣窣的声音，忙回头，却看见是李德全正打着牛角灯笼而来，身后随着的是康熙。

我和玉檀都是一惊，忙退到侧面，跪在地上。康熙走近后，低头看着我们俩，温和地说："起来吧，朕想清静一下，没让人在前清路，不怪你们惊驾。"我和玉檀这才磕头站起来。

康熙问道："你们刚才在拜什么？"

我忙回道："奴婢们一时想起了父母，想着同在一片月色下，所以朝着月亮拜了拜，也就算是在父母前拜的了。"

康熙听完后，抬头看着月亮，半晌没有说话。我心里叹了口气，想着知道这样说，定会引得康熙心里不好受，可不实话实说，一时也编不出什么好谎，再说玉檀在边上，即使有谎，也不能犯欺君之罪。

康熙默默看了会子月亮，让李德全依旧打着灯笼照路，他背着双手，慢慢地走着。

我和玉檀跪着，直到康熙走远了，两人才起来，往回走。我忍不住又回头看了一眼，却已经看不见灯笼的烛光，心叹道，平常人家的老人，也许是儿子或孙子陪着散步，这个称孤道寡者却是一个太监陪着。那个龙椅就如王母娘娘的玉簪，随随便便地一划，就已经把他和二十几个儿子划在了河的两端。

我回屋后，在首饰匣子里翻找，这些首饰有些是马尔泰将军为若曦备的，有些是姐姐历年来给的，应该都是上等的。翻了半天，挑了一支碧玉雕花簪子和一套相配的耳坠子，包好后，去了玉檀屋中。

玉檀正在卸装，散着头发，我笑着把东西递给她，说道："晚到的寿礼，妹妹莫怪。"

玉檀忙说不敢，伸手推拒。我板着脸说道："你既叫我声'姐姐'，怎能不收我的礼呢？"

玉檀这才讪讪地收了过去，并未打开看，只说道："姐姐的寿辰，我还没有送东西呢。"

我笑着说道："我不会绣花，赶明我绘几幅花样子，你打起十二分的精神好好地给我绣几块手绢，我正想要这些。"玉檀忙说好。

我笑着出了门，玉檀一直送我到门口，还要送出来，被我笑着阻止了："门挨着门，难不成你还想到我屋里坐一会儿？我可是要歇了。"她这才站定，目送我回屋。

第十二章

一种相思独自愁

康熙四十八年，六月，热河。

康熙此次塞外行围，只带了太子爷胤礽和八阿哥胤禩，其中缘由却是非关爱宠。

一方面，八阿哥胤禩虽在一废太子后因为结党营私遭到训斥，却仍然是太子之位最有力的竞争者，与八阿哥私下交好的大臣常有关于太子德行有失检点的折子上奏，而朝中重臣如李光地等，一直都不认同胤礽，认为其才德不能服众，所以全都站在了一贯在朝中有"八贤王"之称的八阿哥胤禩一方。而八阿哥胤禩不仅与同宗贵胄亲近，在江南文人中亦有极好的口碑。他的侍读何焯是著名的学者、藏书家、书法家，曾经求学于钱谦益、方苞等人，在江南文人中很有影响力，经常代八阿哥在江南搜购书籍，礼待士人，以至于江南读书人都赞誉八阿哥"实为贤王"。

八阿哥的一切都让康熙这样一位"凡事皆在朕裁夺"的君主不能容忍，不能放心留八阿哥在京城，遂命八阿哥伴驾随行，又命九阿哥、十阿哥、十四阿哥这些和八阿哥要好的阿哥留在京中，不得与八阿哥互通消息，以防自己不在京城时发生什么意外。

另一方面，太子胤礽自从恢复太子之位后，因为势力被削弱，他在追随自己的大臣的帮助下，开始积极结交朝内其他大臣，常在府中议事。这让康熙也心中不安，而此次塞外之行，康熙打算一直从四月末待到九月底，整整五个月的时间，唯恐有逼宫退位的事情发生，他岂能放心留太子

爷在京中，遂也把他带在了身边。

朝内一切事务均由快马每日呈报，康熙亲自定夺。年初被加封为亲王的四阿哥因为在"太子事件"中德行稳重，受到康熙信任，命其在京城内代康熙发布行令。

胤礽对八阿哥胤禩颇为忌恨，不经意间总是阴沉地看着胤禩，眼中刀光剑影，待反应过来，又常常笑称着八弟，更为热情地去掩饰。八阿哥胤禩却一如平常，待人接物温文尔雅、谦逊和蔼，对太子更是尊重礼敬，似乎完全没有察觉太子的敌意。

我经常看到他俩，再想想康熙，就心叹，太累了，父不父、子不子、兄不兄、弟不弟！

一日，康熙骑马归来，与各位阿哥大臣闲聊，我正好进去奉茶。康熙喝了一口茶后，突然笑说道："朕有些怀念你去年行围时做的冰镇果汁。"看着太子续说道，"朕还记得当时给朕的是菊花，给胤礽的是牡丹。"

太子忙笑说道："儿臣的正是牡丹，儿臣也颇为惦念，看着精致，吃着也很是祛热。"

我忙躬身说道："皇上既然想，奴婢明日就预备。"

康熙点点头，又问道："朕记得你当日求朕准你学马，学会了吗？"

我回道："勉强算是会一点儿了。"

康熙笑说道："朕准你继续学，直到学好学精。"

我不愿坏了康熙的兴致，忙露一脸雀跃之色，高兴地大声回道："谢皇上。"

康熙看我一副小船不可载重的样子，不禁笑了起来，底下坐着的大臣也陪着笑起来。我行完礼，静静退了出来，只知道刚才我与康熙、太子对答时，八阿哥一直微笑着目视着我，我不敢回视，只当做不知道。

今次我仍然与玉檀同住一顶帐篷，自从上次月下听她倾吐过心事后，我待她越发与众人不同，心中真把她当妹妹来疼惜，她也对我越发细心体贴，两人感情甚好。

她看我有了旨意，却并没有去要马骑，不禁纳闷地问我："姐姐不是很喜欢骑马的吗？怎么不去学了呢？"

我心中一叹，想着让军士教，大概都是像尼满那样敷衍我，目标不是教会我骑马，而是千万不要让我有什么意外，不如不学。除非能像四阿哥那样，不顾虑我的身份，只是教我，不禁想起他教我骑马时的认真专注。想到这里，猛地一惊，我怎么脑子里居然会记得这么清楚？他的一举一动、一言一行，竟一丝不落。赶忙岔开心神，强笑道："这两日有些乏，等休息好了就学。"

这次跟来的阿哥少，仅来的两位还彼此不合；随行的大臣彼此间也疙疙瘩瘩，中间派则不愿轻易出风头，于其中左右为难，小心游走，唯恐招惹了哪个，将来都结果堪虞；蒙古人虽来觐见，但见着太子爷，却都面色不快。

而大家在康熙面前还要歌舞升平地演戏，气氛颇有些诡异，康熙早已察觉，却只做不知。我想，不错，这才是好法子，难得糊涂。

一日下午，正在外面闲逛，忽看到敏敏格格，美丽依旧。我侧身站在一旁让她先行。她却走到我身边站定，看着我说道："我上次见过你。"

上次没留心，这次才注意到她汉语说得不太标准，我凝神细听后，有意放慢了语速说道："是的，奴婢上次也伴驾随行。"

她听我一字一顿地说话，不禁笑了，说道："我虽说得不太好，可听却没问题，你就照常说吧。"

我点头。她看着别处想了会儿，说道："你若有时间，可愿陪我走一会儿？"

我想闲着也是闲着，倒很乐意和这位做派爽利的敏敏格格聊天。而且看她好似有什么心事，欲言又止的，若和十三阿哥有关系，倒是不能不过问，遂两人结伴闲逛起来。

我笑问道："格格怎么没有去骑马呢？"

她回道："我们整日都可以骑，可不像你们这些住在紫禁城里的人，要特特地寻了机会来骑。"

我一笑没有搭腔。她问道："你骑得好吗？"

我笑着说道："这话你可问错了，你应该问我，你会不会骑？"

她大为吃惊地看着我，说道："只说汉人的姑娘不会骑马，怎么你也是汉人吗？"

我回道："我是满人，不过的确不怎么会骑马，倒是挺想学的。"

她一听，来了兴致，说道："那我教你吧，我还没有教过人骑马呢，不过我保证能教好你。"

我听后，高兴地应好，想着没有再好的了。

敏敏格格还真是个急性子，说教就教，拉着我就朝马厩行去。走了好一会子，还未走到，却正好碰到几个汉子在骑马慢遛着，有蒙古人，也有满人，看到敏敏格格和我，都下了马，蒙古人忙着给敏敏格格请安，满人给敏敏格格请完安，又赶着给我请安。

敏敏格格对我笑道："倒是省了我们不少工夫。"说完随手挑了两匹马，那几个蒙古人自是满口答应。

我们两人各自骑了一匹，缓缓走着。敏敏格格侧头看着我问道："你不是一般的宫女吧？"

我笑回道："只不过在御前侍奉，他们都给几分面子而已。"

敏敏格格说道："你长得那么美，怎么只做宫女呢？我阿玛的几个妃子都赶不上你。"

我心想，这个敏敏格格说话好是直接，不过在宫中遇见的都是谨言慎行的人，今儿遇见这么一个，心中倒很是喜欢，于是朝她笑了笑，没有回话。

敏敏教得很是认真，可惜这是一匹颇为高大的壮马，我又是首次骑它，心里有些害怕，所以总是战战兢兢的。敏敏格格在一边不停地说，让我大着胆子骑就是了，不怕的。还说骑马哪有不摔的，她小时候骑马也摔过呢。

我觉得她说得非常有道理，嘴里嗯嗯地应着，心里却坚决不执行，还是紧紧勒着马缰，只让马慢慢小跑着。

忽然听得敏敏格格大笑着喊道："坐好了。"她朝我的马屁股上就是一马鞭。我还没有反应过来，就感觉马冲了出去。身子一后仰，扯着嗓子就开始惊叫，只听得敏敏格格在身后大笑着说："不要怕，坐稳了。"

马越跑越快，而我不知何时已经松了缰绳，身子只是紧紧贴在马上，双手紧紧抓着马脖子两侧的鬃毛。马儿吃痛，又没有缰绳束缚，随着性子乱跑，试图把让它感觉疼痛的人摔下来。

我已经连叫的力气都没有了，紧闭着双眼，只知道使尽全身力气揪着鬃毛，尽可能不让自己掉下马。

马一面狂奔，一面拱着身子，试图把我摔下来。我觉得我已经坚持不住了，鬃毛越来越滑溜，手在慢慢滑开，心想道，难道我穿越时空回到古代，只是为了落马而死？正在绝望地想着，耳边传来一个熟悉的声音："若曦，再坚持一会儿。"

我听后，心中一定，忙又死死地用手扣住马。他不停地叫着我的名字："若曦，若曦……"一遍又一遍，沉重而有力，让我知道他一直在我身边。我惊惧害怕的心因为这一声声的"若曦"，安定了下来，知道他肯定不会让我有事情的。心中既萌生了希望，手上似乎也又有了力气。

他用马鞭钩住了我的马缰绳，开始慢慢勒缰绳，对我说："若曦，先放开一只手，揽住马脖子。"

我感觉速度有些慢了，马也没有先前那么狂野了，缓缓放开左手，摸索着抱住马脖子，他又说道："另一只。"

等我两只手都抱着马脖子后，他缓缓地收住缰绳，马慢慢立定了。我还未来得及睁开眼睛，就感觉一双手把我从马上抱了下来，我四肢发软，站立不住，只能依靠在他怀里。

此时，敏敏格格骑着马也赶来了，未等马站定，就跳了下来，赶着声地问："你还好吗？"

我忙说："没事的。"

她拍拍胸口，说道："吓我一跳，你怎么就松了缰绳呢？"

我感觉自己身上有了点儿力气，忙站直了身子。他也松开了扶着我的手，微微后退一步，站在我侧后面。那温暖安心的感觉就这样没了？我心中茫然若失。

敏敏格格看我脸色古怪，不禁关切地问道："你哪里不舒服？"我赶忙摇头，她笑睒着八阿哥，说道："敏敏还未向八贝勒爷请安呢。"

八阿哥微微一笑说道："免了。"

敏敏也是一笑，并未真的请安，只是笑说道："多亏遇上了八阿哥，要不然敏敏可要闯祸了。"又看着我说道，"今儿怕是学不成了，你回去休息一下，等缓过劲来，我再教你。"

我四周看了一圈，感觉离营帐已经很远了，不禁发愁，难道走回去

吗?我现在可没有力气。再说那要走多久呀?可骑马,我现在惊魂未定,是万万不敢的了。

敏敏看我面色为难,想了想说道:"你和我共乘一匹马,我送你回去。"

我正想答应,八阿哥却说道:"不用那么麻烦,我也正好要回去了,顺带送若曦回去就可以了,格格接着骑吧。"

我觉得不太妥当,有心说不,可那个不字却怎么也出不了口,最后只是静默着。敏敏看我没什么反应,笑了笑说道:"那就多谢八阿哥了。"说完,翻身上马,对着我说道:"得空我来看你。"然后一扬马鞭,策马远去了。

我静静站着,八阿哥也在身后静静站着。过了一会儿,已经看不太清楚敏敏了,八阿哥拿起我的手看了一眼,不禁皱着眉头,问道:"疼吗?"我一看也吓了一大跳,两只手因为用力过度,现在都是被马鬃毛勒出的青紫伤痕。

我一面摇了摇头,一面要抽回手。他手一紧,不放,可正握在淤青处,我不禁疼得哼了一声,他又忙松了劲,我顺势抽回了手。

他看着我叹了口气,说道:"我该拿你怎么办?"我侧过头不去看他。

他上了马,把我揽在怀里。四处茫茫,天那么蓝,云那么白,草那么绿,风那么轻柔,我的心也变得很软弱,只想着,就让我放纵一次,就这一次,忘了他是八阿哥,忘了他有妻子,忘了我的理智。缓缓闭上眼睛,温顺地靠在他怀里。

他策着马慢走着,我闭上眼睛,感觉他下巴抵着我的头,我能感觉到他的呼吸。麻麻酥酥痒痒的,像是在轻挠我的心。

他一手轻揽着我,一手牵着缰绳,我觉得似乎这就是我的全部世界。我们可以永远这样,我们可以骑着马找到我的幸福。

正沉浸在自己似真似假的快乐中,他在我耳边轻声说道:"你心中是有我的!"他的语气是肯定的,而非疑问。

我睁开了眼睛,看着远处,却眼前迷蒙,只是白茫茫一片。心中因他这句话而波涛起伏,理智告诉我说没有,可嘴巴微张,"没有"两字怎么也无法吐出口。

他大笑了起来,猛地把我往怀里用力一揽,紧紧搂着我说:"你心里有我的！"他在我耳边轻轻又深深地叹了口气，又喃喃重复道："你心里是有我的！"

那声叹息直接打落在我的心上，敲得我心酸酸的、疼疼的，再多的挣扎、不甘都融化在其中，我闭上了眼睛，不愿再多想。

快到营帐时，他下了马，然后把我抱下马。

他眼睛里全是笑意，只是瞅着我。我低头默默站着，却无勇气回视他，被他看得局促不安，一转身快步向营地走去。他在身后一面笑着，一面牵着马追了上来。

他拽了拽我的衣袖，让我走慢一些，我步子虽然慢了下来，眼睛却只是盯着前面。他看我神情拘谨，岔开了话题，微笑着问道："怎么和敏敏格格在一起？"

我回道："恰好碰上了，她看我想学骑马，就好心教我。不过倒真是谢谢你了，幸亏遇上你。"

他说道："我当时正好经过，在远处瞥见骑在马上的身影似乎是你，就过来看看，当时还有些犹豫要不要过来，幸亏过来了。"停了下，又说了句："下次要学骑马，我来教你。"

一路而来，所遇之人纷纷请安避让，他把马交给碰到的兵士，让他们牵回马厩。我请安告退，他低头默默想了会儿，柔声说道："去吧。"

我转身匆匆回了自己帐篷。

进了帐篷，却是再也控制不住自己，扑倒在羊毛毯上，闭着眼睛，心一抽一抽地疼着。不错！我心中是有他，我怎么可能对他多年的付出没有丝毫感动呢？可是我无法面对这份感情。我有太多的惧怕和计较，而他有太多的野心和女人。

一个人静静趴着，不知道过了多久。突然感觉有人在我肩膀上轻轻一拍，一个从未听过的喑哑的男人声音："若曦。"

我大惊，失声就要惊呼，却被一只手紧紧捂住，耳边有声音低低说道："是我。"

我强扭着头，看见一个身穿蒙古袍子，头戴毡帽，脸上蓄着络腮胡子的男子正坐在我身侧，一手搭在我肩上，一手捂着我嘴。我心中惊骇，竟

然有人敢在皇帝的宿营地乱来，忙用力挣扎。

他无奈地看着我，刚想张口说话。我突然觉得他的眼睛很是熟悉，不禁动作缓了下来，再一仔细辨认，心中大惊，十四阿哥！

他看我的反应，知道我已经认出他是谁了，向我咧嘴一笑，拿开了捂着我嘴的手。我一骨碌翻身站起，冲到帘子旁，向外探头看了两眼，又快速地冲了回来，四周一打量，拖着他走到屏风后。

两人坐定后，我又缓了缓，心神才稍稍平复一点儿。

我十分紧张，他自己却不是很在乎，嘴巴掩在胡子里，看不清楚，眼睛里却全是笑意。我压着声音问道："你疯了，竟然敢违抗圣旨？皇上命你留在京中，你居然敢随了来？你不怕皇上生气？"

他轻声笑着，并不回答我的话，我又问道："你干吗不在京城待着？"

他声音沙哑地说道："我来是要见八哥，不过四周不是皇阿玛的人，就是太子的人，都对我很熟悉，只怕看着背影就会起疑心，所以找你来想办法。"

我怔了一会儿，脑子里飞快地想着今年历史上发生了什么事情，想了半天，却全无概念。对于一个不是研究清朝历史的现代人来说，顶多能知道历史大致的走向，每年发生的具体事情，恐怕没几个能知道。想着要到康熙五十一年太子才再度被废，现在能发生什么大事情呢？只得问道："京中出什么事情了？"

他说道："没什么大事情。我只是有些事情要和八哥当面商议，通过书信只怕有人会截了看，再则书信一来一回地也说不清楚，还费工夫。"

我张嘴还想问，他说道："具体事情说了你也不懂，就别问了。"说完后，停了停，又补充了句："我这也是为你好。"

我瞅着他，只觉得他这满脸的络腮胡子实在碍眼，忽地伸手去拽他的假胡子。他忙一侧头避开，我又去抓，他笑着挡我的手，我半真半假地说："你不让我拽，我偏拽。"

两人又打又笑地闹成一团，我的力气终究是不如他，又没有练过武，手腕被他抓住，他笑着说："你要拽，我偏不让你拽。"

我脸皱着，嘴瘪着，不吭声地盯着他。他看了我一会儿，忽地松了手，仰着头，一副任我宰割的样子："得，你要拽就拽吧。"

我立即眉开眼笑地去拽他的胡子，却只是做了个假动作，就收回了手，说道："我要想想如何才能避开所有人的耳目，让你和贝勒爷相见。"

　　他眼睛里满是笑意，说道："就知道你会有法子的。"猛地瞥见我的手，讶然问道："手怎么了？"

　　我回道："学骑马的时候，不小心勒的。"

　　他细看了几眼，蹙了蹙眉头说道："八哥该心疼了。"

　　我瞪了他一眼，琢磨着该如何让他和八阿哥相见，看到他的胡子，忽地脑子里闪过几个以前看电视时的画面，忍不住开始笑起来，越想越好笑，又不敢放声大笑，手捂着肚子，笑得身子发软，侧趴在垫子上。

　　十四阿哥不知我为何突然笑起来，推了我一下问道："笑什么呢？"

　　我强忍着笑说道："我倒是有一个好主意，定能让人都不怀疑。"一面说着，一面又笑了起来。

　　他哼了声说道："看你的样子，就知道定不是什么好主意，不过说来听听吧。"

　　我一面笑着，一面说道："不如把你打扮成一个女子，即使有人看见八爷和你，任他做梦也不能想到大清朝的堂堂十四爷竟会假扮女子。"脑子里想着以前看过的香港搞笑剧，上下打量着十四阿哥，想着他身穿长裙、涂脂抹粉、描眉画唇的女装扮相，已是笑得上气不接下气。

　　十四阿哥听完，先是一愣，不敢相信我竟然对他说出这种大不敬的话，毕竟现在男尊女卑，穿女人的衣服那可是很晦气的一件事情。过了会儿，他摇了摇头，自己也开始笑起来，一面伸手过来拧我的脸，说道："今儿得整治一下你，竟敢拿我来打趣。"

　　我一面笑躲着，一面说道："我错了，我错了。"他却没打算饶我，俯过身子来，真要掐我。我赶忙举着手给他看，装可怜："十四爷，我这手一碰就疼呢。"

　　他拿我没有办法，只得放过我，坐直了身子，默默想着。我看他脸色凝重，忙敛了笑意，说道："别想了，打趣你呢。若真让你扮了女子，我就是十个脑袋也不够砍的，再说了，这件事情也不是那么难，只需小心点儿就好了。"

　　他这才表情轻松了起来。我看着他叹了口气，他不解地看向我，我道："八爷有你这样的弟弟，其实比得了什么都宝贵。"

他脸色有些黯然，说道："皇阿玛可骂我'不过是水泊梁山之义气'。"康熙的话我可不敢胡乱置评，只是不以为然地耸了耸肩膀。

他摇了摇头，叹道："还以为你在宫中已经变了，没想到还是这样。"

我问道："你晚上住哪里？"

他说道："随便找哪儿不能过一宿呢？"说完，他起身想走，"你仔细想想，我晚上再过来。"

我拉住他说道："你这样出出进进的，岂不更惹人注意？都知道我喜清静，我这帐里平日少有人来，不如就先待在这里，晚上我再设法让你见到八爷。"

他想了想，问道："谁和你住在一起？"

我回道："玉檀。不过你放心，我会想法子把她支开的，而且她和我感情甚好。"

十四阿哥听后，一面思索着，一面轻声念道："玉檀。"然后点点头，又坐了下来。

我想着他这几日赶路，为避人耳目，只怕是吃不好，也睡不好，声音都有些哑了，起身到外面去拿了些点心，又端了碗兑了蜂蜜的热奶。再进来时，却看到他斜躺在毯子上已经睡着了，我放轻手脚，把盘子搁在一边的几案上。他听到声音猛地坐起，我忙说道："喝杯热奶，接着躺下睡吧，我在外面守着，不会有事的。"一面说着，一面给他垫好软枕，他也不多说，喝了几口热奶，又躺下睡了，我拿了薄毯子给他搭在身上，自己转了出来。

仔细打量了一下，因为隔着屏风，从外间看不到里面。确定没有问题后，我随手拿了本书，靠在垫子上看了起来，其实就是做样子，根本一个字都看不进去。

正在琢磨如何不引人注意地让十四阿哥见到八阿哥，看来我晚上要亲自跑一趟了，帐外有人叫道："若曦姑娘。"

我心中一惊，手一抖，书啪的一声掉在了地上。

赶忙站了起来，快走几步，身子挡在门口，挑开帘子看，提着的心一松，原来是八爷身边的仆役宝柱。他请安说道："爷打发我过来给姑娘送药。"我伸手接了过来，他又说道："早晚两次，温水洗净后敷上，几日后淤血就能化了。"我心中不知道是什么滋味,只是点点头。

他转身要走,我忙叫住他,让他等一会儿,说完进了帐篷。十四阿哥早已经坐了起来,我凑在他耳边问道:"此人可值得相信?"

十四阿哥点点头,说道:"可信,不然八哥能打发来给你送药吗?虽非什么要紧事情,可八哥对你的事情一向上心。"说完还朝我眨了眨眼睛。

这个人,现在还有闲心打趣我,瞪了他一眼,转身就走,他却一下拉住我,示意我低头。我忙把头凑过去,他低声说道:"虽说可信,可我是抗旨而来的,越少人知道越好,不然我不会来找你的。"

我点点头,感觉好像还颇为良好,原来十四阿哥和我吵归吵,可还是很相信我的。

宝柱看我出来,赶忙低头听话。我想了想,问道:"八爷晚上一般都做些什么?"

他赔笑回道:"这个说不准,有时候看书,有时候自个儿下棋。"

我笑着说道:"你回去吧。"

他有些蒙,不知我为何没头没脑地问了几句,就没有下文了,但还是快步而去。

我回来笑看着十四阿哥问道:"离天黑还要一会儿呢,你要不再睡一会儿?"

他摇头道:"不睡了。"看到几案上的点心,随手拿了块吃起来,一面说道:"给自己把药擦上吧。"

我遂起身净了手,把药膏敷上,又去吩咐小太监给我准备双份的饭菜。我以前也经常和其他女官一起用饭,何况我现在说话岂是他们随便能问的,所以他们只是赔着笑一连声地应好。

两人吃过饭后,天色也黑了下来,我和十四阿哥约好见面的地方,我先出来看四周无人,示意十四阿哥可以离去,他出了帐篷,不疾不徐地走了。

我又等了一会儿,才向八爷的帐篷行去。到了近前,看李福正守在帐篷外,四周倒也清静。我大大方方地走了过去,他俯身请安,帮我掀开帘子,我点点头,径自进了帐篷。

八阿哥正在几案前写字,看我进来,向我笑着点点头,示意我坐。他仍然继续写,过了一小会儿,他搁了笔,走到我身边,看了看我的手,笑问道:"明日可当值?"

我没有答他的话，低声问道："这里说话可方便？"

他神色一凝，说道："知道你晚上要过来，外面有人守着。"

我点点头，可还是凑到他耳边低声说道："十四阿哥来了。"

他听后，脸上的神色变得凝重，也压低声音问道："他说为什么而来了吗？"我摇摇头。

我低低告诉他相见的地点。他想了会儿，说道："你先回去吧，我自会去见他的。"

我点点头，转身要走，临到门口，又转回身，说道："千万小心点儿。"

他一笑，说道："没事的，安心回去吧。"我这才又转身出去，听到他在身后轻声说道："不过，你为我担心，我很是开心。"我脚步一滞，赶忙出了帐篷。

人虽然回了帐篷，心却静不下来，只是在帐篷里打转转。正在焦急，听到帐篷外一个声音恭敬地说道："格格，这就是若曦姑娘的帐篷。"

我挑开帘子一看，原来是敏敏格格。敏敏看着我，笑说道："过来看看你可好。"

我也笑说道："劳格格挂念，只是当时有些受惊而已，早已经没有事情了。"

她低头凝视着地面，踌躇了一下，问道："可愿出去走走？"

我心想待在帐内，也只能苦苦熬时间，不如与她出去走走，况且她显然是有话要说，于是笑着点头答应。

两人肩并肩，漫步走着。她笑说道："刚才打听了才知道，原来你是皇上跟前的大红人呢。"

我一笑说道："什么红不红的？不过尽心服侍皇上而已。"

她笑看着前方，几次侧过头想说话，却又转回了头。我只是静静走着，等着她问。走出营帐，人渐渐少起来，她沉吟了半晌，问道："十三阿哥这次为何没来呢？"

我想着，果然是为了十三阿哥，回道："来不来不是十三阿哥说了算的，这要看皇上的意思。"

她听后，没有答话，默默走着。过了一会儿，她又问道："十三阿哥的福晋长得美吗？"

我心中叹了口气，十三阿哥的一首歌竟然就此给这草原上最美的花种下了相思，我说道："在我看来，没有格格美。"

她一喜，问道："真的吗？"

我认真地点点头。她们不过是紫禁城中的绢花，紧裹着绫罗绸缎，一行一动都有规矩，而敏敏是这大草原天地间恣意开放着的鲜花，随风起舞，活色生香。

敏敏盯着我紧张地问道："难道你不会觉得我粗蛮，不知礼数吗？看看你，就知道了，你们说话不快不慢、不高不低，举止那么秀气斯文。"

我有些傻，不知道自己何时竟然从野丫头变成淑女了。难道真是居移气，养移体？四年的宫中生活我也有贵气了？想着不禁大笑起来，清亮的笑声在草原上荡开："我是否秀气斯文，我自己倒是不知道。不过，我可以肯定地告诉你，你绝对是个美人。"

敏敏听后，不禁也随我爽朗地笑起来，说道："我见过的娘娘们都是端庄温柔地笑的，没想到你也会这样大笑。"

两人都嘴边含着笑走着，我多久没有听过女孩子像这样大笑了？我又有多久没有这样大笑过了？紫禁城中的女子连说话都得压着。心中对敏敏又多了两分喜欢，而且她能看上十三阿哥，可见是有眼光的，越想越觉得喜欢她。琢磨了会儿，觉得她的性格应该不会介意，于是直接问道："你可是中意十三阿哥？"

敏敏脸上的笑意一下僵在脸上，过了半晌，才问道："那么明显吗？"我笑回道："挺明显的。"

她静默了会儿，突然绽放出一个璀璨至极的笑容，让那草原上空的星星也为之黯然失色。她凝视着草原的尽头，说道："不错，我是喜欢他。"她带着忐忑，侧头看我，我回她一个赞许鼓励的笑容。她又转回头，凝视着苍茫夜色中的远方，脸上带着一个甜蜜惆怅的笑容，缓缓说道："我从未听过那么美丽的歌声，他站在那里看着我唱歌，我的心从来没有那么快地跳过。我也从未看见男子那样笑过，好像在笑，又好像没有笑，好像什么都不在乎，可又像一团火焰，你能感觉得到他的热。"她说完后，心绪好像仍然沉浸在那个让她失落了自己心的晚上。过了半晌，她猛地转头看着我，热烈地说道："我从未见过像他那样的男儿！"

爱情！我知道的，我懂的，可我还是再次被它感动。不管前方是什么，现在她在爱，她因为自己的爱而快乐、而苦恼，只有爱过的人才知道那甜甜酸酸的感觉。我只知道笑看着她，分享着她的感觉。她看到我的笑容，又忽然有些不好意思，转开了头。

我凝视着她说道："十三阿哥是个值得喜欢的人。"

她回头看着我，笑容灿烂如朝霞，脸上带着骄傲得意，可笑着笑着，脸色渐渐黯淡下来，我看着她慢慢消失的笑容，心中一紧。她说道："可阿玛不愿我嫁给他。"

我忙问道："为何？"

她皱着眉头，说道："你别告诉别人。"我赶忙点点头，她续说道："阿玛说紫禁城的女人没几个幸福的，他说我是草原上的花，只有在草原上才能盛开。"

我的心也渐渐黯淡下来，她阿玛是真心疼她，说的话没有错。她在草原上是永远的公主，可她若去了紫禁城，不过是十三阿哥几个福晋中的一个，而且我现在还不知道十三阿哥的意思，谁能保证十三阿哥会疼惜她呢？再想到十三阿哥将来被监禁的命运，更是黯然。

她看我脸色黯淡，凄然一笑，说道："我原来还不愿意相信阿玛的话，可现在看来他说的都是真的。"我伸手握住她的手，却发觉两人的手都是冰凉，谁也温暖不了谁。

两人牵着手，默默走着。她问道："你有意中人吗？"

我心里一痛，竟不知该如何回答。正在踌躇，忽然听到喧哗之声，黑沉的夜色中，无数的火把在移动。我心中一慌，那不是他们见面的地方吗？提步就开始向人群处奔跑。

敏敏不明白发生了何事，但也随我跑了起来，边跑边问："怎么了？"我心紧紧揪着，顾不上答话，只是使尽全身力气地奔跑。

跑近了，声音喧哗，此起彼落，根本辨不清他们说些什么。我随手拉住一个人问道："怎么回事？"

他看到我和敏敏格格忙要请安，我快声说道："免了，赶紧回话。"

他忙说道："太子爷说有贼，命人在四处搜查。"

我心里一紧，忙问道："贼呢？长什么样子？"

他回道："天色太暗看不清楚脸面，好像穿着蒙古袍子，太子爷命放了箭，也不知道射着了没有。"他又指着前方说道："说是往那边去了。"

放了箭！我只觉得心一沉，眼前直发黑，倒退了两步，忙定了定神，现在不是手脚发软的时候。深吸了口气，又开始跑。敏敏格格也随着我跑，一面说道："怎么会有胆子这么大的贼呢？他倒是挺会躲的，知道那边是我们蒙古人的驻营地，混在一起，还真要费工夫寻找呢。"

我脑中一面想着会被箭射伤吗？八阿哥在哪里呢？一面只是狂奔。我和敏敏两人在人群中穿来穿去，人影晃动，又在黑暗中，虽有火把，可毕竟不够亮，也没人注意我们。

这边是蒙古人的营地，我不熟悉，只得拉着敏敏，说道："哪些地方可以藏人呢？"敏敏这会子已经觉得我很是不对劲，不过她虽面色纳闷，却没有多问，只是牵着我，在帐篷间兜来转去的。

找一处，一处地方没有。太子爷的人已经和蒙古人交涉完，蒙古人纷纷集结，开始搜查起来。

我心中越来越急，却无半个主意，只能不停地跑，不停地看。敏敏看我脸色焦急，也加快步伐，不停地带我四下寻找。

正心中焦躁难耐，忽地一个人把我一把拽进了帐篷，我心中先一惊，猛地又是一喜，轻声叫道："十四阿哥。"他应了声，我心中一缓，忙问他："有没有伤着？"

黑暗中，只感觉他握着我的手抖了抖，然后沉声说道："没有。"我心刚放下，他又说道："不过八哥为我挡了一箭。"

我"啊"的一声惊叫，又忙掩着口，只觉得我的手在拼命地抖。他用力握着我，说道："若曦，伤在胳膊上，没有生命之险。"

十四阿哥虽然紧紧握着我的手，可我的手还是哆嗦不停，我紧紧掐住他的手，他越发用力地回握着，淤青处阵阵疼痛，我却一无所觉。在心中对自己狂吼着，镇静，镇静！眼下最重要的是十四阿哥，只是伤在胳膊，他没有事情的。

心中念头不停地转，听到帐篷外敏敏低低地在叫："若曦，若曦……"想必是她一回身发觉我突然不见了，正在寻我。

我低声问十四阿哥："你可见过苏完瓜尔佳·敏敏？"

十四阿哥回道："没有。"

我心中一定，顾不上给十四阿哥解释，忙掀开帘子，低声叫："敏敏格格。"感觉十四阿哥的手一紧,我低声说道:"她肯定会帮我们的。"

敏敏快步进了帐篷,不解地问道:"你怎么……"

我心中早已有了计较,一下子就朝她跪倒,一面磕头,一面说道:"求格格救奴婢一命。"

敏敏一惊,忙俯下身子,一面拽我起来,一面问道:"究竟怎么回事?你先告诉我,如能帮,我绝对帮。"

十四阿哥也是一惊,过来拉我起来。我猛地把他往后一推,低声斥道:"让你不要跟来,你偏要跟来,现在可好,被太子爷当成了贼人,这怎么解释得清楚?若解释,我和你的事情势必会被知道,可宫女是不许和外人私自有情、偷偷相会的,我们俩都得一死;若不解释,你又肯定要死,那我……那我……又怎么能……独活?"说着眼泪已经下来了。五分焦急,五分却是心中哀苦,担心着八阿哥。

敏敏"啊"了一声,问道:"他是你的情人?"

我忙应道:"正是,平常在宫里不得相见,他以为到了塞外,总有机会相见,却不料竟被太子爷当成了贼人。"

敏敏听后,突然轻声笑了起来,一面拉我起来,一面笑说道:"他担着掉头的风险来见你,可见一片真心,你岂能再怪他?放心吧,这事包在我身上,管保让他平平安安。"

我一面顺势起来,一面内疚地想着,敏敏,对不起了,事情紧急只好利用一下你,唯有将来寻机会报答了。沉浸在爱情中的女子总是心格外软,尤其是对有情人,因为自己怀有鸳梦,也总是希望天下有情人都成眷属。

十四阿哥显然已经反应过来我的意思,顺着我的意思假扮成了京城来的贵公子哥。敏敏领着我们一边走着,一边极其感兴趣地问着十四阿哥问题,什么怕不怕呀?吃苦了吗?你们什么时候认识的?什么时候要好的?

十四阿哥哄敏敏这个十四五岁的小姑娘还不是小意思,谎编得毫无破绽,脸面上一副对我一往情深的样子。敏敏满脸的惊叹感动。

一路上碰到的士兵都赶着给敏敏请安,谁会怀疑这个大大方方地走在他们尊贵公主旁边的蒙古人是贼呢?

我走到岔路口,对敏敏说道:"我不和你们过去了,免得被人看到引人注意。"

敏敏笑笑地说道:"放心回吧,有我在,管保明天还你一个好端端的情郎。"

我和十四阿哥眼色复杂地对视了一眼，他点了下头，示意我安心，我强笑了笑，匆匆离去。

注：

康熙四十八年，复立允礽为皇太子时，康熙十分高兴，大封诸皇子。允禵被册封为贝子，尔后又封固山贝子。但他同其父的关系依然紧张。同年四月，康熙巡行塞外，因担心允禩一伙聚众闹事，便命允禵侍从，不让允禟、允禩、允䄉扈随。但允禵设法要和允禩一起去，他"敝帽故衣，坐小车，装作贩卖之人，私送出口，日则潜踪而随，夜则至阿其那（允禩）帐房歇宿，密语通宵，踪迹诡异"。

这段故事就是从这段文字演化而来，我查找了很多资料，也问了了解清史的人，可都没有办法回答我，十四阿哥究竟是为什么不惜违抗皇命而去找老八呢？真正的历史已经被湮没了，只留给后人无限猜想。

第十三章

妆成秀色酬君意

外面虽闹得天翻地覆，可我们的营地很是安静，想来太子虽有疑心，却也不敢在未有确凿证据前惊动康熙。十四阿哥算是先搁下了，但想着八阿哥，心里却更是急，只想快快地跑去看一看，可为了不引人注意，还得脸色如常，压着步伐，不紧不慢地走着。

只觉得这路怎么就那么长呢？脸上已经快撑不住了，却仍然未到。

看到八阿哥的帐篷前一切如常，门口宝柱和顺水守着，脸色倒是平静，看不出什么。我微笑着上前，他们却挡在了我身前，一面请安，一面说道："爷正在洗漱，不方便见客。"

我正想让他们叫李福出来答话，李福却已经出来了，说道："姑娘请进。"

宝柱和顺水疑惑地对视一眼，忙让开了路。

进去后，并未见到八阿哥。我估摸他应该躺在屏风后的软榻上，紧走了两步，忽又觉得不妥，停住了脚步，踌躇着不知该不该过去。

八阿哥说道："进来吧。"我这才转到屏风后。他果然侧躺在榻上，上半身并未穿衣服，想必是因为我来，身上搭着一条薄毯，可膀子还是裸露的。

我并不是没有见过男人的身体，以前读书时，天气热时，男生经常光膀子乱晃，但自打到了古代真是从未见过，再加上是他，脸一下子有些烫，忙转开了视线，可心里又担心他的伤，只得又移回了视线，觉得脸火辣辣的。

他低低笑了几声，说道："过来。"我没有动，只是盯着他左胳膊上殷红的一片，心中一疼一疼地，眼中不禁有些泛酸。

李福走来，跪在榻前，说道："爷，奴才要上药了。"八阿哥随意点了下头，没有看他，只是仔细端详着我。

李福拿走裹着的软布，一面用棉布吸着血水，一面往伤口上撒药粉。我不禁上前两步，仔细看去，还好，伤口不算深，只是血仍然不停地在流，撒上去的药粉竟好像没有任何作用，忍不住皱着眉头问道："这是什么烂药？怎么一点儿也不管用？"

李福一面手下不停，一面回道："这已经是上好的创伤药了，是九爷花了重金从云南买来的，这次特地带来备用。"

八阿哥笑说道："再好的药也要时间才能生效。"

我皱着眉头想，早知道要回古代，我应该去学医，现在也不至于只能干看着，脑中的念头正在胡转，忽然一惊，特地带来备用？他究竟还作了什么准备？心中哀恸，为了皇位，流血掉头都在所不计的。

正想着，八阿哥问道："你见过十四弟了？"

我看李福拿软布开始包扎伤口，一手要举着八阿哥的胳膊，另一只手用来包扎显然不够用，忙上前帮他扶着八阿哥的胳膊，嘴里一面随口应道："嗯。"

我碰到他时，他胳膊微微一颤，我手心贴着他的肌肤，立即感觉到，也猛地一烫，这才觉得孟浪，可是李福已经松了手，正在专心包扎，我总不能现在松手。只觉得手心越来越烫，竟好像握着的是团火，脸上越来越烧，只怕连脖子都已经红了，低着头，动也不敢动。

八阿哥也是默默躺着，全身纹丝不动。李福却是神态正常，只是手脚变得格外麻利，很快裹好伤口，收拾好东西，俯身静静打了个千，就匆匆退了出去。

我忙把手收了回来，八阿哥的胳膊猛地落下，他微微哼了一声。我心叹，自己这是怎么了？竟像个情窦初开的小姑娘似的，举止大为失常，忙问道："疼吗？"

他笑着没有说话，转了转身子，想要起来，我寻了垫子给他靠好。他身子一动，身上的薄毯滑了下来，我正好俯身在帮他调整垫子，等起身时，触目所及，只觉脸扑地一下，已经红透，立即转过身子，背对他站着，却更觉尴尬。我应该装着没有看见，云淡风轻地才对，怎么能这么反应呢？反倒更是落了行迹。

嘴里说道："你既没有事情，那我走了，十四阿哥你不用挂心，他一切妥当。"一面说着，一面向外走。他一下子抓住我的手，我挣了几下，他低声说道："你再用力，我的伤口要重新包过了。"

我忙回头看，却发现他是用右手拽着我的，左手扶着毯子，虽不妥，但也不至于如他所说，不禁无奈地瞪了他一眼，伸手帮他盖好毯子，让他靠好，他拖着我坐在他身侧，两人都静了下来。

他笑看了我会儿，说道："像是在做梦，我一直在想……"

我忙打断他的话，没话找话地问道："你怎么知道我见过十四阿哥了？你不担心他吗？"

他笑看着我摇了摇头，但还是说道："你看到我受伤，并没有惊异，显然早已经知道，那只能是十四弟告诉你的。至于说到担心，这里可不全是太子的人，他的人能搜，我的人就不能护？一直没有人来报信，那就说明一切安好。再说了，你既然见过十四弟，却面无忧色，可见他肯定已经藏好了。"

他说的这些我有的已经想到，有的倒是的确没想到。我又问道："怎么会被太子爷发现呢？"

他这次倒是皱着眉头想了会儿，慢慢说道："我出去时很小心，应该没有人留意到，应该只是恰巧被人看到了，毕竟对我和十四弟的身影不熟悉的人只怕不多，更有可能是太子爷这几日提防着我和京中互通消息，早派了人手在四周巡视。"

我不禁问道："京里发生什么事情了？他干吗要提防？"

八阿哥笑看着我，耐心地说道："皇阿玛不准我和京中联系，太子爷作这个准备一则是为了抓我痛脚，到时办我一个抗旨不遵的罪，二则皇阿玛近期打算做一次大的官员调动，据十四弟所言，大都是不利于我们的，太子爷自然不想我现在有所应对，等我九月回京后，一切早已成定局。"

我琢磨了会儿，说道："如果皇上已经拿定主意，你们又能有什么法子呢？"

他笑道："这些说起来就话长了，总而言之，即使贵为天子，也不可能真的就随心所欲，你若真想知道，我倒是愿意细细讲给你听。"

我努了努嘴，没有说话。他笑问道："十四弟藏哪里了？"

我笑起来，说道："你猜猜。"

他微微笑着，说道："你既然让我猜，肯定是一个我不太轻易能想到的人。"

他思索了会儿，问道："是敏敏格格吗？"

我不禁有些泄气，蔫蔫地答道："是呀。"

他有些惊异地说道："还真是她？你怎么说动她的？这可不是件小事。"

原来他还是不能肯定的，我这才又有些开心，侧着脑袋，扬扬得意地说："不告诉你。"

他不说话，只是温柔地笑看着我。我看了看他的胳膊，有些后怕地说："太子爷怎么胆子那么大，竟然拿箭射你们？"

他嘴角含着丝笑说道："用箭射贼，天经地义，借此机会能除掉我们岂不更好？"

我心里一个寒战，突然想起最后的结局，再无刚才谈笑时的安然心情，心中充满悲伤，表情开始变得疏离。

他觉察出我的变化，伸手猛地一拉我，把我拽进怀里。我要起身，他用力搂紧我，头压在我脑袋上低低说道："我不喜欢你刚才的样子，总让我感觉你离我很远，你心里装着什么呢？害怕吗？不要怕，一切有我呢，我不会让你受到任何伤害的。"

他正搂着我低语，李福一下子跑进来，猛地看见我们，慌得跪在地上，只是磕头。八阿哥放开我，如常地问道："什么事情？"我尴尬地低头坐着，完全不敢看李福。

李福忙回道："有人过来通报，太子爷在蒙古营帐，里里外外搜了三遍，四周也翻了个底朝天，没有任何结果，这会子正打算搜这边的营帐。"

八阿哥笑叹道："他可真是豁出去了，也不怕惊动皇阿玛，不过来得正好，帮我作个见证。"

我却是一惊，看着他的胳膊想到这个可不好隐瞒，即使今夜能瞒过，明天、后天也瞒不过，上了马背，一用力伤口就会出血，怎么可能瞒得过呢？要找什么借口才能不骑马、不打猎呢？

八阿哥吩咐李福："泡杯热茶，记得要滚烫的。"李福应了声，快速而去。我仍然暗自琢磨着，八阿哥却坐直了身子，说道："帮我拿一下衣服。"

我应了声，起身拿了衣服递给他，他站起要自己穿。我也顾不上不好意思了，一面脸烫着，一面服侍他穿衣服。他静静地站着任由我帮他套衣服。系扣子时，手指不免和他的胸膛接触，我的手指滚烫，他的体温却也是不低。穿好衣服后，又拿了腰带给他系，待一切弄好，我仔细打量了一下，看并无破绽，才向他点点头，示意没有问题了，他可以出去了。

他却只是盯着我，伸出了手，缓缓地把我拽进他怀里，我想挣脱他，他轻声叫："若曦。"我也不知道为什么，就没了力气，软软地靠在了他怀中。

李福在屏风外说道："爷，茶泡好了。"我想离开，他却没有理会，仍紧抱着我，李福等了一会儿，试探地又叫："爷？"

我扭了几下身子，都没能让他松手，不禁红了脸，又急又怒地低声叫："八爷！"声音软中带颤，听来倒是撒娇的意味远大过警告。

他轻笑着，放开了我，朝我低声说道："你先回去吧。"说完不等我回话，就一面吩咐："让宝柱进来。"一面去了外间，我也随着跟了过去。想走，可又有点儿担心待会儿太子来他怎么应对，一时颇为踌躇。

他在桌前坐好，随手拿了本书，瞟了眼我，看我立着不动，他也没吭声，端起茶试了下温度，吩咐道："不够烫，我说的是滚烫。"

李福脸色一紧，忙端起杯子出去了。我开始觉得有些不对劲，疑惑地看着八阿哥。

八阿哥微笑地看着宝柱，说道："今次要委屈一下你了，听好了。"

宝柱忙跪在地上，他继续说道："过会子太子爷进来时，你要不小心把茶倾在我右胳膊上，一定要烫伤我，至于说怎么做得自自然然，天衣无缝，你自个儿琢磨琢磨吧！"

宝柱愣在当地。八阿哥肃声问道："听明白了吗？"

宝柱忙点头，应道："奴才明白。"

八阿哥笑道："下去吧。"

我却心中一惊，一整杯滚烫的茶？可又想不出更好的法子，只是拿眼瞅着他，他此时并不看我一眼，神态怡然地看着书。我咬了咬唇，转身出

了帐篷。

刚掀开帘子，就碰到太子领了四个人迎面而来，四周虽有人在搜查，却很是安静。我心想，看来他只是心中怀疑，并不能确信看到的人就是十四阿哥，也不敢在没有真凭实据之前把事情闹大，既然不能大张旗鼓地四处搜查，只能来试探八阿哥了。

我忙俯下身子请安，他眉头微蹙着，笑说道："姑娘竟在这里，不过你姐姐是八弟的福晋，倒是的确比别人要亲近一些。"

我笑回道："未入宫前，曾经在八爷府里住过大半年，知道八爷那里化淤伤的膏药不错，特地来要些膏药。"我一面想着，你既然如此说，我也没有必要撇清，反正关系早摆在那里了，索性大大方方摊给你看。一面伸手给他看。

他一看我手上青青紫紫的伤痕，眉头一皱，忙关切地询问原因，我简单说道："下午骑马的时候勒的。"

他说道："我那边也有些不错的淤伤药，回头派人给姑娘送过去。"太子爷的恩典岂容人拒绝？我忙俯下身子谢恩。他又问道："姑娘来了多久了？"

我笑回道："因为陪八爷闲聊了几句，也有好一会儿工夫了。"

他听后沉吟着还想说话，八阿哥已经迎了出来，一面请安，一面笑说道："不知二哥要来，臣弟接驾迟了。"

太子爷笑着让他起来，一面仔细打量他的神色，一面说道："我也是一时兴起，到你这里逛逛，不用那么多礼。"

八阿哥侧身，恭请太子爷先走。他随后跟进去时，眼光从我脸上一扫，脚步未缓，神色不变，笑容依旧地进了帐篷。

我走了两步，看到宝柱端着两盅茶匆匆进了帐篷，不禁脚步慢了下来。不一会儿，忽听得"当啷"一声，杯子落地的声音。紧接着听到仆人惊惶地叫八爷，宝柱说奴才该死，太子爷呵斥奴才，李福吩咐叫太医……

我心中紧紧地抽痛着，忙快走了几步，隐到帐篷后，看见有人匆匆出了帐篷去叫太医。宝柱被人拖了出来，垂头跪在帐外，看来无论如何是免不了几十板子了。正想着，李福已经指挥着两个人堵住宝柱的嘴，放在刑凳上，打了起来，一板一板，很快血就渗了出来，殷红一片。

我立即转身，快步跑向自己的帐篷。他们的游戏，我不想再参与了，我不要见到那么多的血。我的生活已经很不快乐了，不要鲜血让它变得更凄惨。

怎么这么黑？天上一颗星星也无，四周只有风刮过的声音，无边的压力紧裹着我，心中正害怕，忽看见前方一点儿隐隐的灯光，来不及多想，就向灯光跑去，一路踉踉跄跄，却也顾不上，只想赶紧抓住那黑暗中唯一的光源和温暖。

跑近了才看清，原来是八阿哥打着一盏灯笼正在慢步而行，一身竹青长袍，随风猎猎而舞。他见是我，停了脚步，朝我温柔一笑。看到他温润如玉的脸和谦谦笑容，我的恐惧、惊惶、茫然一下子消散。

心中一安，喜悦地叫道："八爷。"正要走过去，忽地一支箭疾飞而来，打在灯笼上。在烛光灭去的瞬间，八阿哥脸上的笑容竟带着凄厉绝望，他无限哀凄地注视着我，缓缓消失在黑暗中。

我只觉撕心裂肺的痛，大叫一声"不要！"猛地坐起，睡在屏风外面的玉檀忙冲了进来："姐姐，做噩梦了吗？"

我只觉心不停地颤抖，身子也在不停地颤抖，玉檀搂着我柔声叫道："姐姐，姐姐。"

那个笑容，那种目光！我猛地抱着玉檀，我好冷！玉檀什么也没有再问，只是安静地回抱着我。

过了好一会儿，我才慢慢缓过来，强笑着对玉檀说道："我没事了，你去睡吧。"

玉檀柔声问道："要不我陪姐姐一块儿睡吧？"我向她摇了摇头，躺了下来。她替我盖好被子，静静退了出去。

我在黑暗中大睁着双眼，再不敢闭上眼睛。凄厉绝望的笑容，无限哀凄的目光……

拼命地想驱散这幅画面，却越发清晰，我在被中缩成一团，思绪翻腾。在姐姐屋中初次相见时，他谈笑款款；秋叶飘舞中，他逼我答应时的冷酷；漫天白雪中，他一身墨色斗篷，陪我沉默地慢行；他让我答应带着

镯子时，盛满哀伤希冀的眸子；桂花树下，他温暖如春阳的笑容；散发着百合清香的笺纸……

十四阿哥虽没有细说八阿哥在暗里为我所做的事情，可我并非傻子，初进宫中时，教导我的老嬷嬷对我的宽容，掌事的太监和宫女对我不露痕迹的照顾，我怎么可能没有察觉？只怕还有很多是我所不知道的。

如果可以选择，我宁可落在四阿哥府中。因为早知道结果，我一直希望自己能疏离，人都是有私心的，我不可能在明知道结局的情况下还义无反顾地凑上去。可四年的时间，点点滴滴，就如同腕上的镯子，早就如影随形，成为我生命的一部分了。我即使为自己铸造了铜墙铁壁，也禁不起天长日久、水滴石穿。

一夜无眠，听到外面玉檀的响动，知道她起来了。我心中已拿定主意，掀被而起。玉檀看见我，脸色震惊地说道："姐姐，怎么看上去一夜间竟瘦了好多！"

我看了看镜中的自己，淡淡笑道："大概是没有睡好，脸色有些憔悴，令人生出一种错觉罢了。"

细细描好黛眉，涂匀胭脂，戴好耳坠。脸色是胭脂都无法掩盖的分外苍白，眼睛却是格外的亮，黑滢滢的瞳孔中像是两团小小的火焰在其中燃烧。对着镜中的脸孔妩媚一笑，喃喃说道："能不能改变历史，就靠你了。"

清晨去当值时，八阿哥看见我，神色一怔，我扫了一眼他裹着的右胳膊，专心给康熙奉上茶。康熙正在听太子爷讲述八阿哥如何被烫伤的事情，听后，嘱咐八阿哥这几日不用御前陪驾了，好好养着。八阿哥磕完头、谢完恩后，自回了营帐休息。

正在给太子爷上茶，康熙淡淡问道："昨儿晚上马贼抓住了吗？丢了什么？"

我恰好面对太子爷，看到他几案下的手猛地一颤，他恭声回道："没有，因为发现得及时，东西倒是没有丢。"

康熙喝了口茶，淡声说道："蒙古人不太高兴，说是有身穿蒙古袍子的贼，可翻遍了整个营地什么都没发现。"

太子爷的脸色一下子变得极为难看，忙站起来说道："儿臣一时鲁莽，未考虑周全，请皇阿玛责罚。"

康熙瞅了他一眼，温和地说道："以后要三思而后行。"太子忙点头应是。

康熙用完膳后，太子爷和众位大臣陪着去骑马行猎，目送康熙他们一行人渐行渐远，直到看不见他们的身影，我才转身举步而行。

快到八阿哥帐前，脚步不觉缓了下来。虽然已经拿定了主意，可是事到临头，心里还是有挣扎不甘，但想着他这四年来点点滴滴的照顾付出，还是一步步挪到了他的帐前。

掀帘而入时，李福正在服侍他用膳，他两只手都不便利，只能由李福代劳。他看我进来，停了下来，静静看着我。李福低头立在他身后。我和他默默对视了半晌，朝他微微一笑，上前几步，对着李福吩咐道："公公先下去吧。"

李福飞快地瞟了眼八阿哥，躬着身子快速退了出去。我拖了凳子坐在八阿哥身侧，一手拿起筷子，一手端着小碟，夹了菜送到他嘴边。

他并未张口，只是默默凝视着我，眼睛里隐隐含着不安。我把菜放回小碟中，嫣然一笑，柔声问道："你不喜欢我服侍你吗？"

他瞅着我，说道："如果这是第一次，我会高兴都来不及；如果这是最后一次，我宁愿永远留着将来用。"

我温柔地看着他，唇边含着笑，把菜夹起，又送到他嘴边。他看着我的眼睛，一下子笑了起来，张嘴吃了菜。

他吃了两口，突然叫道："李福。"李福匆匆而进，他笑着说道："去拿壶酒来。"

李福踌躇着说道："爷身上有伤，喝酒只怕不妥。"一面说着，一面只是瞅我。

八阿哥笑斥道："你是主子，还是我是主子？"李福一听，再不敢多言，退了出去，不大会儿工夫，托着一壶酒和两只酒盅进来。

我站起接过托盘，说道："只喝一盅。"李福紧皱的眉头这才舒展开，躬着身子静静退了出去。

我倒好酒，送到他嘴边，他笑看着我，往日黑沉的眼睛变得很是明快，点点笑意飞溅出来，映得脸色更是晶莹如玉。这么毫不掩饰的快乐！我心中一动，那几丝不甘也被融化少许。还是值得的，至少他现在是这么快乐，不是吗？

他一直凝视着我，我刚进来时的淡定镇静通通消散不见，不好意思再看他的眼睛，转过视线，含笑嗔道："喝是不喝？"他忙就着我的手，慢慢饮了一杯，我自己也饮了一杯。

服侍他用完膳、漱完口、净完手，李福把杯盘都撤了下去。我摆好垫子，让他靠好，问道："要我给你找本书看吗？"

他笑着说道："什么都不要看，只要你陪我坐着。"

我笑看着他说道："今日我当值，我还得回去预备茶点，要不万岁爷回来喝什么？再说，我还想去看看十四阿哥。"

他没有说话，只是拿眼睛瞅着我，我看拗不过他，再说现在也不想逆他的意。坐到他身侧，说道："就一会儿。"

他笑笑地看着我，轻轻叹了口气，说道："让你这样心甘情愿地坐在我身边，我已经想了好久了。"

我脸微烫，侧低着头，没有说话，心里泛起几丝甜，女人都禁不起甜言蜜语的。

他往我身边凑了凑，我赶忙下意识地往旁边挪了挪，他低笑了两声，没有再动，只觉得他视线一直凝在我脸上，我心里甜蜜中夹杂不安，压力越来越大，猛地站起来，说道："真要走了。"

他笑着说："再不让你走，你下次不敢再来了，去吧。"

我笑了笑，正要走，他又说道："你先不要去看十四弟。"我停了脚步，不解地看着他。他笑说道："他在敏敏格格那里，很安全，等过两日，太子爷不那么留心了再说吧。"

我说道："如果你们事情已经商量妥当，不如早点儿让他走，才是万全之策。"

他回道："事情倒说得差不多了，不过现在太子爷肯定想着，既然营帐都搜了，没有找到人，那么如果真是十四弟，他肯定要设法回京的，太子爷定在外围派了人手搜查，不如缓几日，等太子疑心尽去，再走更妥当。"

我点点头。心想，以后还是少操这个心了，比起思虑周全，他们从小到大琢磨的就是这些，就是十个我也赶不上他们半个，一面想着，一面出了帐篷。他在身后柔声说道:"晚上我等着你。"

走在六月的蓝天下,我半仰头盯着天上的云朵,从今后不可能再"心若浮云,自在来去"了,心中半带着苦涩,对自己说道:好好爱他吧!尽力爱他吧!让他全心全意爱上自己!

当完值,和芸香交代清楚晚上当值要注意的事情后,我先回了帐篷洗漱收拾。泡在滴了玫瑰露的浴桶中,袅袅香气中闭着眼睛想,这应该算是我到古代后的第一次约会吧?

沐浴后,麻烦玉檀帮我挽了一个娇俏点的发髻,又用青盐和自制的简单牙刷漱了口,又特地含了一口兑了水的玫瑰露,过了半晌,才吐出。想着不能做到吐气如兰,吐气如玫瑰应该也说得过去。

一切收拾停当,揽镜自照,谈不上花容玉貌,倒也模样端正。

刚出门,一个脸圆圆的蒙古姑娘跑来说道:"我家格格请姑娘过去。"

我对她说道:"烦劳姑娘转告格格,今日不得空,不能去了,请她多担待,过两天一定去给格格请安。"她疑惑地看了看我,转头匆匆跑了。

进了八阿哥的帐篷,心中还在想着,不知十四阿哥过得如何?他应该能明白八阿哥的意思。至于如何应对敏敏格格,他若连这都弄不妥当,还和太子斗什么呀?

八阿哥正在摆弄棋子,看我进来,毫不掩饰地盯着我上下打量了好几眼,眼睛里满是笑意,示意我坐到他对面。问道:"我可是你的'悦己者'?"

我没有搭理他,问道:"胳膊不便利,怎么还在摆弄这些?"

他一面命李福撤了棋盘,传膳,一面笑说道:"动动手指而已,又不使力,不碍事,再说烫伤也不严重。"

我问道:"宝柱还好吧?"

他笑说道:"几板子他还受得住的。"

我心中一叹,静默着,没有说话。

两人静静用完膳。我给他念了会子书,跳跃的烛光下,他脸色平静,并无平日常挂在嘴角的笑,但眼睛里满是欢欣喜悦。我偶尔抬眼看他,总是对上他笑若春水的眼睛,心一跳,又匆匆低头继续念书。

　　起身告退时，他倒没有再留我，只是拉住我的手，双手合握在手心，静静地握了好一会儿，才放我离去。

　　这几日，一切平静，看太子的神情含着几丝沮丧，看来是死心了。和敏敏格格也见过几面，不知十四阿哥如何对她说的，反正她并未特别和我说话，只是看我的眼神总是含着几分打趣。我当然也是请安后就退下，和她保持距离。

　　这天下午，特意等到敏敏一个人时，我笑着上前请安，敏敏挥了挥手让我起来。两个女人如果分享了爱情的秘密，总是格外容易亲近。

　　敏敏对我分外友好，亲密地揽住我的胳膊，笑问道："想他了吧？我看他不错。"

　　我斜睨了她一眼，笑道："你今年才多大？不过十四五吧？说得好像多有经验的样子。"

　　她轻轻推了我一下，撅着嘴说道："我夸你心上人，你居然来打趣我。"

　　我笑着问道："我晚上去看你可好？"

　　她摇着脑袋，说道："我若说不好呢？"

　　我笑说："你若想留着他，那就把他让给你好了。"

　　她脸一红，说道："真是牙尖嘴利，说不过你，你晚上过来吧。"

　　再见十四阿哥，仍然是满脸的假络腮胡子，真不知道他这几日是如何洗脸的。我瞅了几眼这看着碍眼的胡子，还是有冲动，想把它们拔下来，恢复十四阿哥原本的英朗容貌，忙管好了自己的手。

　　敏敏笑眯眯地看看我，又看看十四阿哥，最后得意扬扬地说道："你们慢慢说吧，我先出去了。"说完还向我眨了眨眼睛，转身出了帐篷。

　　十四阿哥看着我，沉默了好一会子，说道："这次多谢你了。"

　　我一笑说道："我们认识多久了？这么多年的交情，还要说谢，太生分了吧？再说了，没有我，你们的人也不会让你有事情的，我只是赶巧了而已。"

　　他低头笑了起来，忽又敛了笑意问道："听说八哥胳膊烫伤了？"

　　我轻叹了口气说道："他待会儿要见你，你自个儿去问他吧。"

他怔了一下，问道："在哪里见？"

我说道："他一会儿过来，就在蒙古人的营地见。"

十四阿哥听后笑叹道："好法子，蒙古人本来就对太子爷不快，这次太子爷又把蒙古人的营地翻了个遍，却根本没有他所说的贼，蒙古人正恼着呢！他现在对蒙古人应该敬而远之了。"

我和十四阿哥笑着说了会儿话，看时候差不多了，就让他去见八阿哥。

敏敏看他走了，跑进帐篷，奇怪地问我："他出去干吗了？"

我回道："因为他这几日就要回京了，所以去和要好的朋友告个别。多谢他们平日对我的照顾。"我这个谎言实在禁不起推敲，可敏敏毕竟才十四五岁，又一直被呵护着，涉世未深，所以她也未多想。

她凑到我身边坐下，问道："你得空也教我唱戏吧？"我怔了一下，不知道何来此话题，纳闷地看着她。

敏敏笑嘻嘻地说道："他都告诉我了，他就是因为听了你为他特意唱的曲子，才对你动了心思的。"

我无奈地笑着，这个十四阿哥不知道还编造了些什么鬼话来哄小姑娘，只得顺着她说道："好啊。"

她犹豫了下，问道："十三阿哥喜欢听戏吗？"

我笑说道："喜欢的，十三阿哥雅擅音律，特别精通弹琴和吹笛，在京城公子哥中很是有名的。"

敏敏痴痴想了半晌，幽幽说道："真想听听他弹琴吹笛，肯定很动听。"她猛地拉住我的手，说道："你听过吗？告诉我，当时是怎么回事？他什么表情？奏的什么曲子？他穿什么颜色的衣服？他为谁奏的……"

我被她一连串的问题问得几次想开口却又闭上了嘴巴，直到她问完，我才一脸抱歉地说道："我也没有听过呢。"

她一下子满脸的失望，我赶忙说道："如果明年塞外之行，你和十三阿哥都在，我一定让他奏给你听。"

她又立即满脸喜色，可忽而又脸带纳闷地问道："你和十三阿哥很要好吗？"

我忙笑着说道："我十三岁的时候，两人就一块儿玩了，的确挺要好的。"心中想着，幸亏现在有十四阿哥这个挡箭牌，否则只怕敏敏要想歪了，毕竟我和十三阿哥之间的感情，在这个社会，很难让人相信没有男女之意。

敏敏听完，满脸毫不掩饰的羡慕之色，我心里长长叹了口气，极其温柔地对她说道："我一定会让你听到十三阿哥特意为你奏的曲子的。"

敏敏感激地朝我一笑，复又黯然低下了头，喃喃自语道："他的福晋肯定能经常听到他奏曲子。"

我不知如何回应，连完全接受一夫多妻的古代人都不能免去嫉妒难受，八阿哥他可懂我的心？为这份感情受苦的不仅仅是他，我的抗拒、我的无奈、我的委屈、我的挣扎，他可能明白？转而又想到八福晋，安亲王岳乐的孙女，身份尊贵，可也留不住丈夫的心，我因为她在难受，她若知道我，又何尝不会心痛呢？毕竟用现代人的眼光看，我才是那个理屈者，是破坏人家婚姻的第三者。即使八阿哥能一切如我所愿，可这个十字架，我也注定要背负终身了。

两人都心绪满怀，各自神伤。十四阿哥掀帘而入，敏敏忙站起，说道："我出去了。"

十四阿哥笑着走上前，给我恭恭敬敬地请了个安，我被唬了一跳，忙侧身让开，说道："你这是做什么？"

他笑说道："好嫂子！从今后该我给你请安了。"我脸腾地一下变得火烫，想骂他，可又找不着词，只能尴尬地站着。

十四阿哥看我如此，倒是再没有打趣我，只是目视着我，过了半晌，悠悠叹了口气，感叹道："八哥终于得偿多年所愿！"

我嗔道："我走了，不听你胡言乱语。"

十四阿哥倒是没有拦我，可我自己走了几步，忽然停住，回身问道："你什么时候回？"

十四阿哥回道："明日晚上就走。"

我点点头，说道："你可别再编那些没谱的事情哄敏敏格格了，到时候我可没有办法圆谎，她现在都要跟我学唱戏了。"

十四阿哥笑着说："那你就把当年唱给十哥的戏教给她呗。"

我摇摇头，叹道："将来还不知道如何向敏敏格格解释呢？也不知道她肯不肯原谅我？"

说完，转身出了帐篷，心里几丝茫然，当时的我们哪有这么多烦恼呢？如今的日子却是时时小心、步步谨慎，充斥着谎言、欺骗和鲜血。我曾经以为因为知道历史，所以我可以趋吉避凶，可我最终还是一步步无可奈何地被卷了进来。

下午就被敏敏打发人叫了来，说什么晚上就要走了，再见要三个月后，让我们再抓紧时间多聚聚。我看着敏敏，面上浅浅笑着，心里却很是苦涩，她是如此纯真善良，当她将来知道我利用了她时，从此后，她是否不会再那么相信别人了？

星垂平野阔，风吹草轻舞。敏敏护着我和十四阿哥从营帐出来，三人各自牵了匹马做样子，正在慢行，身后脚步声匆匆，我心中一动，回身看，果然是八阿哥，停了脚步等着他。敏敏却是一惊，一个闪身，已经挡在了十四阿哥身前。

我忙对敏敏说道："格格，没事的，八阿哥知道我们的事情。"

敏敏这才表情一缓，侧着脑袋，看着十四阿哥说道："你面子可真够大的，走时居然有八贝勒和我送行。"

十四阿哥笑嘻嘻地说道："不敢，不敢。"

八阿哥顺手接过我手中的马缰绳，走在我身侧，十四阿哥反倒是走在前面，我忙赶了几步，和十四阿哥并肩而行，把敏敏和八阿哥落在后面。

敏敏看我和十四阿哥两人谁都不说话，以为我们是伤别离，紧走了几步，拉住我胳膊，眼睛却瞅着十四阿哥说道："你若真有心，回去好生想法子向皇上把若曦讨了去，看着若曦心事重重的样子，我都心疼呢！"

我赶忙想岔开话题，十四阿哥也赶着说道："不再耽搁工夫了，我走了。"说完望着立在我们身后的八阿哥，八阿哥含笑点点头。十四阿哥又看着敏敏，笑着说道："这次的恩情先记在心里了，容后再报。"

敏敏一撇嘴，说道："我是看若曦的面子，你若真想报恩，以后好生待若曦就行了。"

十四阿哥尴尬一笑，再不敢多说，朝我点点头，翻身上马，策马疾驰而去。我凝视着他远去的背影，想着，送走他，一块石头也算是落地了，

下面就该仔细想想我和八阿哥的事情了。

敏敏看我一直目注着十四阿哥消失的地方，轻轻摇了下我的胳膊，柔声说道："我们回去吧。"

我收回目光，侧头看着她，心中内疚，忍不住问道："格格，若有一日，你发现我做错了事情，你会原谅我吗？还会像现在这样对我吗？"敏敏一呆，不知我何出此言，满脸的疑惑，认真想了想，回道："我不知道，看你做错什么事情了，你会做什么对不起我的事情呢？"

我忙摇摇头，强笑道："只是问问而已，谁叫格格身份尊贵，只不准哪日无意中就得罪了格格，所以先讨个平安符。"

敏敏撇着嘴说道："亏我还把你当个知心人呢，这种话都说得出？"说完，放开我的胳膊就往回走。

我忙拉住她的手，一面走着，一面说道："就是我也把你当知心人，才会害怕呀！"

她脚步慢了下来，反手握着我的手，侧头说道："我们草原儿女认准了的朋友，不会轻易放弃的。"我看着她点点头，两人都是一笑。可她的笑坦然大方，而我的却含着几丝不安。

八阿哥一直默默跟着我们，到了营地，敏敏和我们分开，回了自己营帐。目送她离去，我也想回去，八阿哥柔声说道："去我营帐里坐坐。"我想了下，微微一颔首。他率先而去，我随后跟着。

进了帐篷，他吩咐李福守在门口。两人静静地相对站着，他伸手揽我入怀，我依偎在他怀里，头枕在他肩上，鼻端有他身上的药香。我缓缓伸出双手环上了他的腰，他身子一紧，更是紧紧抱着我。

两人默默相拥了半晌，他在我耳边轻声说道："等九月回了京，我就求皇阿玛赐婚。"我靠在他肩头，没有回话，只是环着他腰的手紧了紧。

又过了一会儿，他放开我，牵着我的手坐到榻上，我问道："胳膊好一些了吗？"

他点点头，微笑着说道："烫伤本就没有多严重，不过是太医看着皇子受伤都分外紧张，而有所夸大，箭伤有九弟购来的药也恢复得很快。再养上半个多月，骑马就应该没有大碍了，在回京前一定教会你骑马。"

我微微一笑，问道："要我读书给你听吗？"

他摇了摇头，说道："未入宫前，一本宋词还认不全，可现在连《本草纲目》都读过，真没有几个女子像你这么爱读书的，幸亏府中藏书不少，以后够你读。"

我臊红了脸，一面想着那还不全是为了讨好康熙，一面嘟囔着说："我那是没事做，在宫里闲着也是闲着，就胡乱看书了。"

他蓦地俯过身子，偷亲了下我，未等我反应过来，就又坐了回去，笑道："我以后不会让你闲着没事做的。"

我实没料到，一向儒雅稳重的他竟也有如此活泼的一面，抚着脸颊，呆呆地看了他一会儿，羞红着脸，猛地站了起来："你不听我读书，我就回去了。"

他忙把我抓回去，搂着我，笑说："我听十四弟提起过，你曾为十弟唱过戏。不知道今日我有没有这个面子，听你一曲呢？"

我回道："那是现炒现卖的，今日可不应景。"

他不说话，只是笑笑地睉着我。我低头想了想，站起，走到桌边随手拿起瓶中插着的杜鹃花，凑在鼻端一闻，看着八阿哥侧头一笑，开口唱道：

> 好一朵茉莉花，好一朵茉莉花，满园花草，香也香不过它，我有心采一朵戴，又怕看花人儿骂。
>
> 好一朵茉莉花，好一朵茉莉花，茉莉花开，雪也白不过它，我有心采一朵戴，又怕旁人笑话。
>
> 好一朵茉莉花，好一朵茉莉花，满园花开，比也比不过它，我有心采一朵戴，又怕来年不发芽。

自小学跳舞时，母亲就一再强调不管是唱歌还是跳舞都是先感动自己，才有望感动别人。我不看他，心神沉浸在少女在满园花草中乍见茉莉花的惊喜中，自顾脚步轻转，表情时喜时忧，表现对花的无限喜欢，却想摘而不能摘的踟蹰怅惘。

一曲唱毕，我侧头斜睨了八阿哥一眼。他神情怔怔地看着我，眼中有感动，他已明白，他这么多年能摘花却因呵护而未摘的心思，我都懂，也都记在心上。

我眼眸一转，轻笑着扬手把手中的杜鹃花抛到八阿哥身上，他下意识地伸手接住，我不再看他，径自出了帐篷。

第十四章

携手处，游遍芳丛

七月的草原美得惊人，一片碧色海洋，微风过处，一浪接一浪。朵朵盛开着的小花，点缀在青碧底色上，静时如华美织锦，动时如山水齐舞。

夕阳余晖下，我和八阿哥经常手挽着手，徜徉在蓝天绿草间，有时候半日也无一句话，只是静静走着，累了时，随意坐下休息，并肩看夕阳西下，夜色转黑，月兔东升；有时候，我会唧唧呱呱地向他细说我的喜好厌恶，会细细碎碎地向他抱怨过大的太阳，头发好干，他在一旁笑听着。我会指着太阳问他真的有夸父追过太阳吗？然后非要他说个清楚有是没有，他说有，我就说没有，他说没有，我又说有，拉着他洋洋洒洒长篇大论，把我当年参加辩论比赛的那点儿本事全拿了出来；又或者看着月亮，央求他背所有关于月亮的诗词来听，他一首首在我耳边轻轻吟诵，有时候迷迷糊糊地睡着了，他会温柔地抱我上马，让我窝在他怀里，慢慢策马而回；看到星星时，两人找牛郎织女星，他说自己找到的是，我却觉得我找到的是，总要等我撅着嘴不理他时，他才大笑着，揽着我说你生气时最好看，再想板着脸也忍不住嘴角露出笑意。

敏敏缠着我教她唱戏，我没奈何，只好教了一出以前宿舍姐妹在班级联欢时的嬉戏之戏。可真到教会她时，心中又突生想法，遂和她认真排练了好几次。

一日晚上，笑对敏敏说："今儿晚上，我请了个人来看我们唱戏。"

敏敏好奇地问："谁呀？"我抿嘴而笑，没有回话，只是自顾换了衣衫。头发梳拢，打了长辫子，身穿月白长袍，腰系黄金带，头戴小帽。

敏敏看后笑道："你穿男装，倒是别有一股俊俏韵致。"

我上下打量完她，也笑说："你穿这江南女儿的裙衫，也是别样的妩媚动人。"

两人正互相打趣，敏敏的贴身丫头进来说："八贝勒爷来了。"

敏敏笑道："你请的看戏人就是他吗？"

我点点头，敏敏吩咐丫头："请八贝勒爷进来坐。"

我和敏敏藏在屏风后，看八阿哥进来落座后，显然对主人还不露面微感诧异，不过眼光扫过屏风后，大概猜到我们躲在屏风后，笑了笑，神情怡然地端起茶杯轻抿了一口。

我揉了揉敏敏，低声说："你先出去。"

她不动，低声道："我有些紧张。"

我笑说："怕什么？你在那么多人面前都唱歌跳舞来着。"

她嘴里嘀咕："可这是人家第一次唱戏。"说着，整了整衣裳，拿起篮子挽在胳膊上，出了屏风。

我透过缝隙看着八阿哥的神情。他见到敏敏的打扮，表情一愣，看向屏风，似在猜测我会作何样打扮，微微一笑后，转回目光看着敏敏。我躲在屏风后，明知道他看不到我，可看到他一笑，还是心中一跳。

敏敏挽着篮子，做出一副采桑叶的样子，我轻摇折扇，缓步而上，唱道："秋胡打马奔家乡，行人路上马蹄忙。坐立雕鞍用目望：见一位大嫂手攀桑。前影好像罗氏女，后影好像我妻房。本当下马来相认……"

我和敏敏一问一答地唱着，她演独守空房二十多年的罗敷女，我演回家探妻的秋胡。路遇妻子，为了试探她的贞洁，而装做陌生人调戏她。

我拿折扇挑起敏敏的下颚，嘴角似笑非笑，眼睛斜斜，挑逗地看着敏敏，一副轻薄公子哥的样子，唱道："撇下了大嫂守空房，你好比皓月空明亮，又好比黄金土内埋藏，你好比鲜花无人赏，卑人好比采花郎。桑园之内无人往，学一个神女配襄王。"唱完，还顺手在她脸上轻摸一把。

敏敏脸一红，打开了我的折扇，含羞唱道："客官说话不思量，奴家有言听端详，既与儿夫同来往，为何心下起不良……"

我平时和她唱时，从未如此认真卖力地调戏她。大概从未有人胆敢这样对她，这个小姑娘被另一个女子调戏也脸红了，现在哪里像是因被调戏而生气呵斥对方的妇人呀？倒好像娇羞无限、欲拒还迎。

两人唱完，我神色如常，敏敏却脸颊绯红，不好意思地看了一眼正在鼓掌笑着的八阿哥，匆匆出了帐篷。

八阿哥笑看着我叹道："若被苏完瓜尔佳王爷知道你教人家女儿唱这些曲子，你可怎么办？"

我侧头笑看着他，说道："怎么办？这好像该是你考虑的问题，而不是我吧？"

他笑睨着我说道："我以后看来麻烦多了，不过……"他走近我身边，揽着我腰，在我耳边低声说，"望娘子心疼一下为夫，莫要招惹太多麻烦，为夫还想多些时间陪娘子呢。"说完也轻抚了一把我的脸。我脸皮虽厚，可也一下子有些禁不住，脸变得滚烫。他仔细端详着我的神态，低笑着退了回去。

敏敏再出来时，已经换好衣服，看我脸红红地站着，不禁低头一笑，问道："你去换衣服吗？"

我还未出声，八阿哥就笑说："别换了，这样穿有股别样的……"他瞟了敏敏一眼，还是说道，"风流韵味。"

我嗔了他一眼，敏敏却没什么异常反应，看着我笑说："我也这么想呢。"

我这么打扮本就是为了八阿哥，现在目的已经达到，朝他抿嘴一笑，折扇啪的一声打开，一甩长辫，轻摇纸扇出了帐篷去换衣服。

一日白天，刚当完值，人还未走到帐篷，就嗅见隐隐约约的香气，心中纳闷，玉檀打翻了茉莉粉盒子吗？

掀开帘子，映入眼帘的是一片白，桌上、地上、椅子上、榻上、触目所及，全是茉莉花，累累串串，帐篷内充斥着它温馨悠逸的气息。片片绿叶晶莹典雅，如剔透的碧玉，朵朵凝雪般初放的小花温润洁白。

我当即怔在那里，丝丝喜悦流淌在心中，真不知道他是从哪里弄来这

许多花，这样的手段对我而言虽然老套，但被讨好的人总是会感动。忍不住把脸埋在花间，长叹了口气。

正在发呆，忽听到一声："姐姐。"我一慌，忙转过了身子。看着身后的玉檀，不知道该如何解释这满屋子的茉莉花。玉檀微笑着说："这是刚才张公公派人送来的，姐姐有什么用处吗？"

我忙顺着说："用处多了，泡茶、泡澡、插在鬓边，不是比干花强很多吗？"

"也是。"玉檀笑笑，拿了自己的东西，转身走了。

我用茉莉花泡了个澡，挽好发髻，拿了香囊，往里面塞了几朵花，挂在腰间。一路快步而行，到约定地点时，看见他已经坐在山坡上等着。我蹑手蹑脚地走过去，迅速捂住他的眼睛，哑声问："我是谁？"

他手搭在我手上，笑问："草原仙子？"

我哼道："不是，是吃人的妖怪。"

他大笑着，一扯我的胳膊，反身把我压在了草地上，头埋在我脖子上嗅着，喃喃说道："原来是茉莉花仙。"他抬头温柔地凝视着我，我俩脸挨得那么近，我能看清他深黑眼瞳中的自己。我的心开始大力大力地一下一下子跳。他缓缓俯下头，温暖柔软的唇印在了我的唇上，我脑里忽然闪过四阿哥冰冷的唇抚过我唇的画面，心中一抽，头一偏，躲过了他的吻。

他倒未介意，以为我是因害羞而躲开，轻笑着偏头低吻上我的脸颊，然后轻轻浅浅地一路顺着印在了我双唇上。我闭上双眼，温顺地回应着他的吻。他的温柔、怜惜、爱恋都通过唇齿间的缠绵传递给了我。我刚开始的紧张失措慢慢消散，只觉如同置身云端，晕晕乎乎，身心俱软。

他搂我在怀里，轻声说道："若曦，知道我有多开心吗？"

我头抵着他的肩膀脱口而出："会比初见姐姐更开心吗？"问完立即想打自己的嘴巴，我疯了，居然在和姐姐拈酸吃醋。

他静默了一小会儿，扶端我的身子，凝视着我双眼说："那是不一样的。初见若兰，我的确惊喜无限，皇阿玛赐婚后，我觉得自己很快乐，可当我挑开若兰的盖头时，我就知道自己错了。我一相情愿地喜欢着自己想象中的若兰，根本没思量过我的一面印象是否正确，只想着拥有那清亮的笑声，却不知道……"他停了会子，轻抚着我的脸颊说："若曦，我已经犯了一个错，怎么可能一错再错呢？你和若兰是长得有五六分相像，我初见你时的确为此心中一惊。可自从你大闹了十弟的生辰宴时，我就明白你和若兰是不同的，若兰就像是清浅溪水，不可能那么泼辣厉害、占尽上风的。漫天落叶中你质问我们'为什么自己的命运要由别人决定'，你的冷厉表情，直到现在仍然清晰无比。婚宴上，十三弟带了你走，让你全身冻僵着回来，可你半丝怨怪也无，我居然心中很是不快，这才知道不知不觉中，你已经在我心中有了影子。"

他一面用指头轻轻描摹着我的眉毛，一面说："这些年来，你可知道我有多想你？可我想让你心甘情愿、高高兴兴地嫁给我。我不想若兰的事情再重复。可你的心总是那么难测，我感觉你心中似乎是有我的，可我不明白你为何拒绝我。我不知道我究竟要做什么，才能让你愿意。"他猛地用手把我的眼睛捂住，"不要这样看我！你为何总用这样的目光看我？四年前你还是个小姑娘时，就是这种充满悲伤哀悯的目光，你在伤心什么？"

我摇头再摇头，猛地伸手紧紧地抱住他："我不想失去你，我想你一直都好好的。"

他一怔后，又喜悦地笑起来，拥着我，温柔地说："你不会失去我，我会永远都守在你身边。"

我头枕在他肩上，不吭声。当年的一幕幕在脑中掠过，想着他的好、想着他的坏。想起他让我在书房一站就是半日，想起他冷冷地掐着我下颚逼我回话，我猛地一口咬在他肩上。他轻轻哼了一声，抱着我没动。我慢慢松了口，他疑惑地看向我，我带着五分笑意、五分得意，挑眉看着他说："君子报仇十年不晚。"

他思量了一瞬，忽而大笑起来，搂着我就势一转，两人在草地上滴溜溜地转了几个圈子，我正头晕目眩，他的唇又压了下来。不同于刚才的温柔细致，这个吻是火热的、霸道的，那样激烈，好似一生的相思都爆发在这个吻中。他瞬间把我的理智烧得一干二净，我忘了自己，忘了一切，只知道本能地回应着他的吻。

　　九月秋风起，天地更显辽阔，我在八阿哥和敏敏的双重调教下，马已经骑得不错了，可以一个人策马疾驰在蓝天碧草间，享受在阳光下迎风飞翔的感觉。

　　我和敏敏都极其喜爱策马到极速的感觉，那种畅快淋漓非笔墨所能描绘，似乎天地间可以任你遨游，再无任何束缚，天下无处不可去。八阿哥却并不如我们般刻意追求速度带来的快感，常常落在后面笑看我和敏敏两人策马狂奔。两人经常比赛，虽然我输的次数居多，可偶尔赢敏敏一次的感觉才越发得好。

　　我和敏敏总是笑了再笑，她兴起时，就唱起蒙语歌谣，我虽然听不懂，却知道她在歌颂这蓝天、这绿地、这白云、这微风，因为我也是多么爱这片天地呀！自打来了古代，我的笑声从未像现在这么多，这么亮。只有在这片天地间，只有在疾驰的马背上，我才能暂时真正忘了一切的一切，我才是我，而不是马尔泰·若曦。

　　敏敏在时，我总是与八阿哥保持距离，心里虽知道谎言总有被戳破的一天，可现在不想面对。八阿哥嘴边带着笑，戏弄地看我几眼，就不再勉强，可他的视线从未离开我。我大笑时，他宠溺地看着我；我得意时，他赞赏地看着我；我夸敏敏歌唱得好时，他却不以为然地向我笑着摇头。有时候我真怕敏敏会看出来，嗔他一眼，他会笑着转开眼光，可当我无意中视线扫过他时，还是会正对上他带着笑意的眼睛。

　　我也从没见过这样的八阿哥，往常，他总是时时刻刻都唇角带笑，可眼神是没有温度的，如今，他唇边常忘记了挂上笑意，可眼睛一直在笑。

　　晚间当完值，往帐篷行去，想着洗个澡后，就去和八阿哥一起用晚膳。太子爷迎面而来。我忙让到路侧给他请安。他让我起来后，上下打量了我几眼，笑说："姑娘这几日好似很忙碌？"

我笑笑，没有回话，他既开了头，自然还有下文。

他盯着我道："我听人说姑娘这段时间和八弟过从甚密，两人经常在外结伴骑马。"

我笑笑地回道："太子爷不知道是听哪个糊涂人回的话，我和八爷本就一直往来，何来现在甚密之说？再说了，我学骑马是皇上准了的，八阿哥不过看着我急于学好，不辜负皇上的恩典，才教教我而已。毕竟那些军士顾及我的身份，唯恐出什么岔子，都抱着'不求有功，但求无过'的想法，不敢放开胆子教我。"

我说完后，低下头静静站着。太子爷笑着盯了我一会儿，转身离去。我俯身恭送他走后，快步回了自己的营帐。

收拾停当后，去了八阿哥处，晚膳已经备好。

八阿哥吃穿用度极其精细，一切都是精益求精。这段时间出门在外，他倒是没有在府中时那么挑剔，可碰到稍有不合口味，都是一筷不动，我也是个挑食的人，不吃皮、不吃内脏。

估计这段时间为八阿哥做饭的厨子应该很是郁闷，要顾及八阿哥往日的口味，还要应付八阿哥新增的诸多忌口。这也不许，那也不许，还要味道鲜美可口，真是难为他们了。

但凡做过一次，我不吃的，就绝不会有第二次上桌的机会。我感动于他的细心，让他不必如此，我不爱吃的，他不见得不爱吃，可以后的菜式再无我忌口的东西，连鱼都是去好皮后，才端上来。

用过饭后，两人静静喝了一盅茶。我说道："刚才我碰到太子爷了。"他放了茶盅，仔细听着。我有些不好意思，眼睛盯着茶盅，说道："他对你我有些疑心。"

他听后，笑说："我当什么事情呢，疑心就疑心吧，我根本没打算瞒他，反正马上就要回京了，回去后也就该办我们的事情了。他不过是忌讳你如今在皇阿玛跟前服侍而已，毕竟有时候你若肯说一句话，可以让我们省下不少心思去揣测皇阿玛的意思。"

我凝视着手中的茶盅，微蹙着眉头，没有说话。他站起身，也拉了我起来，牵着我走到书桌旁。

我在一旁心不在焉地研着墨，他静静地写字。康熙一直嫌他字迹柔媚有余，刚健不足，常说他应该好好练练字，不过，我看他也不是很上心，更多的时候不过是一种静心的方式而已。

他写完一张，却没有再继续，只是沉思地盯着纸面，好半晌都一动不动，我不禁好奇地探过头去看：

殷 泰	四川陕西总督
噶 礼	江南江西总督
江 琦	甘肃提督
师懿德	江南提督
潘育龙	镇绥将军
年羹尧	四川巡抚

看到别人的名字倒也罢了，反正我搞不清楚这些人之间彼此的关系，可看到最后一行，不禁低低念道："年羹尧。"

八阿哥侧头看了一眼正盯着纸面出神的我，伸手用力一揽，搂着我坐在他腿上，头搭在我的肩上沉默了好一会儿，低声问道："你为何对老四的事情一直那么上心？"

我心猛跳，一面脑子里飞快地想着，一面嘴里回道："大概是因为十三阿哥吧，你也知道我和他一向要好，所以就对四阿哥的事情也上了点儿心。"也不知道他相不相信，可我再没有更好的借口了。

他不说话，我忙岔开话题，问道："这就是皇上新近的官员调派吗？"

他捏着我的手，说道："正是，不过年羹尧的调令还没颁，怕是要等回京才下了。"

我问："现在这番调动对你有利还是无利？"

他轻笑了两声，说："不好不坏吧，幸亏十四弟来得及时，否则现在就不是这个名单了。"

我忍了一会儿，可还是没有忍住，觉得我心中又没有愧疚，干吗要躲躲藏藏呢？于是问："年羹尧的任命对你是好是坏？"

他听后，没有立即回答，只是搂着我的胳膊紧了一紧，过了好一会儿，他才笑道："你若不问，我今儿晚上恐怕是睡不好了，你这么一问，我倒是安心了。"

我嗔了他一眼，在他肩膀上打了一下，他笑道："不过一个包衣奴才而已，现在谈好坏还太看得起他了，总得让老四得些甜头，一则顺了皇阿玛的意思，二则我们也好相处，毕竟这次他在京中也帮了我们不少。"

我微蹙着眉头，盯着年羹尧的名字没有说话，心里想着，四阿哥帮你们？

八阿哥笑道："你琢磨什么呢？不过，我倒是想知道，你一向不留心这些事情，怎么会知道年羹尧呢？"

我心叹道，我怎么能不知道这位人生大起大落的大将军呢？可是现在倒是的确没有知道他的道理。出身微贱，官阶又低，在紫禁城中他现在还排不上号呢！只得继续借用十三阿哥了。笑回道："听十三阿哥提起过他几次，夸他'为人聪敏豁达，娴辞令，善墨翰，办事能力亦极强'。"八阿哥点点头叹道："以他的出身，不到十年即升为四川巡抚，固然有老四的襄助，可他自己也的确给老四争了脸面。"说完又笑道："你阿玛把你弟弟都留在了身边，真是可惜，若不然只要有你几分的聪慧心思，再肯用点儿心，皇阿玛只怕更是看重，也不用我在这里羡慕老四了。"

我一听，心中几丝不快，他这是把我比做四阿哥的小老婆年氏了。我没有说话，只是安静地依偎进他怀里，头埋在他胸前，脑子里却不能抑制地在想，他别的女人也会这样坐在他怀里吗？心中各种念头不绝，嘴里却柔声吟道："我心匪石，不可转也。我心匪席，不可卷也。"一面吟着，一面伸手与他五指交错，紧握在一起，念道："死生契阔，与子成说，执子之手，与子偕老。"

他静了好一会儿，重重长叹了口气，低头在我耳边一字一顿地说道："定不负相思意！"

不是没有谈过恋爱，可那时是"记得当时年纪小，你爱谈天我爱笑，并肩坐在桃树下，风在树梢鸟在叫。不知怎么睡着了，梦里花落知多少"。简简单单，相对嬉戏，待品味到苦涩时，已经是曲终人散。可现在，我的甜蜜中总是夹杂着丝丝苦涩，欢笑过后还有怅惘，以及无限的思虑。

快乐的时光总是过得分外快，转眼已是九月底了。敏敏前几日已经随她阿玛返回了蒙古，而我们两日后就要回京了。想着紫禁城的高高红墙，我就越发对这片苍茫天地留恋。多想时光就停留在这一刻，再不要回去。

八阿哥感觉到我的无限依依之情，特意带着我在我们所有留下过足迹的地方，骑着马兜了大大一圈，从夕阳西斜直到黑夜沉沉、繁星满天。九月的草原，深夜已经很是清冷，他拿披风把我紧紧裹着，搂在怀中。我不说回去，他就一直由着马走。

"回头我命人把整个别院都辟成马场，你什么时候想骑都成。"

我没有吭声，我爱的并不是骑马本身，而是马上的自由。过了半晌，我说道："我想下马走一会儿。"

他勒住缰绳，抱我下马。两人手挽手肩并肩走着。我沉吟了半天，总是难以开口。可今天是必须说的，这三个月我所做的一切全是为了今天，岂能不开口？刻意、经心地密密编织了一张情网，只是想挽住他的心。可是我多么害怕最后的答案不能如愿！几番踌躇，仍然未能开口。

八阿哥停了脚步，温柔地看着我，问道："若曦，你想说什么？"

我低着头沉默了半晌，他一直静静等着，其间替我把披风又裹了裹。我深吸了口气，看着自己的鞋面问："我若求你为我做件事情，不知你可会答应？"

他握着我的手紧了紧，柔声道："若曦，你现在还需问我这样的话吗？"他用手抬起我的头，注视着我的双眼说道，"但有所求，必尽全力如你所愿。"

我侧过了头，目光投往无尽的夜色中。不错，你是大清朝的八皇子，现在又正权力鼎盛，这天下你现在为我办不到的事情大概没几件，可我的要求是……

我转头紧盯着他，慢慢说道："如果我是要你放弃争那把龙椅呢？"

他嘴边的笑意随着我的话音完全消失，深黑的眼中三分震惊、三分困惑。我仍然紧紧盯着他的双眼，一字字地问道："这个你可能答应？"

他面色沉静如水，眼眸中再无任何情绪，幽暗难辨，只是深深地盯着我，我也睁大双眼坚定地回视着他。过了半晌，他问道："我不认为这和我们之间有什么必然关系。"

我看着他，一字字慢慢说道："你同意，我们就在一起；你不同意，我们就分开。"说完后，只觉得这辈子从未像现在这样，说一句话需要用尽全身的力气，每一个字都刺痛在心上。

他难以置信地看着我，我无比严肃地看着他，我不是戏耍，我每个字都是认真的。我们交握着的手变得冰冷。他猛地拖着我提步就走，边走边说道："你累了，回去好好休息一下。"

我使尽全力，不肯前行，拖着他说道："我是认真的，我很清醒。"

他停了步子，背对着我，静如化石，背影是那么苍凉哀伤。我上前两步，双手环着他，脸贴在他背上，说道："这些日子，我们过得多快乐，以后我们也可以这样。春天我们去郊外赏花，夏天我们去湖上泛舟，秋天我们可以策马奔驰在绿色草原上，冬天我们可以拥炉赏雪画梅。我们可以读书写诗，我可以给你唱曲，我还很会跳舞的，这次都没有机会舞给你看，你一定会喜欢我的舞姿的。我一直很想赏尽大江南北的风光，我们可以一起去看烟雨江南，也可以去苍凉塞北。我还会做很多菜，虽然很多年都没有做过了，但肯定还是很好吃的，有的菜式放眼整个大清朝，除了我恐怕还没有别人会做呢，我还会……"

他打断了我的话，背对着我冷冷问道："这些日子你都是有预谋的，对吗？"他掰开了我的手，转身看着我，"你唱的每一支曲子，说的每一句话，只是为了今天！"

我咬了咬嘴唇，眼眶中含着泪水，拉着他的胳膊说："我对你的心绝无半丝虚假。"他冷冷地注视着我，没有任何反应。

他冰冷的目光让我心中惧怕，我拉着他的手，按在我的心口嚷道："你知道的，你知道它里面装着你的，你知道的，你知道的……"

他闭上双眼，深吸了口气，猛地把我搂在怀里，语气沉痛地问道："若曦，为什么？我还清楚地记得当年你说过的话'为什么自己的命运要听别人摆布，为什么不可以自己决定'，当时我虽然呵斥了你，可是我心中何尝不是这么想的。因为额娘身份低微，我小时候在宫中备受冷落，可我一直很要强。我事事谨慎，处处小心，待人接物，谦逊有礼，因为我根本没有傲慢的资本。太子、大哥、老四、九弟、十弟，他们都有身份尊贵的额娘，宫外还有娘舅等外戚的支持，太子爷有索额图，大哥有明珠，老四有隆科多，可我有什么？我什么都没有！我只能靠自己！这么多年，我步步为营，费尽心血。我只想着我的命运是掌握在我自己手中的，都是皇子，太子可以，我为何不可以？他若雄才伟略，我无话可说，可论才论德，他哪点儿可以服众？就因为他额娘是皇阿玛钟爱的皇后，他一出生就可以拥有这些吗？我不服！你可知道，我从无人重视到没人敢小觑付出了多少？为了让九弟、十弟、十四弟跟着我，我在他们身上费了多少心力？我没有亲戚支持，只能结交朝臣，我又花了多少工夫？"

他话未说完，我已经泪如雨下，心如千刀万剐。他捧着我的脸，一面用手指轻抹着我的泪，一面说道："若曦，我要皇位，也要你。"

我抱着他，只是不停地哭，只觉得这一生的伤心都会聚在了此刻。

他一手紧搂着我，一手轻抚着我的背，我心中悲痛欲绝，先前铁定的心，早已支离破碎，却明白自己不可以心软，绝对不可以心软，否则再拖下去，即使想退出也晚了！

现在只是你和太子爷之间的争斗，四阿哥还没有与你们直接冲突，甚至他现在还暗地里半站在你们这一边，可是再过两年，一切就会全都不一样了。等你们和四阿哥斗上时，局面就再也无法挽回。我心中明白，但是那些决绝的话一句都说不出来了。

他默默抱着我，等到我慢慢平复下来，抽出我身上带着的手绢，替我把脸拭干净，抱着我上了马。到了大营，他没有理会巡逻士兵的诧异眼光，直接把我送到了我的营帐前，温和地说："不要胡思乱想，好好休息。"

我进了帐篷，玉檀早已歇息，我摸着黑直接躺倒在床上。好好休息？怎能好好休息？

滚滚车轮，带我远离草原，一日日接近我不想再回去的紫禁城。人前欢笑，人后愁伤，大概就是我现在的写照。与我同宿同车的玉檀因为我的异常行为也变得异常安静。两人常常坐在马车中，一整日也无一句话。

我刻意地避开一切可能见着八阿哥的机会，实在避不过，也绝不多看他一眼。我要头脑清楚地想想，我究竟该怎么办？不知道八阿哥是否也觉得需要一些时间冷静一下，或者再回紫禁城还有太多的事情等着他定夺，他也没有来找过我。

八阿哥是对我好，可也不过是一个男人对一个还看得上眼的女人在能力范围之内的好，并非为君倾其所有的好，他也绝不是一个爱美人不爱江山的人。权力对于他已经是生命的一部分，他是绝不会割舍的。现在看来，他是绝对不会因为我的要求而退出这场皇位之争的。

可我能帮他共同对付四阿哥吗？还有十三阿哥？这些阿哥从一出生就身陷在权力斗争中，只怕我还在戈壁滩上玩沙子时，他们已经在钩心斗角，考虑如何更能得到皇上的关注了。他们从小学的是治国权谋之术，时时刻刻可以将所学应用于实践斗争，而我从小到大最大的苦恼不过就是初恋男友离我而去。

我仅知道的一本关于计谋的书——《孙子兵法》，没有看过。三十六计知道的不会超过十条，连《三国演义》的电视剧我也不爱看，嫌它没有爱情，整天就一堆男人打来打去。办公室的争风斗气和这场皇位之战相比，简直是小孩的过家家。在宫中四年，我倒是长进了不少，可和他们比，我那点儿手腕，他们只怕一眼就能看透，我所凭持的不过是康熙对我的看重罢了。

我知道四阿哥会登基，但谁能告诉我他究竟为这个都暗中布置了什么呢？他的行动计划是什么？在现代，连康熙究竟是传位给雍正还是雍正篡位，史学家们还在争论不休呢！

论权谋八阿哥不知道比我高了多少个段数，他哪里需要我出主意，我又哪来的计谋帮助八阿哥斗四阿哥？官场上的一切我懂什么呢？我告诉八阿哥提防四阿哥，因为四阿哥才是皇位最有力的争夺者，这能有多少帮助呢？难道八阿哥现在对四阿哥就没有戒心吗？

我若告诉他四阿哥会得到皇位，他会信我一个女子所言吗？说我的魂魄是从三百年后来的，知道将来的事情，他只怕要么以为我疯了，要么认为我是妖怪。我已经傻了一次，妄图去挽住男人的心，难道还要再去做一次白素贞，试探一个所谓爱你的男子究竟能否接受一个另类吗？不怕他找法海来收了我？

反反复复，前前后后，思来想去，原来我竟然走到了死胡同，前面已经无路可去。我双手捂脸，痛苦地弓下身子。坐在旁边的玉檀关切地叫："姐姐。"

我姿势不变，问道："如果你知道一个人要死，你想救他，可他不肯听你的，你说该怎么办？"

玉檀半天没有吱声，最后怯怯地叫了声："姐姐！"

我赶忙抬头，看着她说道："没什么，信口胡说而已。"

她侧着脑袋想了一会儿，问道："你怎么知道他会死呢？你告诉他了，他会死吗？他干吗不听呢？"和她是说不通的，我朝她摇摇头，她立即乖巧地没有再问了。

───────

明日上午就能到北京了。我晚上拜托玉檀帮我仔细梳妆一番，玉檀竭尽所能把我的美丽都释放出来。弯弯新月眉，含愁带情目，凝脂腻玉肤，似笑非笑唇。镜中的她好像在讥讽自己，你还是不死心！怎么这么愚蠢？

李福开门看是我，忙躬身让我进去。八阿哥坐在书桌后，面莹如玉，眼澄似水，我与他静静对视着。温润君子，平静水波下藏着什么？我看不透，暗自诘问，我竟然想凭借一份男女之情去改变这样一个男人的意志？我何时变得这么幼稚了？理智完全明白，可还是不能死心。

他凝视了我半晌，最后站起，走到我身边，揽我入怀："明日就回京了，我会尽快求皇阿玛赐婚的。"

我双手环着他的腰，紧紧抱住他。想着让我再在他怀里一会儿，也许这就是最后一次了。

两人静静相拥了很久。我忍着心痛，推开了他，他手搭在我肩膀上，凝视着我。我咬了咬嘴唇，却实在没有勇气再看他的眼睛，低下头，垂目问道："如你不能答应我的要求，你也不必去求皇上赐婚了，我不会答应的。"

他搭在我肩上的双手一紧，温和地说道："有了圣旨，岂能容你再胡来？"

我抬头看着他，婉转一笑道："即使你求了圣旨，我若不想嫁，谁也奈何不了我。大不了铰了头发去做姑子，实在不行还有三尺白绫呢。"

我的肩膀被他捏得硬生生的疼，他一面轻笑着，频频点头，一面冷声说道："原来还是个烈性女子。只是我不懂，你为何能去一死，都不肯嫁给我呢？"

我看着他，柔声说道："我不是不肯嫁你，只是希望你不要去争皇位罢了。"

　　他说道："这我就更不明白了，你嫁我和我答不答应你的要求又有什么关系？"

　　我低头默默思索了半晌，抬头看着他，问道："皇位之争，凶险万分，胜了固然是万人之上，可若败了呢？好一点儿也不过像大阿哥一样，被幽禁终身，差一点儿，可就……如果你……你……将来会死，你还要争夺吗？"他听后，放开了我的肩膀，慢慢踱步走到椅子旁坐下，面色沉静，目视着前方，淡然说道："成王败寇，愿赌服输！"他目光投向我，柔声说："但若要我现在就放弃，绝对不可能。从小所学，多年苦心经营，让我现在放弃，不可能！"他停了停，又道："不要说现在相比太子，我的赢面更大，就是一点儿赢面都没有，我也会争一下的。"他语气虽柔和，我却彻底明白，他是绝对绝对不会放弃的，即使前方的代价是生命。

　　我没有力气地问："为什么不能像五阿哥一样呢？他不也是文采出众吗？他不也是一身所学吗？"

　　他静静坐着，没有反应。我俯下身子做了个福，转身要走，他在身后说："我若他日登基，许你做皇后，你可愿意陪我赌这一局？"

　　我停了脚步，没有回头，说道："我是不想自己的命运被别人掌控，可我也从未想过掌控别人的命运。"

　　说完就要走，他低声喝道："站住！"我又立定，他在身后命令道："转过身来！"

　　我转身面对着他。他神色平淡，可眼中流露出哀伤，我的心也阵阵疼痛，忙转开了视线，不愿再看他的双眸。

　　他问道："你为了不嫁给我，不惜以死相胁，那为什么不能和我同生共死呢？"

　　我心中一惊，不错，我为什么不可以和他同生共死呢？脑子一时一片混乱，我只是整日想着如何能让他避开那个最后的结局，却从未想过可以这样选择，不计较生死，不计较荣辱，只是赶紧抓住眼前的一些快乐。最后只能说："我不知道，我要想一想。"

　　他叹道："那你好好想想吧。"我转身出来时，听到他在身后柔声说："你若是怕了，我不会怪你的。"

第十五章

一层秋雨一层凉

这几日，我一直不停地在问自己为什么。为什么我不可以和他生死与共呢？现在是康熙四十八年，如果厄运不能避开，他要到雍正四年去世，如果决定和他在一起，还有十六年时间我们可以在一起。

真正的爱情难道不是生死相随的吗？梁山伯和祝英台，罗密欧和朱丽叶，我当年何尝没有为这些动人的爱情欷歔落泪，事到临头，我却在这里踟蹰不前。我究竟爱是不爱他呢？是爱但爱得不够呢，还是我只是因为多年累积的感动和对他的哀悯心痛，所以只想尽力救他，但从未想过生死与共呢？或者都有呢？我看不懂自己的心，分不清楚自己的感情。

十月的北京，一层秋雨一层凉。

我很爱这个时候的紫禁城，笼罩在蒙蒙烟雨中的皇宫，冷酷生硬中平添了几分温柔妩媚，即使明知道细雨过后，一切依旧，现在只是假象，可这份难得的温柔妩媚还是让我经常打着青竹伞流连其中。

天色就如人生，祸福难料，刚才还细雨迷蒙，忽然间就瓢泼大雨，小小竹伞已经不足以遮蔽漫天风雨了，湖绿裙摆下摆已经溅湿。我忙打着伞急急奔向最近的屋廊避雨。

迷蒙烟雨中，还有别人正在廊下避雨，待看清楚是何人时，我开始后悔。早知道是她们，我是宁可淋着雨，也不愿过来，如今却已容不得我退走。

也顾不上收伞，随手搁在地上，先俯身请安："八福晋吉祥，十福晋吉祥。"

十福晋转开了脸，没有搭理我，八福晋浅浅一笑说："起来吧。"

我站起，心中滋味难辨，只想快快退去，又躬身说："福晋若没有事情吩咐，奴婢先行告退。"八福晋没有说话，只是眼睛盯着我看。她不发话，我也不敢乱动。

正被她看得全身发毛，"咚咚"的跑步声从屋廊侧面传来，一个清脆的童音叫道："额娘。"

我微微侧头看去，一个年约四五岁大的男孩不顾后面追赶着的小太监，一路紧跑着扑到八福晋怀里。眉眼和八阿哥有七八分相似，这应该是弘旺了，我心中一紧，不愿再看，自低下了头。

八福晋半搂着他，笑嗔道："下次可不能这么跑了，若跌着了，你阿玛又该心疼了。上次还因为贪玩，趁丫头们没注意，自个儿把烛台打翻，手背上溅着了几滴烛油，原本也没什么大碍，可你阿玛就把一屋子仆妇都罚了，罚得最重的可是三个月都下不了地。"

我半蹲着，静静听着她的话，没有想到这样的场景这么快就上演了。无论预先设想过多少次，这一刻还是觉得委屈难堪。我清清静静、好好的一个人，干吗要和她们搅和呢？这样的事情如果每天上演一次，那我的日子该如何过？

弘旺显然没有注意听她额娘的话，侧靠在八福晋怀里，打量着我，嚷道："她和姨娘长得好像。"

十福晋道："她们是姐妹，当然像了。"

弘旺一听，猛地从八福晋怀里挣脱，跑过来，朝着我就踢了一脚，骂道："你们都是惹我额娘生气的坏人。"

他一脚正好踢在我膝盖上，我捂着膝盖看着这张和八阿哥极为相似的脸，原本只三分的痛竟成了十分。八福晋低声斥道："弘旺，你做什么？还不回来！"十福晋却是带着吟吟笑意看着我。

弘旺没有搭理八福晋，看着我说："你们欺负额娘，我就要欺负你们。"说完看着我，似乎琢磨着又想再踢一脚。

你们？这是包括姐姐了？他们对姐姐做了什么？我心中的怒气忽地蹿起。

忍让既然不能化解干戈，何必还要忍让？我一下子站起来，走离了弘旺几步，对着八福晋说道："看来八福晋是没什么要紧事情，奴婢这就走了。"

　　八福晋显然没有想到，我居然敢未经她的许可就自己站了起来，而且站立着，眼睛平视着她说话，一时有些怔。

　　十福晋干笑了几声说："姐姐，我早就和你说了，她是个没什么规矩的野人。她姐姐在您面前，都是该行的规矩半点儿也不敢少，可她一个宫女就如此无法无天了。"

　　我看了她一眼，转身就走。八福晋猛地出声："站住！谁许你走了？"

　　我回头看着她，嘴边带着三分笑意道："所谓'国有国法，宫有宫规'，我地位再卑贱，可也是乾清宫的人，福晋如果想责罚，直接告诉李谙达奴婢的失礼之处，李谙达自会按规矩办。难道福晋竟然想在这里就私自责打奴婢？"

　　八福晋和十福晋都呆住，一时进退不得。八福晋眼中带恨地看着我，我寸步未让地微微抬着下巴回视着她。

　　三人正彼此僵着，八福晋和十福晋忽地站了起来，脸色放缓，朝着我身后做福："四王爷吉祥。" 弘旺也脆声请安。

　　我赶忙回身，只见四阿哥在两个太监的护送下从廊侧进来，虽披着雨篷，太监打着伞，但内里的衣襟还有些溅湿，看来也是进来躲这阵突然而来的大雨的。我忙俯下身子请安。

　　四阿哥眼光从我们面上轻轻扫过，淡淡道："都起吧。"

　　我恭声问道："王爷可有事情吩咐，若没有，奴婢告退。"

　　他目视着廊外的倾盆大雨，静了一会儿，平声说："去吧。"

　　我刚举步要走，看着漫天大雨，忽想起伞还未拿，又退了回去，拿起搁在地上的伞。他们几人都目光投向我，我只向四阿哥福了一下说："奴婢回来取伞。"说完撑起伞，一面琢磨着四阿哥若有所思的表情，一面正要下台阶，忽又停住脚步，侧身看着八福晋笑道："何必老是利用那些真心对你的人去欺负一个整日念经，根本就不会和你争的人呢？"扫了一眼有些发怔的十福晋，续看着眼中带恨的八福晋笑着说："自己躲在背后扮贤良有意思吗？"话毕，转身不疾不徐地走进了漫天风雨中。感觉背后几道目光一直凝在身上，我越发挺直了腰，走得风姿绰约，恍若正在四月春

风中漫步，即使输了，姿态也还是要漂亮的。

我迤逦而行，脚脚踏在地上的雨水中，四周水气蒸蒸，茫茫天地间只剩下我一个人孤独艰难地行着。噼啪之声不绝，敲着伞面，敲着地面，敲着我的心。小小一把伞如何遮得住老天的伤心泪？很快大半个身子全都湿透。

回到屋子后，虽然用热水泡了很久来除寒气，可还是鼻子有些齉，所幸平时保养得当，身体一向康健，倒是再无别的不适。

拥着被子靠在榻上看着窗外发呆。雨早已经停了，窗外的桂花树经过一场雨，叶子稀疏了不少。残叶上挂着的雨珠仍然断断续续地滴落着，似乎是叶片的泪水，正在哀恸着离自己而去的伙伴。

一个身影晃进了院子，我没精神理会，仍然静静靠着。他看窗户大开着，就走到窗前，探头看了一眼，看我正靠在榻上，忙低下头请安："若曦姑娘吉祥。"

我这才漫不经心地收回视线，看了他一眼，今年初一来送项链的小顺子。转开了视线，淡淡说："起来吧。"

他看我靠在榻上一动不动，只得低头道："我给姑娘送东西来了。"

我凝视着桂花树，淡声说："拿回去，我不缺任何东西。"

他神色为难地看了我几眼，看我不理会他，从怀中掏出一个鼻烟壶放到窗边的桌上，一面低头说道："姑娘说话带着点儿齉，挑点儿鼻烟嗅嗅，打几个喷嚏，自会爽快。"说完，不等我说话，立即转身大步跑出了院子。

夜色渐渐黑沉，我觉得有些冷，往被里缩了缩，身子却不想动弹。玉檀进院后，看我屋子窗户大开，忙几步赶了进来，叹道："姐姐早上淋了雨，这会子怎么还大开着窗户？"一面说着，一面关了窗户。

我说："懒得起来去关。"

她点亮了桌上的灯，随手拿起桌上的鼻烟壶，看了几眼，嘻嘻笑着道："好精巧的玩意儿，这上面的小狗画得竟活灵活现，煞是可爱。"一面说着，一面走到榻边，"听声音，还是鼻塞，姐姐既有鼻烟，可嗅了？"

我摇了摇头，她忙打开盖子，拔下头上的簪子从里面挑了点抹在我指上。我凑到鼻边，只觉一股酸辣，直冲脑门，忍不住俯身连着打了三四个喷嚏。

一下子倒真是觉得颇为通快，笑道："这东西还真的管用。"拿过鼻烟壶细看，双层琉璃，里面绘了三只卷毛狗儿打架，神态逼真趣怪，的确有些意思。

正自端详，忽地想起早上我和八福晋、十福晋的事情，再一细看，这画一下子变了一番味道。正是两只黄毛狗儿一同欺负一只白毛狗儿。白毛狗儿虽然一对二，神态却很是轻松自在，反倒是戏弄得那两只黄毛小狗着急气恼。

我一下子禁不住笑了起来，这个人，竟把我们都比做狗了。不知道是否取笑我们"狗咬狗，一嘴毛"。真不知道他从哪里寻了这么应景的东西。平日神色冷淡，不苟言笑，没想到竟也如此逗趣，冷幽默！想着越发觉得有意思，不知不觉间竟然把一下午郁结在心中的不快一扫而空。

因为殿前当值，一声不经意的咳嗽都有可能招来祸患，所以虽没有大碍，我还是小心起见地向李德全告了假，让玉檀替我当班。

心里琢磨了半日，找了方合，说道："我这两日歇着，有些事情想当面问问八爷。"

虚掩着院门，靠躺在竹躺椅上，脸上搭着书，一面摇晃着，一面闭着眼睛晒着太阳。院门几声轻响，我拿开了书，睁眼望着院门说："请进。"

吱呀一声，八阿哥推门而入，随手又把门照旧虚掩上，打量了一眼我身旁的熏炉和茶具，笑道："好生会享受。"

我站起说道："你若真羡慕，可享受的东西多着呢。"

他凝视着熏炉上的袅袅青烟，沉默了一会儿，问道："身子有无大碍？怎么那么不知道爱惜自己？下着雨还出去闲逛？"

我摇摇头说："今日请你来是有件事情想问。据弘旺阿哥说，他好像经常去找姐姐的碴儿，可是真的？"

他抬眼看着我，微皱了皱眉头，沉吟了一下说："弘旺何时说的这

话？"

我嘴边含着笑意说："什么时候说的不重要，重要的是内容。"

他带着几丝无奈看着我，笑着摇摇头说："不过是小孩子的玩话，你还当真？"

我凝视着他笑道："小孩子的话才是最真的呢。"

他蹙了蹙眉头道："弘旺是偶尔会去闹若兰，可若兰自个儿都笑说，小孩子本就爱玩闹，全不在意，你反倒一副兴师问罪的样子。你这是做什么？"

我淡淡道："弘旺是你唯一的孩子，你宠爱他是你的事情。可若有人借着孩子欺负人，你也视而不见，未免太过。"

他诘问道："你怎知我没有说过弘旺？我府中的事情你又知道几件，就给我定罪名？"

我心中带气，冷笑着说："你府中的事情，我根本不关心。只希望你惦念在姐姐也算因你误了终身的分儿上，护她周全。至于弘旺究竟是否只是小孩子的胡闹，你还是自己好好弄弄清楚吧。"

他一甩袖子，转身就走，临到门口，忽又停住，转身回来，看着我问道："我们这是怎么了？在大草原上不是好好的吗？为什么现在你就不能那样呢？难得见一面，也要和我吵吗？"

我低着头默默地站着，心中也是丝丝哀伤，草原上时只有你我，没有皇位，没有你的妻子，没有你的儿子，现在你我之间有这么多的人和事隔着，怎么能一样？

他轻叹了口气，伸手揽我到怀里，说道："我会去问问弘旺的，你就别再因为小孩子的一句话生这么大气了。"

我靠在他肩上，没有答话。过了一会儿，他又柔声说道："你若真那么担心若兰，那就早点儿嫁给我，岂不是更好？这样你就可以天天见着她了，有你在她身边，还有人敢随便欺负'十三妹'的姐姐？不怕挨巴掌吗？"

我心中默默，姐妹共侍一夫在他们看来不失为一桩风流佳话，可却是我心头的一根刺。

他静静等了一会儿，看我没有任何反应，轻声问："你还没有想好吗？我现在对你好生糊涂，完全不懂你究竟在想什么？我不信你是个胆小怕死之人，你究竟在犹豫什么？"他抬起我的头，盯着我的眼睛，说：

"你对我这么没信心吗？"顿了顿又慢声问道："还是你有别的原因？"

我强笑了笑说："你来了也好一会子了，该回去了。再给我点儿时间好吗？容我再想想。"

他默默瞅了我半晌，轻叹了口气，定声说："若曦，我不是项羽，也绝不会让你做虞姬的。"说完，转身出了院门。

康熙这几日兴致甚好，特意选了个风和日暖的日子，吩咐在御花园摆了果品茶点和几位阿哥闲聊散步。众位阿哥也都是一副兄友弟恭、承欢膝下的样子，不知情的人看来也是其乐融融的。

康熙起身去更衣时，李德全服侍着离开，欢笑愉悦突然就有些冷场，但紧接着，大家又忙各自谈笑，掩盖住了一瞬间的清冷寒意。

我立在外侧，自低头看着地上的金黄落叶，琢磨着怎么找个机会能和十三阿哥单独说几句话呢？敏敏临走前，一再嘱托我帮她试探一下十三阿哥的心意，我却是一则一直没有碰到合适的机会能和十三阿哥单独说话，二则因为自己的心事也的确有些耽搁。

正在暗自琢磨，忽地听见几个阿哥都大笑了起来。我抬头望去，看见一只通体雪白的卷毛小狗正一面扯着四阿哥的袍摆，一面摇着尾巴扑腾着撒欢。四阿哥低头看着它，浑不在意。众位阿哥都被小狗的样子逗笑了。

我也抿着嘴看着小狗发笑，一个十三四岁的小丫头匆匆跑来，冷不丁地看着大小阿哥都在，又看见小狗在咬扯四阿哥的衣服，脸立即变得惨白，跪倒在地，只是磕头。

这应该是专门为主子照顾小狗的宫女，一时大意让狗自己跑了，还过来冲撞了阿哥。我上前几步，低声斥问："怎的这么大意？"她眼中含泪，不停地磕头。

我心中一软，想着这才多大点儿的孩子，就孤身一人入了这个牢笼，本还想再装装样子给众人看的，此时也只得罢了。回身向四阿哥俯身行礼，赔笑说："奴婢这就把狗弄走。"一面说着，一面想上前抱狗。

低头一直看狗的四阿哥抬头看了我一眼，脸上淡淡，眼中却含着<u>丝丝</u>

笑意。我知道他为何而眼含笑意，心里也带着好笑。

想着他把我就比做了这小东西，不禁瞟了一眼狗，笑嗔了他一眼。他更是露出几分笑意，又瞅了我一眼，瞧瞧正在摇头摆尾的小狗，弯下身子把狗抱了起来递给我。

我接过狗时，两人看着小狗，又都是抿着嘴角微微笑了笑。我含着笑意把狗递还给还低头跪在地上的小丫头，她满脸感激地接了过去。我本不忍心再说她，可这宫里不是每次都这么幸运的，四阿哥素来喜欢狗，可以不介意，可如果下次小狗冲撞了哪位不喜欢狗的贵主，倒霉的不是狗，而是她。所以还是严肃地看着她，低声叮嘱了几句："今日是你的运气，若再不长记性，下次只怕就是几十板子了。先不要说你自个儿禁不禁得住打，即使禁受住了，到时谁来照顾你养伤呢？"

她咬着嘴唇，抱着狗，向我磕了个头，含泪说："奴婢记住了。"

我微微笑着说："长个记性，万不可再有下次了，去吧。"她又磕了个头，起身匆匆离去。

眼中带着笑意回身时，恰好对上八阿哥的幽黑双眸，黑沉沉的，难辨喜怒，两人视线一错而过，我心中却是一紧，眼睛内的笑意立即消散。十四阿哥眸光炯炯，似笑非笑地看着我。我不敢再细看，走回原位自低头站着，脑子有些蒙，无法思考。刚才在我没有留意时，发生了什么？他们的眼光怎么都带着寒意？

康熙回来后，阿哥们陪着又随意走了一会儿，康熙说有些乏了，让各位阿哥随意。李德全伺候着康熙先回了乾清宫。我吩咐完丫头太监们收拾东西，自也回转乾清宫。

人还未出御花园，身后脚步声匆匆，我微顿身形，还未来得及回头看，人已经被猛地一拽，掩到了树后。我心中微惊，但看是十四阿哥，又化成无奈，瞟了眼他正拽着我胳膊的手，平静地说："李谙达还等着我回去呢。"

十四阿哥放开了手，紧了紧拳头，面无表情地问："你和八哥是怎么回事？"我沉默着，没有答话。

十四阿哥等了一会儿，见我一直不回话，又问："我问他为何还不去求皇阿玛赐婚，他不回答，我问你，你也只是沉默，究竟发生了什么我不知道的事情？"他静了一下，紧声又问："你今日和四哥眉目含笑，又是怎么一回事情？"

　　我无奈地说："十四阿哥，你虽说有几个福晋，可男女之间的事情你又知道多少呢？我和八阿哥的事情，你就莫要再管了。至于说我和四爷，难道只许我们笑闹，就不许我和四爷为狗笑一回了？"说完，想推开他的身子离去，他身形不动，我看着他，示意他让路。他静静与我对视了一会儿，让开了路，慢慢地冷声说："不要辜负八哥，否则……"

　　他眼中猛地寒意闪烁。

　　我真是好怕呀！我朝天翻了个白眼，提步就走。走了几步，忽地又顿住身子，回身问："十阿哥身子可有大碍？"

　　十四阿哥淡淡说："那是给皇阿玛的托词，他今日没来是因为十福晋身子不爽，十哥身子好着呢。"

　　我轻轻"哦"了一声，心中微动，想了一下，还想再问，但看十四阿哥漠然的表情，遂又把到嘴边的话咽了回去，向他福了福身子，转身离去。

　　一直到晚间回房躺在床上后，才猛地想起又把找十三阿哥的事情忘了，只得庆幸此事幸亏不急。

　　一直到冬天来临，我都迟迟没有给八阿哥回复。一日，我不当值休息时，良妃娘娘遣了人来叫我，说是上次绘制的花样子好看，让我再绘几幅。

　　我心中约略猜到几分，去了良妃宫中。果然，姐姐已在，可姐妹间却无上次的温馨舒适。我尴尬地头都不敢抬，如坐针毡。姐姐倒是一如往常。

　　"爷已经告诉我了。"姐姐拉着我的手柔声说。

　　我不是没有设想过类似的情景，可真当姐姐语气平和地说出这样的话时，我还是觉得羞愧难当，无以自处，只是全身僵硬，紧咬着牙，埋头默默坐着。

　　姐姐伸手想抬起我的头，我轻轻一侧避开了她的手，姐姐笑了几声说："好妹妹，你这是在生我的气，还是生自己的气呢？"我心里一酸，伸手抱住姐姐，扑到了她怀里。

　　姐姐搂着我说："你若是生自己的气，大可不必。其实上次我在额娘

这里见你时，就有心劝你，跟了爷也是好的，他性子温和，待妻妾都是很好的，再说我们姐妹还可以常常见面，彼此做个伴。"

我闷闷地问："姐姐，你真的不介意吗？"

姐姐轻拍了两下我的背嗔道："介意什么？哪个阿哥身边不是三妻四妾的？莫说我本就对这些不关心，就是关心，你可是我妹子，我怎么会介意？"

我默了半晌，终于还是没有忍住，低声问："如果，如果……是那个人，你也不介意他娶别的女人吗？"姐姐的身子一僵，半天没有吭声。我忙抬起头说："我胡说八道的，姐姐，你别理我。"

姐姐没有看我，脸带哀凄，自顾沉思着缓缓说："我不知道。但只要是他喜欢的，能让他开心的，我会愿意的，而且我相信，即使有了别人，他依然会呵护我，疼惜我，待我很好的。"

姐姐默默出了一会子神，柔声说："你刚出生没有多久，额娘就去世了，所以没有印象。当年我虽小，可仍有记忆，阿玛虽也有三房姬妾，可一直待额娘极好，我至今还记得你躺在额娘身边睡觉，我在床上玩，阿玛坐在床边给卧病在床的额娘细细画眉。"

我和她一时都沉默了下来，看来若曦的母亲虽然去世得早，可是不失为一个幸福的女人。可她的两个女儿呢？

姐姐沉默了好半晌，看着我问："妹妹，你在想什么？哪个男人不是三妻四妾呢？只要他疼你宠你就好了，哪里来的那么多莫名其妙的介意？而且多妻多子才是福兆呀！"

我强笑着摇摇头，忽然想起八福晋，神色肃然地问："八福晋可曾欺负你？"

姐姐一笑，说道："我自念我的经，她怎么欺负我？"

我盯着她眼睛说："你别哄我，我知道弘旺欺负你的。"

姐姐笑说："小孩子都是一阵阵的，随他去闹闹也就过了，何须放在心上？"我看着姐姐心想，你不介意，是因为你根本就不关心，既不关心，也就不会上心了。

姐姐看我一直发呆，柔声说："你年龄也不小了，拣个合适时机，就让爷去求了皇阿玛，早早完婚才是正事。"

"……"

后来姐姐又劝了我什么，我一概没听进去，直到走出良妃宫时，仍然脑袋沉甸甸的。

　　晚上，辗转反侧，直到半夜，都无法入睡。八阿哥既已遣了姐姐来说情，看来我必须给我们一个结果了。

　　大雨中的一幕不停地在眼前回放，难道我以后就和八福晋争风吃醋着过日子吗？

　　我做不到！我做不到坦然无愧地面对姐姐，也做不到放弃尊严，学会在几个女人之间周旋，然后一转身还能情意绵绵地和他风花雪月。

　　他有自己的雄心，不能放弃皇位；他是一个父亲，宠爱自己的儿子；他已经有四个女人在身边，其中一个还是姐姐。这些我一样都不能改变，我嫁给他，只能注定我的不快乐，我若不快乐，我们之间又何来快乐呢？

　　我做不到像姐姐一样一笑置之，八阿哥根本很少去姐姐那里，这样都无法避免矛盾，我若真进了门，紧接而来的大小冲突可想而知。若再有像上次的事情发生，我肯定还是忍不了那口气的，但当时我还有个乾清宫的身份凭持，八福晋不能奈何我，可若进了府门，我是小，她是大，进门第一件事情就是向她磕头敬茶，从此后只有她坐着说话，我站着听的份儿。

　　一次矛盾，八阿哥能站在我这边，可矛盾渐多，他不会不耐烦吗？不明白为什么别人能过得开开心心，我就老是拗着。他为了朝堂上的事情焦头烂额，回到家里还要面对另一场战争。更何况，我能凭借的不过是他的一点儿爱，而八福晋，有整个家族做后盾，他要靠着她去夺皇位，八阿哥真能完全站在我这一边吗？

　　我的委屈，他的不解，天长日久能有快乐吗？两人本就有限的感情也许就消耗在这些鸡毛蒜皮的事情中了。如果我不顾生死嫁给他，求的只是两人之间不长的快乐，却看不到嫁给他之后的丝毫快乐，我看到的只是在现实生活中逐渐消失、苍白褪色的感情。

　　如果他明日就断头，我会毫不犹豫地扑上去的，刹那燃烧就是永恒。可是几千个日子在前面，怕只怕最后两人心中火星俱灭，全是灰烬！

　　安娜·卡列尼娜和渥伦斯基之间何尝没有熊熊燃烧着的爱情，可是一遇到现实，当男人的爱情被磨尽时，渥伦斯基一转身可以重回上流社会，安娜却只能选择卧轨自杀！

　　天哪，如此理智！如此清醒！居然可以这样去分析自己的感情？我以

为你已经是若曦了，原来你还是张晓。

禁不住大声苦笑起来，笑声未断，却渐渐变成了低低的呜咽之声。

今年冬天的第一场雪，连着下了两日，清晨才放晴。不知为何，我觉得今年分外冷，衣服穿了一层又一层，可还是觉得不暖和。面对着八阿哥，想着待会儿要说的话，更是觉得寒意直从心里冻到指尖。

我紧裹着斗篷，瑟瑟发抖，几次三番想张口，却又静默了下来。他一直目视着侧面因落满了积雪而被压得低垂的松枝，神色平静。我咬了咬嘴唇，知道再不能耽搁了，既然已经决定，就不要再耽误他人。

"最后一次，你肯答应我的要求吗？"我看着他的侧脸，哀声问道。

他静静凝视着我，眼中丝丝哀伤心痛，似乎还夹着隐隐的恨。我再不敢看他，低下头，闭着眼睛说："告诉我答案，我要你亲口告诉我'答应'还是'不答应'。"

"若曦，为什么？为什么要逼我？为什么逼我在根本可以并存的事情中选择呢？"

"我只问你，答应或不答应？"

"……"

"不答应了？"

"……"

我苦笑了一下，我尽力想挽住你，可你有自己的选择和坚持。

我想了想，凝视着他哀伤夹杂着恨意的眼睛说："你一定要小心提防四阿哥。"

他眼中恨意消散，困惑不解地看着我。我想了想，又说："还有邬思道、隆科多、年羹尧、田镜文、李卫，你都要多提防着点儿。"我所知道的雍正的亲信就这么多了，也不知道对不对，只希望那些电视剧不是乱编的。

我低下头深吸了口气，一字字地说："从此后，你我再无瓜葛！"说完，转身就跑，他在身后哀声叫道："若曦！"

我身形微顿，看着前方说："我是一个贪生怕死之人，不值得挽留。"语毕，狂奔而去。

从此后，你我就是陌路！为什么你不能答应我呢？为什么非要争皇位呢？如果我不能挽救你的生命，我嫁给你又有何意义？前路看不到快乐，我的委屈又有何意义？我知道你不会答应的，却还是欺骗着自己又问了一遍。为什么，你不能答应呢？

一路踉踉跄跄，脚一软，整个人摔倒在地上。这次身旁再无人伸手来扶住我了。我脸埋在雪里，身冷，心更冷。想爬起来，脚猛地一疼，我又趴在了雪地里，顾不上去看哪里受伤了，只觉心中苦痛，整个人就这么趴在雪地里，脸贴着冰雪，一动不动。脑中只是想着他身披黑色貂鼠毛斗篷，戴着宽檐儿墨竹笠的样子，漫天雪花中，他在身侧陪我缓步而行，一幕幕仿若昨日，但今日已是咫尺天涯。

"这是谁呀？怎么趴在雪里不动？"听声音是十三阿哥的，我心下凄然，身子未动。

十三阿哥伸手挽扶起了我，满脸惊骇，一面替我扑去脸上、头上的雪，一面问："若曦，怎么了？摔伤了吗？"说完挽我起来，低头仔细查看我全身上下。

旁边立着的四阿哥也是脸带惊异。我顾不上他们的惊异，对着十三阿哥低声说："送我回去。"

十三阿哥忙问我："走得了吗？"

我摇摇头，现在脚站着都疼，肯定是走不动了。他微微一思量，看了四阿哥一眼，俯下身子说："我背你回去。"我不及多想，点点头，扶着他的背就想趴在他背上。

四阿哥却大跨了一步，伸手挽扶住我，对着十三阿哥说："你去叫人拿藤屉子春凳来抬她回去，哪儿有阿哥背宫女的道理？让人看见，只会招惹不必要的麻烦，即使受伤了，也不急这一时半刻的。"

十三阿哥一听，忙直起身子，说道："一时情急，还真是顾虑不周。"一面说着，一面匆匆跑走了。

我借着他手上的力量单脚站着。脑子木木，好似想了很多，又好似什么都没有想过。原来还是心痛难忍，再理智的分析也不能缓解心的疼痛。四阿哥一直静静地陪我站着。

正自哀伤酸痛，忽听到他说："你若真想作践自己，最好关上屋门干。没得在众人眼前如此，既有可能被人打扰阻挠，落了口实，还不能够尽兴。"

我脑子好像有些冻僵了，半天后才慢慢品出了他话里的意思。刚才还心如死灰，这会子却又一下子火冒三丈，猛地想甩开他的手，他胳膊纹丝不动，手仍然扶在我胳膊上。我瞪着他，他不为所动地看着我，淡声问："你是想坐到雪地里去吗？"说完，一下子松了手，我一条腿不能用力，一条腿又有些僵，没有依靠，身子摇晃了一下，摔坐在了雪地里。

我不敢相信地怒看着他，从没有人如此对我！他神色平静地俯视着我。我一时气急，从地上胡乱抓了一把雪，扬手就向他扔了过去，他头微微一侧避开了，我又赶快抓了个雪球，朝他扔过去，他身子一闪又避开了。

他嘲弄地看着坐在地上气急败坏的我，淡淡地说："自己能躺在雪地里不动，现在不过只是让你坐一会儿，你有什么受不了的？"我只觉心中气急，恨恨地瞪着他。他嘴边含着一丝冷笑说："看看你现在的样子，还指望别人怜香惜玉吗？"手里握着雪，却知道再扔过去也是白搭。心中恨极，却拿他无可奈何。

"怎么在雪里坐着？"十三阿哥一面快步过来扶我起身，一面疑惑地看向四阿哥。

四阿哥神色平静地让两个抬春凳的太监起身。太监扶我在春凳上坐好，十三阿哥嘱咐他们送我回去后，赶紧去请太医，又让我好好养伤。

我偷眼打量着四阿哥，他表情淡淡地看着十三阿哥和太监们忙碌，并未留意我。太监们抬着春凳从十三阿哥和四阿哥身旁经过，我趁着四阿哥没有防备，把手里一直捏着的雪团狠狠打在了他袍子摆上，其实更想扔到他脸上，可实在没有熊心豹子胆。不过即使这样，心中的气也是消了不少。

身后的十三阿哥呀了一声，复又大笑起来。我忍不住微微侧头，偷眼看去，十三阿哥看着四阿哥袍摆上的雪大笑，四阿哥眼中带着丝笑意，正对上了我躲躲藏藏的视线，我心中迷惑，忙扭正了头。

怒气渐消，脚上的疼痛这才觉察出来，可是更为疼痛的是心。从此后再无瓜葛……我在草原上时就一再想过这句话，可总是残存着些希望，没有想到世事就是如此，我以为自己放弃固执，忍受姐妹共侍一夫的尴尬，变着花样讨好他，也许能挽住他的心，可是终不过如此，他并不会为我停留。

第十六章

落花随水情亦逝

因为脚上的伤,我行动不便,一切都依赖玉檀。玉檀每日替我笼好暖炉,吃用放置妥当,才去忙自己的事情。

我是三分的伤,七分的心懒,一点儿都不想动,能纹丝不动地一坐整日,注视着熏炉的袅袅烟气;也能盯着书一看就半天,却一页未翻;常常提笔想练字,却只顾着磨墨,待觉察时,看着满满的一砚台墨,又无任何心绪提笔了。

玉檀说八阿哥因外感风寒不能上朝。我听后心中还是疼痛,觉得口中的饭菜竟都硬如生铁,难以下咽,只得搁了碗筷。原来还是不能彻底斩断,即使心有利剑。

外感风寒,是那日还是后来呢?他在雪里冻着了吗?严重吗?

一面告诫着自己从此他的事情再与我无关,却又总是不经意间发现自己又在想了。

侧坐在榻上,头靠着垫子,正自发呆。门"砰"的一声被大力推开,我惊得一下坐起,看见十四阿哥正满脸寒冰地立在门口。他盯着我,一步步走近。我暗叹了口气,又靠回去,眼光无意识地看着地面。

他在榻旁站定,猛一扯我胳膊,我随着他的手,不得不坐直了身子,眼光却未动,还是盯着地面。他冷着声问:"怎么回事?为什么?"说着,手上的力气渐大,捏得人生生地疼着。

我抬头看着他，平静地说："放开我。"

他冷笑着点点头说："好生淡定，你就不会心痛吗？还是你根本就没有心？"

我没有心？我倒是巴不得我没有心呢！伸手想掰开他的手，他猛地一下又加了力，我低低哼了一声，忍不住叫道："好痛，放手！"

"原来还是会痛的，这样会不会让你知道别人的疼呢？得到又失去的苦痛，不如从未得到过。既然如今这样，为何当初要答应？你在要弄谁呢？这么心狠，还是水性杨花？"说着，捏得我越发疼起来。

我一面用手打他的胳膊，一面叫道："放开，听到没有？我让你放开。你算老几？凭什么管我的事情？"

他冷哼了一声，说："我算老几？今儿我们就把话说分明了。你若有理，我们再说，你若横竖说不出个理来，我倒是要让你好好清醒一下，看看我能不能管你的事情。"

我心中气极，到头来，他还是主子，我到底不过是个奴婢。本就伤心不已，这几日都是强憋着，这会子，又气又疼，再也忍不住，一面用力狠打着他，一面眼泪纷纷而落，哭着喊："放手，放手！"

两人正在纠缠，一个声音淡淡叫道："十四弟。"

我泪眼迷蒙地看过去，只见十三阿哥和四阿哥正一前一后立在门口。十三阿哥面带惊异，四阿哥倒是脸色一如往常的漠然，静静看着十四阿哥。

十三阿哥忽地一笑，上前几步说："十四弟，你们这是唱的哪出戏呀？敢情我们来得倒是不巧了。"

我抽了抽胳膊，没有抽动，十四阿哥虽然手下松了点儿力，但仍然紧紧拽着。十四阿哥脸色冷然地凝视着十三阿哥，十三阿哥笑嘻嘻地看着他，一面只是瞟向他握着我胳膊的手，再眼神暧昧地看回十四阿哥。

四阿哥缓缓走进，淡淡说："我们刚从额娘那边过来，额娘正惦记着你，若得闲，去给额娘请个安。"

十四阿哥猛地紧了紧手，松开了我，我忙收回胳膊，轻轻揉着。他弯下身，低头盯着我，挨着我脑袋笑道："过几日得闲再来看你。"说完，不再看惊怒交加的我，只向四阿哥和十三阿哥笑着扎了个安，转身翩然而出。

我拿袖子胡乱抹干眼泪，尴尬地看了十三阿哥一眼，扶着榻沿，想站起来请安。十三阿哥笑道："腿不方便，免了。"

我听后，顺水推舟，坐在榻上，向四阿哥躬着身子请了个安："四王爷吉祥，十三阿哥吉祥。奴婢行动不便，不能给两位爷奉茶，请两位爷多包涵。"

十三阿哥随意坐到一旁的椅子上，歪靠着椅背，笑着说："你好生把这场戏的来龙去脉讲给我们听听，我们就不和你计较了。"

我怔怔出了一会子神，心中酸疼，眼中又泛出泪意来，忙背转了身子急急抹干。十三阿哥叹道："好了，好了，我不问了。"

我转回身子朝他苦涩一笑，他静了一会儿，肃着脸说："十四弟若真难为你，你说出来，也许我能帮着化解化解。"

我强打起精神，向他感激一笑，说："没什么大不了的，不过是一时争执罢了，你也知道的，我们两个自小吵惯了的，回头就好了。"

十三阿哥耸了耸肩膀说："不愿意说，就不勉强了。不过若有为难处，别自个儿受着，解难我倒是不一定能做到，不过出出主意，排排忧应该还行。"

我点点头，他含着丝笑侧头说："实在不行，找你姐夫告状去，十四弟虽是个犟牛，可对八哥的话倒是听得进去。"

我心中惊悸，面上却未敢露出分毫，飞快地瞟了四阿哥一眼，看他神色如常，笑道："只怕被训恶人先告状，我还是省省吧。"说完，再不愿在这件事情上继续，笑着岔开了话题："多谢你来看我，还有上次也要谢谢你。"十三阿哥笑笑未回话。

四阿哥问："脚恢复得可好？"

我俯了俯身子，回道："太医说伤着了筋骨，倒是没有大碍，只需耗些时间慢慢养。"

四阿哥听后，看着十三阿哥说："回吧。"

十三阿哥点点头，起身要走，我心中一动，忙出声叫住他。

他和四阿哥都站定，静待我下文。我为难地蹙蹙眉头，一时不知从何说起，再加上四阿哥在一旁，更是不好开口。

四阿哥瞅了我一眼，对十三阿哥说："我先出宫了。"提步要行，十三阿哥忙拽住他，对我说："我的事不瞒四哥的，有什么话就直说吧。"

我看这个架势，本来还想算了的，现在不说倒是不行了，只好笑道：

"我想问你件事情。"我做了个请他坐下的手势,然后又笑请四阿哥坐,"绝非顾虑四王爷,只是刚才不知如何启口,所以有些犹豫。"

两人坐定后,都是看着我。我紧了紧嘴角,笑看着十三阿哥说:"这次随皇上去塞外,我见到了敏敏格格。"

十三阿哥一听,脸上怔了一下,微微蹙着眉头,四阿哥却是带着笑意侧头看向他。

我看着十三阿哥蹙着的眉头,心头有些凉,但还是接着说:"你可对她……啊?"我话未完,十三阿哥已经站了起来,四阿哥抿嘴而笑,看了看我,又看向十三阿哥。

十三阿哥对四阿哥说:"我们走吧!"说完想走,四阿哥坐于椅上未动,伸手拉住他,笑道:"话还未回,干吗着急着走?"

十三阿哥有些跳脚,看看我,又看看四阿哥,苦笑着说:"这风水转得也太快了,才一会儿的工夫就轮到我唱戏,你们看了?"说完,坐回了椅子上。

我掩嘴而笑,原来也有让十三阿哥想溜的事情呢。十三阿哥懒洋洋地靠在椅子上:"问吧,不就那么点子事情吗?也值得你们揪着我不放!"

我敛了笑意,叹道:"敏敏的心思,即使未说,你也肯定是知道的,那你呢?"

他问:"她和你挑明了?"

我点点头。

十三阿哥默默出了会子神,凝视着桌上的书说:"草原上的好男儿多着呢,她不用在我身上白担这些心思。"

一时,大家都沉默了下来。其实不是没有料到的,敏敏虽好,只怕并不是十三阿哥想要的。明白归明白,想着草原星空下她璀璨的笑颜,想着从此后她也会知道虽贵为公主,但天下仍有她永远也得不到的东西,想着她可能的心碎、蒙尘的娇容,还是难过不已。忍不住说:"敏敏格格是个很不错……"

十三阿哥截道:"你这么个明白人怎么也说起糊涂话了?她就是个天仙,若不对我的心,又何必多说!"

我轻叹了口气,喃喃自语道:"落花有意,流水无情。"

十三阿哥站起,举步而行:"走吧。"

四阿哥随他起身而出，我忙俯了身子恭送。四阿哥出门后，转身替我把门掩上，一面说："虽不是大病，可自个儿上点儿心，伤筋动骨最忌落了病根。"我刚想抬头说谢，门已合上。

　　脚伤还未好利落，康熙四十八年已经是最后一天了。

　　我斜歪在榻上，凝视着跳动的烛光。已无悲喜可言，不过是过一日算一日罢了。

　　正自枯坐，玉檀带着寒气推门而入，随手将手中的食盒放在桌上，赶忙回身掩住了门，一面缩着脖子嚷："好冻呀！"

　　我纳闷地问："今日不是你在前头伺候吗？怎么宴席还未结束，人就回来了？"

　　她一面搓着手在暖炉上烤着，一面侧头笑看着我说："特意央了李谙达让秋晨替了我，反正她正好想凑这个乐子呢。"

　　每年除夕宴席上近前伺候的人都会得些赏赐的，又有机会见着平日不可能见着的人与事，所以算是大家都喜欢的美差。玉檀为了来陪我，竟然特特地推了这些。我心中感动，叹道："我自个儿待着，也不觉得孤清，何必还为此去求李谙达呢？倒是白白欠了个人情。"

　　她烤暖了手，拿了食盒打开，笑说："我可备了些好吃的。今儿晚上我们一面吃喝，一面聊天，也好好过个年，岂不是比伺候人自在快活？"

　　她把杯盘在炕上的几案上摆好，又往熏炉中添了一小把百合香。两人半靠着软垫，自吃自饮起来。过了半晌，我还是没有忍住，假装不经意地问："我姐姐可进宫了？"

　　玉檀低头吃着菜说："嗯，还有八阿哥。不过大概是因为病好不久，八阿哥看着精神不大好，脸上没什么血色。"

　　我端起酒，一仰脖子，狠狠地灌了下去，又有些呛着，侧着身子低声咳嗽起来。

　　两人边吃边聊，我本想多喝些酒，可玉檀陪着我饮了几杯，就把酒壶收走了，"姐姐病还未好，这酒还是少饮点儿，喜庆的意思到了就行了。"

我笑："你倒开始管起我了。"

玉檀笑嘻嘻地冲我做了个鬼脸，替我盛了一碗牛骨汤："喝这个吧。"

两人用过饭，又挤在炕上聊了会儿天，都没刻意守岁，待食消了些，就各自歇下了。我因为心中担着事，晚上并没有睡好。玉檀因昨夜让秋晨代了班，一大清早就出门代秋晨当值去了。

听得玉檀掩门的声音，我快快地爬了起来。洗漱妥当后，打开箱子，取出历年来的信，手指轻轻滑过每一封信，凝注半晌，有心想打开再看一次，可狠了狠心，还是拿了宣纸全部包好。

视线扫过压在箱底的玉兰项链，也拿了出来。想了想，走到桌边，提笔写了封信。不想费工夫去想那些文言文的行文措辞，索性就想什么写什么，反正我只要他能看懂就好。

奴婢只是一个普通的女子，四王爷看了奴婢的字和信，也就知道，算不上有文采。长得也许还过得去，可紫禁城里容貌出众的姑娘多得是，奴婢也不算拔尖的。现在奴婢尽心服侍皇上，等到年龄放出宫后，奴婢自会离去。奴婢这辈子是不打算嫁人的了。以前奴婢行事失常，欠缺考虑，给王爷造成很多误解。只能跪求王爷见谅。奴婢既然已经下定决心孤身一人，不想婚嫁，王爷也无谓在奴婢身上白花心思了。

写好后，仔细读了一遍，琢磨了一下，又撕了，重新写过：

……等到年龄放出宫后，奴婢自会离去。额娘因生奴婢而早早去世，常恨此生未能尽孝。奴婢这辈子是不打算嫁人的，只想伴着青灯古佛，为母亲念经祈福。以前奴婢行事失常，给王爷造成……

拿了信封，把信和项链都放进去。神情漠然地静看着桌上的东西。他们若来，一切归还；若不来，那他们就是放手了，另寻了机会还于他们。忽地想起手上的镯子，忙往下褪，试了几次，却未成功，摸着玉镯子，心神恍惚。

轻轻的敲门声传来,我忙收拾心绪,站起身,一面想着是小顺子还是方合呢?一面开了门。

"姑娘吉祥。"方合利落地打了个千,一面起身,一面从怀里掏了信出来。

我笑着接过,"公公稍等一下,我有些东西想麻烦你转交。"方合微微一愣,忙点头答应。

我进了屋子,凝视着手中的信发了一会儿的呆,打开桌上的宣纸包,把信原封不动地和其他信放在一起,重新包好,拿了糨糊封上。

转身出屋,递给方合,笑说:"麻烦公公了。"

方合一面把纸包揣好,一面赔笑说:"不麻烦的,不麻烦的。"说完,打了个千,匆匆而去。

我倚着门框,定定站着,看他身影消失。心中一遍遍重复着"从此后再无瓜葛,从此后再无瓜葛……"

直到午膳时分,仍然不见小顺子来。我心想,这倒也好,他撒开了手,从此后大家都清静。正琢磨着如何把项链退还给他,笃笃的敲门声响起。

我心中一叹,去开了门,小顺子笑嘻嘻地请了个安:"给姑娘送东西来了。"

我接过,仍旧笑道:"麻烦公公稍等一下,我有些东西烦请公公帮忙转交一下。"说完半掩着门,转身进了屋子。

打开手中的狭长小木盒,一根通体晶莹、似有波光流动的羊脂玉簪。整个玉簪雕琢成一朵盛开的木兰。我懒得再细看,将它丢进起先的信封里,仔细封好,出屋交给了小顺子。看他接过装好,我反身关了门。

背抵着门,过了很久,似乎才突然回过神来,想着新年的第一天,一切都结束了。深吸口气,挥舞着拳头,对自己大声吼道:"新年新气象!"

吼完,决定开始收拾屋子,既然活着,就应该努力让自己过得好一点儿。爱情失败,伤心一时可以,颓废一时可以,但为了一个没有选择自己的男人搭进去一生一世就没有必要,不能从此生活就是黑色。我的身体年龄才十八岁,没有爱情,还可以有很多别的事情,再过几年就到年龄放出宫了。等出宫后,我可以自己去塞北看大漠落日,去江南看烟雨蒙蒙。

当年一直想去青藏高原和云南旅游，可都未能实现。在现代时，有时间没钱，有钱没时间，现在我钱有大把，随便拿套首饰去卖也够挥霍一段时间，为何不趁此机会去过过理想中的游子生活呢？

自从来了古代，我就一直围着紫禁城打转，以后可以笑揽风月，卧看红尘，游大江南北，交天下英雄，岂不自在？前面还有很多有意思的事情等着我呢！

一面想着，一面笑着，一面手脚不停地整理着屋子，可眼泪还是顺着眼角一颗颗滑落，止也止不住。

二月的午后，和暖的阳光照得屋子通透明亮。

我坐在桌前，翻阅苏东坡写的《次韵曹辅寄壑源试焙新茶》、《试院煎茶》几首关于茶的诗文。玉檀坐于榻上在手绢上绣花。两人静静地各自干着手头的事情，屋中流动着闲适恬淡的气息。

玉檀搁了绣花绷子，走到桌边，给我换了杯茶，又给自己也换了一杯，笑看着我说："会读书识字的人就是不一样。"

我正读得满口含香，头未抬，随口问："怎么不一样了？"

她站在我身边说："姐姐总是气定神闲的，照说芸香姐姐她们都比姐姐先入宫，又年长，出身也不低，可往姐姐身边一站，明眼人一眼就知道高低。"

我搁下书，喝了口茶，笑睨了她一眼说："别光说好听话了，有什么正经事情就问吧。

玉檀嘻嘻笑了一会子，问："这次皇上去五台山会带谁去呢？"

我抿嘴一笑说："原来是有人担心不带她出去玩。"

玉檀努了努嘴，说："皇上难得去一次五台山，上次还是四十一年的事情，错过这次机会，不知道有没有下次呢！"

我复拿起书，笑说："这事我做不了主，不过若李谙达问起，我一定荐了你。"

玉檀笑嘻嘻地说："好姐姐，多谢了。"说完，转回了榻边，又开始绣花。

我目视着书，脑中却在想，这次康熙去五台山，命太子爷、三阿哥、八阿哥、十阿哥、十三阿哥、十四阿哥跟随。我若能不去，就不去，避得越远越好。

出宫在外，不比宫里，见面机会大增。虽然一切都已经过去了，但我还是不能做到真正视他为陌路，我需要时间去淡化一切，让曾经的涟漪平复。

转而又想到四阿哥，本来还担心四阿哥对那封信的反应，但现在看来，他没有任何反应，应该也是心淡了，心中低念一声"谢天谢地"。

第二日，康熙下朝后，好几个阿哥陪着一同回来的，太子爷、四王爷、五王爷、八阿哥、九阿哥、十阿哥、十三阿哥和十四阿哥。暖阁也不算小，可人一多，显得有些拥挤，拥挤中又透着热闹。康熙毕竟是上了年纪，孤单寂寞的龙椅上坐久了，偶尔也会贪恋这种凡人的拥挤热闹。

我进去奉茶时，听到几位阿哥正陪康熙笑谈着上次去五台山的事情，康熙的脸部表情分外慈和。

我把茶盅轻放在桌上，康熙顺手拿起，掀盖子轻抿了一口，笑看着我说："前次去五台山时，若曦还没有进宫吧？"

我躬着身子笑回："正是，奴婢是四十四年进宫的，可惜晚了三年。"

康熙看着李德全说："这次可带了她？"

李德全瞅了我一眼，我赶忙回道："因为前段时间身子一直不大好，告了一段时间的假。虽说现在已经行动无大碍了，但是出门在外，服侍的人本就比宫里少，所以还是怕一时照顾不周全，所以特意求了李谙达，另选得力的人。"

康熙沉吟着看了我一眼，叹道："病了那么久，人现在看着连衣服都撑不起了。"转而对李德全吩咐，"就让她留在宫里吧。"

我忙跪下磕头："谢皇上恩典。"

康熙笑道："好好调养，想吃什么就让王喜去吩咐，赶紧好利落了，不然你也没精神好好服侍朕。以前冲的茶、做的糕点都时有新意，现在不要说新意，连平日对答都没有以往那么机灵，看你精神不济，朕就不罚你了。"说完抬抬手，让我起来。

我托着茶盘低头退出。到珠帘外时，忍不住侧回头瞟了眼八阿哥，他垂目静静坐着，身形也是分外单薄，满堂人语，却难掩寂寞寥落。我心中发酸，转头快步离去。

康熙带着众位阿哥去了五台山。皇上离去，他也离去了，我不用担心再会无意中撞见他，也不用担心偶尔看见他时心神的刺痛和无奈。

可是原来离去并不能让我遗忘，总是在不经意抬头时，会忽地掠过熟悉的画面；总是在轻笑时，无意闪过他的笑容。虽然我会立即选择忽略，选择视而不见，可是心情已经黯然。理智可以控制行动，却无法控制心情，我什么时候才可以真正遗忘，做到云淡风轻？

平静的日子总是过得分外快，我打发时间绣的手绢还没有完成，康熙已经从五台山回返。再见八阿哥，他的气色倒是比初离京时要好很多，当我向他请安时，他笑如微风，眼光温和，随意地抬手让我起身。

我怅然地想着，他看淡了，放开了。也许是山中风光易让人忘怀人间俗事，也许是他再无闲情余力浪费在儿女私情上了，一切之于他，已经过去！这不正是自己想要的吗？为何你还会有怅惘呢？

答案心中明白，却不愿给自己做解，只将一切寄望于时间。

春天已来，御花园中草芳木华，一切都带着盎然的生机。不当值的日子，我常去御花园走走。

正沿着鹅卵石的小道慢走，待看清迎面而来的人，想闪避已经落了痕迹，只得赶快退到路边，俯身低头请安："贝勒爷，吉祥。"

他温和地说："起吧。"

我立起，低头静站，他并没有离去的意思。我有心告退，却不知该如何张口。

"十四弟不会再去闹你了。"他温和地缓缓说道。

我心中悲喜莫辨，不知该如何回话，只静静站着。

"你前次说的话是什么意思？隆科多、年羹尧、李卫，我隐约明白。可邬思道、田镜文，我就不懂了。"

我琢磨了下，试探地问："四王爷身边可有一位腿不方便，叫邬思道的幕僚？"

他干脆地回道："没有。"

我的第一反应就是，我被电视剧《雍正王朝》涮了！正在发怔，他又说："朝中并没有田镜文此人，不过倒是有个叫田文镜的。"

我忙说："那就是田文镜，我记错了。"

他眼带困惑，微笑着问："这些不搭边的人和事，都从何说起？"

我愣了一会儿，说："反正你多留意着就成了，从何说起，我现在也不知道从何说起。"说完赶忙告退。

他静了一下，轻声说："去吧。"

我一面往回走，一面大骂编剧和自己，胡编乱造、不负责任！烂记性，名字都会记错！

送春归去，迎夏来。康熙为了避暑，搬进了位于北京西北郊的畅春园，我也随了过来服侍。

咸丰十年，英法联军入侵北京后，对周围的皇家园林进行了大规模的抢掠和破坏，被后人誉为第一座"避喧听政"的皇家园林——畅春园也难逃厄运，园中建筑悉被焚烧。旦夕之间，一代皇家名园被焚毁殆尽。没有想到我一个出生在二十世纪的人，居然能亲眼看见这个被后世建筑学家无限憧憬的园林。

"畅春园"，寓意"四时皆春"、"八风来朝"、"六气通达"。园内风光自然雅淡、景自天成。引用史书上描写畅春园的话"垣高不及丈，苑内绿色低迷，红英烂漫。土阜平坨，不尚奇峰怪石也。轩楹雅素，不事藻绘雕工也"。

不同于皇宫，畅春园内多植奇花异草，四季花开不断。池塘内的荷花才刚刚打了花骨朵，含苞待放，别有风致。我沿着荷塘一面赏着荷花，一面随意而逛。

在假山、长廊、小桥中穿来绕去，走到一处遍植垂柳的湖边。细长枝条直坠湖面，与影相接，旁边一座小小的拱桥，连着高低起伏的假山，山上引水而下，击打在湖面上，水花飞溅，叮叮咚咚。因为假山、柳树、拱桥的环绕，隔绝了外面的视线，这里自成一方小天地。

我看着四周景色，想着这倒是个好地方。正好有些累了，遂坐于湖边撩着水玩。忽觉得身侧有响动，扭头看去，四阿哥一身青衣坐在垂柳之中，显是先我而来，因为枝条繁茂，长垂坠地，他又恰好穿了颜色相近的衣服，隐在枝条后，我竟没有察觉。

此时他自个儿拨开了垂柳，我才看见他。一惊下，只是呆呆看着他，他也默默瞅着我，半晌后，我才反应过来，忙赶着请安。

他让我起来，拨开枝叶，一面往外走，一面拍落身上的碎叶。自从年初一退回链子后，四个多月的时间他没有任何反应，待我一如他人，我们从未私下相处过，此时突然独自面对着他，不禁有些紧张，强自镇静地向他行礼告退。他却恍若未闻，自顾自地走到桥墩旁，弯身从下面拖出一只小船，倒是精致，只是有些旧了。

我没话找话地问："王爷怎么知道这里有只船？"

他一面摆弄着船，一面说："我十四岁那年，随皇阿玛住到园子里，当时很喜欢这片湖的清静，于是特命人做了放在这里的。" 说完，直起身，看着我，示意我上船。

我呆了呆，疑惑地看着他，问道："你肯定这船还能用吗？"他瞅了我一眼，没有理会，自己上了船。

他坐在船上，静静看着我，目光淡定，不容拒绝。我犹豫着，有心想离去，却知道肯定是被拒绝的，于是站在原地磨蹭了大半天。

他并不在意，一直静静等着，最后展了展腰随意地说："我先睡一觉，你慢慢想吧！决定上来了叫我！"说着，就打算躺倒在船上。

我握了握拳头，一咬牙，上了船，既然躲不了，只能随他去了，青天白日难道还怕他吃了我不成？他瞟了一眼咬牙切齿的我，带着丝笑意微微摇了下头，用桨一抵湖岸，船荡离了岸边。

离岸越远，荷叶越密，我不得不低头，时而左、时而右、时而俯身地避开迎面而来的荷叶。他是背对着的，荷叶从他背上一擦而过，倒是无碍。他看我有些狼狈，带着丝笑意说："我以前都是躺在船上的，要不你也躺下。"我没有吭声，只忙着闪避荷叶。

他划到一处，停了下来，随手拿起桨，把紧挨着小船的几片荷叶连茎打断，然后放好桨，斜靠在后面，半仰着头，闭着眼睛休息起来。我四处打量一下，全是密密匝匝的翠碧荷叶，一眼望去满眼绿意，只觉得自己跌进了个绿色的世界，完全不知究竟身在何处。

四周极其安静，只有微风吹动荷叶的声音。我看了一眼四阿哥，他半仰着脸，在交错的荷叶掩映下，半明半暗，神色极其放松，全无平时的冷峻。

他那享受的表情也感染了我，起初的紧张和不安慢慢散去。我学着他半靠着船，把头搭在船尾，也闭上了眼睛。虽然头顶有荷叶挡着阳光，可还是觉得太亮，又起来，拣了一片刚才被他打断的荷叶，在水中摆了几摆，随手搭在脸上，闭了眼睛。

只觉得鼻端丝丝的荷叶清香，随着呼吸慢慢沁入心脾。船随着水波微微荡着，仿佛置身云端。四周一片寂静，我的心也渐渐沉静了下来。水面上的凉气和太阳的温暖交错在一起，刚刚好，不冷也不热。

刚开始心中还有些焦躁，时不时拿开荷叶，偷眼打量他。可看他一直闭目不动，我心情渐渐放松，身心都沉静到这个美妙的夏日午后，连毛孔都好似微微张开，贪婪地享受着阳光、微风、清香、水波，再无半点儿杂思。

正在半睡半醒之间，忽然感觉船猛地晃动了几下，我心中一惊，忙把荷叶拿了下来，睁开眼睛。

看见四阿哥已经换了位置，正坐在我腿边，胳膊肘靠在船舷上，斜支着脑袋温和地看着我。

我忙起身，可一起来，才发觉两人的脸离得很近，又忙躺回去。他看我又是起又是躺的，不禁嘴边挂上了笑意。

他的目光是从未见过的温和清亮，我却只觉得脸有些烫，心神波动。我宁可他用那没有温度的目光注视我，那样我还可以清醒地想着应对之策，他的温和却让我完全乱了分寸。正如寒风凛冽的冬天，冷不丁的一个好天气，会让你觉得格外暖和，却一时不知该如何穿衣。

强自镇定地回视回去，两人视线交织在一起，只觉得那平时冷冷的眼睛中，似乎增添了很多东西，让人忍不住想去探究，莫名地沉陷。

不知不觉间，我已经忘了本来是想用目光示意他转移视线的，只是心中茫茫地回视着他。心中一惊，猛地闭上眼睛，不敢再看。

虽闭上了眼睛，可仍能感觉他的目光停留在我的脸上，心中害怕，只觉得不能，绝不能再让他这么看下去了。忙拿起荷叶挡在脸上，一面嘴里低声嚷道："不许你再这么看我。"

他一听，低声笑了起来，这是我第一次听见他的笑声，沙沙的、闷闷的，说不出来是什么感觉，不过倒是十足的新鲜，毕竟想听见这位冷面王爷的笑声不是那么容易的一件事情。他伸手过来，要拿开挡在我脸上的荷叶。我忙一只手捂得更紧，一只手去推开他的手。

他反手一握，就把我推他的那只手握住了，我又忙着用力抽手。他说道："把荷叶拿下来，我就放手。"

我立即回道："那你不能再像刚才那样看我了。"

他低低地应了声好，我又犹豫了下，才慢吞吞地把脸上的荷叶拿了下来。

他仍然是刚才的姿态，一手靠在船舷上斜支着脑袋看着我，只不过现在还有一只手握着我的手。我皱了皱眉头，飞快地瞅了他一眼，又赶忙转过视线，说道："君子一言，驷马难追。"他松开了手。过了一小会儿，感觉他也转开了视线。

我这才转回了头，说道："你往后一些，我要坐起来。"本想着肯定又要交涉一番的，却不料，他听后立即往后移了移，虽不远，但已经没有刚才那么暧昧了。我心里倒有些意外，这么好说话？忙坐直了身子。

两人都只是静静坐着。不知为何，我心中再无先前那怡然自乐的心情，感觉沉默中还流动着一些别的东西，忙出声打断了四周环绕着的东西，问道："你经常躺在这里休憩吗？"

他说道："也不是经常，偶尔几次吧，不过，船我倒是每年都检查是否完好。"

我问道："我看你很喜欢这里，为何只是偶尔来呢？"

他听后，嘴唇紧紧抿着，脸上温和的表情渐渐淡去，慢慢地恢复了平常的冷峻之色。

过了半晌，他淡声说："过多沉溺于旖旎风光，只会乱了心志。"说完拿起桨，开始往回划，这次他让我背对迎面而来的荷花，他对着扑面而去的荷叶不避不闪，任由它们打在头上、脸上和身上。他只是一下一下坚定地划着，不因它们而有任何迟疑和缓滞。

我心中滋味复杂，只是叹道，他又是那个雍亲王胤禛了！

第十七章

鲜衣怒马，莫多情

康熙几乎年年都要去塞外，次次塞外之行总少不了阿哥陪驾，却从未如今年般热闹，康熙带了太子爷、四阿哥、八阿哥、九阿哥、十三阿哥、十四阿哥。

我看到这个名单时，再想到极有可能出现的敏敏，就觉得我要留在京城，我不要去赶这趟热闹了。

私下期期艾艾地想和李德全打个商量，结果还未张口，他就说："这次你可别想着能不去，年初让你偷了懒，现在身子已经大好，再没有偷懒的道理。"

我低下头默默地站着，轻轻叹了口气。李德全摇摇头，转身要走，忽又脚步停住，半侧着身子，说："赶紧打起精神尽心服侍万岁爷，其他事情都没有这紧要。年龄大了，在宫里也没几年了，将来自个儿的终身可就是万岁爷的一句话！"说完，脚步加快，自去了。留下我一人杵在原地，怔怔发呆。

想着是不愿意，可真等坐上马车，远离了被深红色围墙重重围着的紫禁城，我却又高兴起来。不说别的，只那无边无际的塞外草原、辽远深邃的瓦蓝天空，就已经让人精神开始振作。

到了塞外，安置好营帐后，果然，没几日，就听闻蒙古人要来觐见康熙。敏敏心系十三阿哥，肯定也会随着她阿玛来。

　　我的心开始悬了起来，琢磨着得去找十四阿哥合计一下，遂寻了个机会，去见十四阿哥。

　　我向十四阿哥请安，他冷冷看了一眼，也未让我起来，脚步不停，从我眼前直直而过。我忙站起，追了几步，叫道："十四阿哥，我有话说。"

　　他头未回，继续走着："我没有话和你说。"

　　我叫道："和上次的事情有关，和敏敏格格有关。"

　　他停了脚步，回身冷冷注视着我说："我欠了你个人情，你想要什么？"

　　我现在对他实在是一点儿脾气也没有，自顾平静地说："过两日蒙古人来后，肯定会撞见敏敏格格，到时该如何说辞？"

　　他垂目想了一下："直接告诉她，再赔个礼道个歉，说几句软话哄着她，不就行了？"

　　我摇摇头，发愁地想，哪有那么容易？欺骗先不提，中间还牵扯着个十三阿哥呢！可十三阿哥的事情不好对他说，叹道："只怕不是那么好哄的。"

　　他冷笑着道："我看你哄人的功夫是一流的，何必那么担心？"说完转身去了。

　　我心里暗骂了句："浑球！"却只能无奈地看着他离去。

　　愁着、烦着、怕着，敏敏格格随着苏完瓜尔佳王爷到了。我立在康熙身后，看看侧坐在两旁的十三阿哥和十四阿哥，想着待会儿敏敏就要进来，只觉得双腿发软，头发晕。

　　正在惊怕，十四阿哥忽地站起，向康熙躬身说："儿臣忽而有些内急，要告退一会儿。"康熙并未在意，随意地点点头，十四阿哥头未抬地静静退出了大帐。

　　我提着的心，缓缓落回了原处。先避开一下，至少给我一个向敏敏解释的机会，否则就这么当着康熙的面撞上去，敏敏又是个没什么城府的人，一旦揭破，我还真为自己的小命担心。

　　苏完瓜尔佳王爷和随行的蒙古人向康熙行完礼，分宾主坐定后，纷纷谈笑。我一直留意着敏敏，敏敏自打进帐看见十三阿哥后，就一直头未抬，神色娇羞地静静坐着。十三阿哥却是恍若未觉，自顾和身旁敏敏的兄长苏完瓜尔佳·合术谈笑。

我叹道，看看敏敏这个样子，就是十四阿哥在她眼前，她恐怕一时也看不到的，可想着十三阿哥的回答，又替她无限难过。

我这厢看看十三阿哥又看看敏敏，再想想十四阿哥，真是愁苦满腹。眼光在十三阿哥和敏敏面上游移，忽地对上四阿哥的视线。他瞟了眼娇羞脉脉的敏敏，又瞟了眼谈笑风生的十三阿哥，再瞅我，眼中闪过几丝笑意。我愁都愁不及，他还有心思看戏，气瞋了他一眼，转开了视线。

视线未及收回，已经看见八阿哥正面带微笑，静静地看着我和四阿哥，我不敢与他目光对视，忙低垂了目光，看着地面。

大家笑谈了半晌，康熙忽地问道："胤祯怎么半日还未回来？"帐内一下安静了下来，我的心立即悬了起来。

八阿哥长身立起，躬身回道："他昨日就说肠胃不适，只怕是近日饮食有些不当。"

康熙问："可传了太医？"

八阿哥回道："还未。"

康熙微蹙着眉，看着底下的几位阿哥说："不要仗着年轻，就对小病小恙不上心。"众位阿哥忙齐声应是，八阿哥也俯身应道："儿臣记住了。"说完，侧头吩咐身后的小厮去请太医给十四阿哥看病。

康熙笑对苏完瓜尔佳王爷说："朕年纪大了，才越发觉得平日养生的重要。"苏完瓜尔佳王爷忙笑着附和，两人笑谈着各自的饮食起居，交流着养生心得。

我缓缓舒了口气，今天安全了。

晚间左思又想，觉得只能主动出击，在事情败露之前化解。第二日正好不当值，遂去找敏敏，一路走着，一路还是发愁究竟该如何说。

正边走边愁，忽听到："我正要去找你呢，没想到竟碰上了。"

我闻声抬头，看见敏敏就立在眼前，盈盈而笑。我忙俯身请安，她上前挽着我胳膊起身，笑道："大半年未见，你可好？"

我回道："一切安好，格格呢？"她笑着点点头。

两人挽着胳膊并肩而行，我满腹愁思，不知如何开口。敏敏也是低头默

默。静了半晌，两人同时侧头看着对方说："你……"又都同时住了口。

我忙说："你先说。"

敏敏笑了一下，一面走着，一面目视着前方低声问："你可帮我问了？"

我不知如何开口，打碎她的一片芳心，不是不残忍的。敏敏等了半晌，见我只顾着低头默走，不禁脚步缓了下来，低低地问："他没有？是吗？"

我不知如何回答，看着她，想了半天，说道："反正你阿玛也不愿意格格嫁给他，格格以后就不要再想他了。"

她停了脚步，大睁着双眼急促地问："为什么呢？他为什么看不上我呢？难道我比不上他的福晋吗？"说着，敏敏已经语带哽咽。

我拉着她的手说："格格，真的不是你不好。"

敏敏猛地甩开我的手，边跑边说："我要去问问他，我究竟是哪里不好？他看不上眼。"

我忙随后追着，叫道："格格，格格，你别跑，你听我说。"

敏敏只在前面急跑，对我的叫喊听而不闻。跑出营地时，她随手从士兵手里抢了马和马鞭，翻身上马，急驰而去。我也忙抢了匹马，打马追去。

她在前面拼命抽打马，马儿快如闪电。我的马技本就不如她，又比她晚上马，越落越远，她的身影渐去渐远。

远远地看着她骑马冲到了十三阿哥跟前，跳下了马，我看见十三阿哥近旁的身影居然是十四阿哥，心中着急，连怕都顾不上了，只是狠命抽打着马，指望能快一点儿。

待我从马背上跳下时，恰听到十三阿哥说："格格错爱，胤祥愧不敢当，今日还有别的事情，改日再向格格赔罪。"说完想走，敏敏拦在他身前问："我只是想知道，我哪里不好？"

我赶忙跑过去，站在敏敏身后，直朝十三阿哥合手一拜再拜，又赶着向十四阿哥挥手，示意他离开。十四阿哥面带惊异地盯着敏敏和十三阿哥，对我视而不见。十三阿哥瞅了我一眼，又看了一旁的十四阿哥一眼，对敏敏温和地说："格格先回去吧，这里不是说这些事情的地方，皇阿玛还等着我和十四弟呢。"

敏敏倔犟地说："有什么不可以说的？"侧头从十四阿哥面上一扫，

随即移开了视线，猛地又转回头盯着十四阿哥叫道："你，你，你怎么在这里？"一面回头看我。

我已经连怕的力气都没有了，只傻傻看着。十三阿哥看着十四阿哥叫道："十四弟，我们走吧。"说着就要上马。

敏敏一愣，看着十四阿哥，喃喃问道："十四弟？十四阿哥！"

十四阿哥点头道："正是。"

敏敏未等他说话，已经回转头，愤怒地盯着我："你骗我！"

我忙上前想拉她的胳膊，她用力推开我，怒问道："他是十四阿哥？你骗我！"

我哀求道："格格，你听我说。"

敏敏看了眼睐睁在一旁的十三阿哥，紧握马鞭，指着十四阿哥问："他是你的意中人吗？"

我咬着嘴唇，摇摇头。她冷笑着说："你一直在骗我，你一直在利用我。我把你当好姐姐，告诉你心事，你却利用我。"

我羞愧不已，只是说："格格，你不是说过'草原儿女认定的朋友不会轻易放弃'吗？请你原谅我这一次。我骗你是我不对，可事出有因，请听我解释。"

敏敏仰头冷笑了两声，转头看着满脸惊异的十三阿哥，用马鞭指着我问："你和她可要好？"

十三阿哥点点头，敏敏冷声说："那你可知道她骗我藏匿十四阿哥？"

十三阿哥瞅了我一眼说："不知道。"

敏敏怒盯着我问："你就是这样对朋友的？既骗我又骗他？"

十三阿哥和十四阿哥彼此对视了一眼，都看向我和敏敏。我无可辩驳，看着敏敏，恳求地说："格格，你原谅我这一次可好？"

敏敏怒声说："永远别想！我还要去告诉皇上，倒是看看你们去年到底干了些什么？"说完提步就走。

我大惊，忙拖着她，跪倒在地上，求道："格格，格格，万万不可！你打也罢，骂也罢，都是奴婢的错。"

十四阿哥上前拖我起身，对敏敏冷冷说道："格格有气，冲我来！不用你去说，我自会去皇阿玛面前交代清楚。"

十三阿哥也赶了几步，拦在敏敏身前说："有什么大不了的事情值得闹到皇阿玛面前呢？"

敏敏怒声说："她利用我帮十四阿哥，两个人鬼鬼祟祟的，都不知道干了什么龌龊事情。"

十三阿哥瞅了我一眼，看着敏敏说："若曦不是这样的人，格格怕是误会了。"

敏敏脸涨得通红，连怒带怨地把去年发生的事情一五一十地告诉了十三阿哥。说完后，怒瞪了我一眼，看着十三阿哥。

十三阿哥瞅了半晌十四阿哥，忽地笑起来，对着敏敏柔声说："格格不必为此生气了，十四弟和若曦自小玩闹惯了，他乔装改扮来看若曦，也是正常，实在不必为此惊动皇阿玛。"

敏敏恶狠狠瞪了我一眼，看着十三阿哥，难以置信地问："你就这么护着她？都不问问她缘由。"

十三阿哥瞅了我一眼，无奈地看向敏敏。敏敏又问："如果是我，你也会这样吗？连原因都不问，就为她说话，只是一味偏袒！"

我叫了声："十三阿哥。"十三阿哥已经脱口说道："我与若曦相交多年，她是什么样的人，我心里自有数。"

我长叹道，天亡我也！十三阿哥这下是把醋坛子打翻了。敏敏被拒在前，嫉妒在后，再加上被人欺骗的恼怒，现在只怕什么事情都干得出来了。

敏敏冷笑了两声，越过十三阿哥，直冲到马上，打马就走。十三阿哥忙翻身上马追去。我和十四阿哥也随后打马追去。

四人都是打马狂奔，十三阿哥几次欲接近敏敏，都被敏敏挥舞马鞭逼退。十四阿哥策着马，跟在我身旁，说道："待会儿不管发生什么事情，你全往我身上推就行了。"

我凝视着前方，只顾策马狂奔，没有搭理他。他又说："我毕竟是阿哥，抗旨虽严重，可无论如何也不至于有性命之忧。"

远远地看见前方，康熙、苏完瓜尔佳王爷、太子爷、四阿哥、八阿哥等都在。他们看到我们四骑前后狂奔而来，都勒马立定看向我们。

我脑子一片空白，不知道待会儿究竟有什么事情等着我。

十三阿哥的马和骑术都胜过敏敏一筹，所以虽后敏敏上马，却先敏敏跳下马。他转身看着正翻身下马的敏敏，一字一字慢慢地说："格格，请高抬贵手，胤祥感激不尽。"说完，定定地凝视着敏敏。

敏敏脚步停住，呆呆地看了一会儿十三阿哥，目光从我和十四阿哥脸上扫过，转回头又看向十三阿哥。

十三阿哥一身紧身滚银边白骑装，背负黑铁长弓，昂然立在黑骏马旁。阳光照射下，身姿高贵俊致，浑身气度迫人，目光却如春日湖水般清亮温和，眼睛里全是恳求、期盼、相信。

敏敏痴痴看着十三阿哥，化身如石柱。

策马缓缓而来的康熙一面下马，一面问："怎么回事？"

我和十四阿哥忙俯身请安，十三阿哥和敏敏却身形未动，两人依旧定定地看着对方。康熙随意挥手让我们起身，眼光疑惑地看着十三阿哥和敏敏。我侧头看向他俩，紧握拳头，手心湿腻。

随后而来的阿哥、大臣们看康熙下了马，也都赶忙跳下了马。四阿哥眼含思索地从我们面上扫过，落在了十三阿哥和敏敏身上。八阿哥眼中隐含忧虑地看了我和十四阿哥一眼，也目视着十三阿哥和敏敏。

苏完瓜尔佳王爷人未下马，已经喝道："敏敏，还不给皇上请安？"又向康熙赔笑道，"这丫头一向被我娇宠，又整天在草原上野着，不比紫禁城的格格们，不大知道礼数。"

敏敏这才侧头移开视线，上前几步，俯身向康熙请安。十三阿哥微微一笑，洒然转身向康熙行礼。康熙让他俩起身，看着敏敏温和地问："怎么脸含怒气呢？胤祥欺负你了吗？"我猛地握紧拳头，屏息静听。

敏敏莞尔一笑说："只是敏敏想和若曦赛马，十三阿哥不同意，所以争执了几句。"

我和十四阿哥诧异地对视一眼，看向十三阿哥，他也眼露困惑，一时间都猜不透敏敏想干什么。

康熙看着十三阿哥笑问："你为何不同意？虽说若曦学马时间不久，比试一下也没大碍。"

十三阿哥还未回话，敏敏已经躬身说："皇上是准了敏敏和若曦赛马吗？"

苏完瓜尔佳王爷叫道："敏敏，不准胡闹。"

康熙笑看了我一眼，对苏完瓜尔佳王爷说："满蒙本就是马背上的民族，让她们比比，我们也看个乐子，算不得胡闹。"一旁的侍卫听了，忙去准备。

敏敏起身走到我身边，眼光却是看着十三阿哥，低低说："看在十三阿哥面上，给你次机会。你若赢了，一切抛开不提；你若输了，那我只能告诉皇上，可就谁也怨不得我了。"

十四阿哥冷哼道："这也算机会？你为何不和我比呢？"

敏敏对十四阿哥笑着说："快去帮你的'情人'好好挑匹马吧。"一转头，对着我时，已经寒了脸："这次我可不会像去年一样故意让你了。"

十三阿哥走了过来，凝视着敏敏点头笑道："多谢格格。"

敏敏微微一笑，提步离去。十三阿哥微蹙眉头，嘴角带着丝无奈的笑，看着我和十四阿哥说："尽力就行，输了也不怕，还有我呢！"说完转身上马去追赶敏敏，一面喃喃道："只希望我这个'美男计'能管用。"

我再乌云压顶，也不禁嘴角逸出一丝苦笑。唉！挑马去吧！

八阿哥眼带疑问地看着十四阿哥，十四阿哥朝他微微摇了下头，他微蹙着眉看了我一眼，垂目思量着。四阿哥看着十三阿哥远去的背影，也是眉头微蹙，太子爷却是眼光在我和十四阿哥脸上不停游走。大家正心思各异，康熙翻身上马说道："我们先去，让她们挑好马后过来。"众位阿哥听完，纷纷应好上马，随康熙而去。

十四阿哥留了下来，帮我仔细挑了一匹马，两人都沉默着。待我们骑马到比赛场地时，康熙、苏完瓜尔佳王爷、太子爷、四阿哥和八阿哥等都已经在帐内坐好。

敏敏已在出发点等着我，十三阿哥在一旁陪着，面带微笑地说着什么，敏敏嘴角含着丝笑，侧头细听。

十四阿哥陪着我过去，他们看我们到了，都收了声。

十四阿哥跳下马，又替我检查了一遍马鞍缰绳，拉着我的马笼头，低声说："不要勉强。"

我点点头，笑看着敏敏问："格格说话可算数？我若赢了，格格就原谅我，一切抛开不提，依旧是朋友。"

敏敏傲然笑道："不错！我们草原人最敬佩那些骑马好的人，你若赢了，就冲你只学了几个月就能赢我的马技，我也不会计较了。"

我点点头，再没有说话。十三阿哥和十四阿哥彼此看了一眼，一起骑马退走。一旁立着的侍卫躬身请示道："格格，可以开始了吗？"

敏敏侧头看我，我深吸了口气，盯着前方说："可以了。"

随着一声"开始"，我和敏敏的马都飞蹿了出去。我一手紧握缰绳，一手挥鞭催马，可惜终究是技不如人，渐渐落后。半头、半身、整个马身……

敏敏一边催马而跑，一边回头笑道："对不起了，我可要先行一步了！"说完俯下身子，双腿一夹马，马鞭在空中一声脆响，她的马速越发快起来。

我看着她越去越远的背影，一狠心，甩掉了马鞭，伸手从头上拔下金钗，紧了紧马缰，确定绝对不会脱缰后，一咬牙，紧握着金钗狠狠地扎到了马屁股上。只听马儿一声惨嘶，前蹄猛地一抬，如狂风般猛冲了起来。我紧握缰绳，双腿拼尽全力地夹着马，随着它颠簸而去。

敏敏侧头看着我冲上来，面带惊讶，急急打马，但我的马儿流血不止，负痛狂奔，岂是她的马能赶上的？而且，她的马似乎有些怕这匹受伤后带着野性的马，竟然不听敏敏的号令，给我的马让路。

敏敏渐渐落后，我已经被颠得晕晕乎乎，只听她在我身后吼道："你疯了？不怕马摔死你？"估计是看见马屁股上扎着的金钗了。

终点渐近，敏敏却未见，看来我是赢了，我好像已经被马甩得骨架松软，脑子反应迟缓，只知道牢牢踩着马镫子和紧紧握住缰绳，绝对不能让它把我颠下去。

马儿狂风般地刮过了终点，我却无法让它停下来，只能由着它撒蹄狂奔。帐前立满了侍卫，谨防我的马惊驾。太子爷、四阿哥、八阿哥、九阿哥都冲出了大帐。

我从帐前经过时，居然还在眼光迷乱中，看清楚了这一幕。身后马蹄声急急，看来有不少马在后面追我。我心中暗想，看来我是不会被摔死了，只要坚持在被救之前不要掉下马就行。

说来也怪，我竟然一点儿都不怕，甚至还隐隐有刺激痛快的感觉，像是坐云霄飞车，虽惊险万分但却爽快至极。大概是紫禁城的生活实在太压抑了，又或者是知道反正没有生命危险，所以没有恐惧。只觉得头晕眼花，七颠八倒中竟然是颇为享受的快感。

待侍卫前后合围，用马套子勒住马，十四阿哥扶我下来时，我已经看什么都是三四个影子。我看着三张焦急的十四阿哥的脸并排在我眼前，又看到三个嘴巴同时开合，听不清楚他在说什么，只是觉得好笑，忍不住靠着他胳膊大笑起来。

十三阿哥和敏敏匆匆而来，又看见十三阿哥的三张脸，还有一边敏敏的四张脸，嘴巴也是一开一合的。我靠着十四阿哥大笑着说："太好玩了，没想到刺激完了，还能看到这么喜剧的效果。"又指着敏敏，嚷着："我赢了，你可不要耍赖。"

十四阿哥抱着我上了马，不敢疾驰，策马慢行。我横卧在他怀里只是摇脑袋，一面举着手，检验是否还是重影。

慢慢地开始听见十四阿哥若有若无的声音，渐渐清晰起来："若曦，若曦，你还好吗？"手也渐渐三合一，没有重影了。

我叹口气，想着好玩的事情没有了。对十四阿哥说："我好得不得了，如果你能让我坐正了，不要这么窝着，就更好了。"

十四阿哥猛地勒住了缰绳，俯头看我，我笑眯眯地回看着他，他问："听得到我在说什么吗？"

我点点头，笑道："听得到我在说什么吗？"

他释然地长吁口气说："谢天谢地！"尾随在后的十三阿哥和敏敏赶了上来，也叫道："阿弥陀佛！"

我听得敏敏声音，忙半直起身子，紧张地看向她。敏敏未等我说话，已经赶着说道："你还真如十三阿哥所说，竟是个'拼命'的脾气。放心吧，我以后永不再提那件事情，只当从未发生过。真是吓死人了！"她侧头笑看了眼十三阿哥，"其实我挑马的时候就已经想好了，不会告诉皇上的，只是想再吓吓你，我实在气不过你骗了我。"

我望了眼十三阿哥，十三阿哥嘴角含着丝无奈的笑，向我眨了眨眼睛，美男计生效了！代价是估摸着说了我不少坏话，打架喝酒的名气从紫禁城飘向草原。

我撑着要下马，十四阿哥忙先翻身下马，扶了我下来。十三阿哥和敏敏骑在马上看着我，我随手理了理衣裙，向敏敏拜倒磕了个头。敏敏忙跳下马，搀扶我，嗔道："我既说了不怪罪了，你这是做什么？"

我一面起身一面道："格格不怪罪，是格格大度。但奴婢确是行事大错，自然该给格格磕个头。"

正说着，王喜骑着马匆匆而来，跳下马，一连声地请安，又向十三阿哥和十四阿哥赶着说："万岁爷和王爷都担心着呢，两位爷赶紧回去先给万岁爷回个话吧。"

十三阿哥在马上笑道："劳烦公公了，这就走。"

十四阿哥问我："可骑得了马？"

我心想，骑不了也得骑，难道还敢让康熙看到你抱着我？笑点点头："慢点儿骑就可以了。"

十四阿哥牵了自己的马过来，说："你就骑这匹吧，我在旁边跟着。它十分驯服，只听我的口哨声，都知道该如何走。"我接过缰绳，他转身又从侍卫手里牵了匹马过来。

我这才看见自己先头骑的那匹马，大半条腿都是血迹，颇为触目惊心，自觉自己也是心狠，忙扭转了头，吩咐道："回去后，找个好点儿的马夫好生照看。"

一旁的侍卫看我看马，上前几步，双手奉上那根金钗，虽已被擦拭干净，但我还是侧了头说："扔了去，我不要了。"

侍卫愣着，不知该如何反应。十四阿哥随手接过金钗，挥了挥手，让他退下。

十三阿哥在马上笑道："这会子倒是不敢看了，头先扎起来，可真是没手软。"

我没有接他的话茬儿，翻身上马，四人打马慢跑而回。

待进得大帐，四人向康熙请安。一旁的四阿哥和八阿哥都上下打量了我一番，目光又分别投向十三阿哥和十四阿哥。

康熙注视着我，问道："伤着了没有？"

我恭声回道："没有。"

康熙点点头，怒问道："有你这么想赢的吗？"

我忙跪倒，边磕头，边说："奴婢知错。"

敏敏也跪了下来，说："皇上，不关她的事情，是敏敏逼她和我比的。"

康熙问："你们到底赌了什么，若曦要非赢不可？"

苏完瓜尔佳王爷一声"敏敏"未及阻止，敏敏已经脱口说道："没赌什么。"说完不解地看向面色懊恼的阿玛。

康熙看着我冷声说道："若曦在朕身边多年，她的为人与处事，朕心中自有分寸。若没有非赢不可的理由，她岂是只为了输赢就如此行事之人？"

大帐内鸦雀无声，我低头静静跪在地上，脑子飞快运转，却没有一个合适的主意。康熙不愧是康熙，见微知著，想瞒他真是不容易，难道今日竟然真过不了这个坎？

脑子只是急速地想出路，此时连怕都顾不上。十四阿哥猛地跪倒，磕头叫道："皇阿玛……"声音未断，苏完瓜尔佳王爷起身一面向康熙郑重地行了一大礼，一面躬身说道："皇上。"康熙一惊，忙挥手让他起来。苏完瓜尔佳王爷俯身说："这都是小女的错，臣有话想私下里和皇上说。"

康熙听了，眼光从我和敏敏脸上扫过，又看向十三阿哥和十四阿哥，最后吩咐道："都先回去吧。"

众人忙起身行礼退下，我脑子一片迷蒙，和敏敏也随着退了出来。随行大臣向几位阿哥行了礼之后，纷纷离去。四阿哥和八阿哥顾及着彼此，再加上太子爷在场，不好出口询问，只能默默走着。

太子爷笑问敏敏："到底怎么回事？"

敏敏斜睨了他一眼，清脆利落地快声说："怎么回事？太子爷没看吗？不就是骑马比试，她赢我输嘛！"

太子爷碰了个不软不硬的钉子，对着敏敏这么个身份尊贵的美女，又没有发作的道理，一时面色讪讪，对四阿哥和八阿哥笑道："我还有些事情，先行了。"说完向四阿哥点点头，又瞟了十三阿哥一眼，领人快步而去。

九阿哥看太子爷离去了，跷着大拇指对敏敏笑道："格格不愧是草原女儿，连太子爷也只能干吃瘪。"

敏敏眼一瞪，看着九阿哥，我忙拉了拉她衣袖问："王爷会和皇上说什么？"几位阿哥都凝神细听。

敏敏一面走着，一面低头想着，渐渐脸色发红，瞟了眼十三阿哥，拽着我走离了他们。几位阿哥都是面色微怔，随即又带着丝笑瞅向十三阿哥，不同的只是九阿哥嘴角的是一丝冷笑。

敏敏附在我耳边悄声说："我估摸着，我阿玛是误会我和你为了十三阿哥争风吃醋，所以不敢再让皇上问你了，怕当众抖出来难堪。"

我的心安定下来，琢磨着这个误会总比实情要好很多，笑道："你阿玛可没有误会，难道这不是事实吗？要不然，你何至于生这么大的气？"

话未说完，敏敏已经伸手胳肢我，嗔道："你怎么嘴头上一点儿亏也不肯吃呢？"

我笑着跑开，敏敏紧追过来，我忙躲到十三阿哥身后，伸出脑袋笑道："好格格，没做亏心事何必怕人说呢？你这可越发落了痕迹了。"

敏敏又气又羞，却碍着十三阿哥，拿我无可奈何，只是跺脚："躲在人背后又算什么英雄好汉？"

我呵呵笑道："我乃小女子也，从未想过做什么英雄好汉，不过倒是躲在个英雄好汉背后。"

十三阿哥一面笑着，一面伸手把我拉了出去，推给敏敏："我可不担你这个虚名，该怎么收拾就怎么收拾，甭客气。"

敏敏看十三阿哥帮她，不禁喜上眉梢，还真就不客气地搓搓手，呵口气，便伸向我夹肢窝两肋下乱挠。

我素性触痒不禁，只得快快闪避，一面已是笑得喘不过气来，嘴里只是嚷着："好格格，快别闹了，我还有正经话说呢。"敏敏不理，还是追我。

我笑得腿软，跑也跑不动，只得又跑回十三阿哥身旁，一面随他走着，一面笑说："你可别光笑着看戏，惹恼了我，非拖你一块儿唱戏不可。"

十三阿哥快走几步避到四阿哥身侧，一面走着，一面笑说："我今日被你害得不浅，我没恼你，你还敢恼我？"

正说着，敏敏已近在我身旁，十三阿哥又在一旁不停怂恿，敏敏越发来了劲。我实在没有力气再跑，瞅了眼含着笑意的四阿哥，下意识地不愿意接近他，忙随手一拽十四阿哥，把他挡在了敏敏身前，求道："我还有正经事情说呢，别闹了。"

敏敏不以为意，伸手来拽我，十四阿哥笑帮我挡着："她刚在马上被惊过，格格就先饶她一回。"

敏敏连换了几个位置，都被十四阿哥挡住了。我躲在十四阿哥身后，冲敏敏得意地笑。十三阿哥仍在一旁不停地煽风点火，敏敏不禁气笑起来，对着十三阿哥，指着我和十四阿哥说："你看看他们两个的样子，我倒真分不清，他们究竟是去年在哄我，还是如今在哄我。"

十三阿哥大笑起来："你若见过他们两个斗鸡眼的样子，就不奇怪了。"

敏敏好奇地问："真的？"

十三阿哥笑着说："就几个月前，我还看到他们两个一个吵得脸红脖子粗，一个直掉眼泪……"

"十三哥！"

"十三阿哥！"

我和十四阿哥同时出声，十四阿哥这句"十三哥"倒是叫得难得的情真意切。十三阿哥笑着摆摆手："好了，我不说了，不然惹恼了十四弟，等于惹恼了八哥、九哥，我可打不过你们三个。"

他一席话，说得众位阿哥都笑起来。大概因为十三阿哥刚帮过十四阿哥，等于是也帮了八阿哥和九阿哥，所以，两边的人相处得分外愉悦，真正有了兄弟的感觉。

我瞪了十三阿哥一眼："你说得已经不少了。你小时候的丑事也不少呢，我回头好好给敏敏格格讲讲。"

敏敏立即眼巴巴地说："什么时候讲？我现在就有空。"

众人都是一怔，我们都已经习惯真真假假地说话了，没想到敏敏竟是这么个一通到底的直肠子。怔过后，大家都哄笑起来，连四阿哥都唇角带着笑意。敏敏涨红了脸，十三阿哥也有些讪讪。

我笑走到敏敏身侧，拉住她的手问："你知道你阿玛会对皇上说什么吗？"

她侧着脑袋想了想说："我不知道，我猜不出阿玛会怎么给皇上说，不过反正你不会有事了。"

我一面走着，一面凝神细想，她阿玛会直接告诉皇上敏敏喜欢十三阿哥吗？肯定不会。万一皇上索性成人之美，把敏敏给了十三阿哥，那可不是她阿玛愿意见到的。可若不实话实说，她阿玛又如何让康熙不继续追究我和敏敏赛马的事情呢？反复琢磨，却毫无头绪，只得作罢，让老狐狸们自己斗去吧！

心中又开始担心，如果让四阿哥知道十四阿哥抗旨的事情会如何？可十三阿哥能不告诉四阿哥吗？四阿哥知道后，又会如何考虑，会告诉太子爷吗？越想越头大，不禁长叹了口气。

敏敏纳闷地问："你为何叹气？"

我侧头看着她摇摇头，凝视着前方，默然无语。敏敏也长叹了口气，我侧头看她，问："你又为何叹气？"

她看着十三阿哥说："如果我们能一直像刚才那样多好。"

我看着走在一旁的几个阿哥。不知道他们在说什么，都是表情柔和，脸含笑意。是啊，能一直像刚才那样多好！我们大家都在欢笑。可是不可能，就是走在我们身侧的这几个阿哥将来会斗得你死我活。

忽隐隐听得十三阿哥说："若曦……靠着十四……只是大笑……"我忙拽了敏敏凑过去听，"……她看到侍卫手里的金钗脸发白，都不敢多看一眼，拗着脖子直说'扔了！扔了！'"

九阿哥和十四阿哥都侧头看向我笑了起来，四阿哥嘴角带着丝笑盯了我几眼，八阿哥却只是脸带微笑，目视前方，缓步而行。我淡淡掠过他的侧脸，看着十三阿哥无可奈何地摇摇头，拦不住他，只能随他说了。

十三阿哥笑道："倒是只能问她自己，怎么就敢狠狠地扎下去呢？"我努了努嘴没有回答，他接着问道："不过，你前年还完全不会骑马呢，只看你今年的马技，就知道去年的师傅教得很是尽心，你和谁学的？"

我心中一紧，下意识地看向四阿哥，还未张口，敏敏就说道："是我……和……"我紧紧地掐住敏敏的手，抢道："敏敏格格教的。"盖住了她"和"字的声音，一面侧头盯了敏敏一眼。敏敏瞅着我，未再说话。

十三阿哥笑道："天哪！若曦，我算是服了你了，你才学多久，今日居然就和师傅叫板了。"

我瞟了眼神色未变、依旧浅浅笑着的八阿哥，朝十三阿哥笑了笑，未敢搭腔。

待各自散开后，我向自己帐篷走了一段路，方向一拐又向十三阿哥的帐篷行去。正自低头默走，十四阿哥的声音在身后响起，"你是去找十三哥吗？"说着，人已经赶到我身侧。

我忙俯身请安，一面说："是呀，你呢？"

他默默走了一会儿说："多谢你了。"

我侧头笑道："倒是要多谢十三阿哥，我就不必了，我也只是自救。"他陪我一路静静行去，再没说话。

　　进了十三阿哥的帐篷,十三阿哥诧异地看了十四阿哥一眼,对我笑说:"就知道你要来,我可是特意辞了四哥回来候着的。"

　　我笑笑未说话,自拿了软垫坐在地毯上。十四阿哥向十三阿哥请安,十三阿哥笑说:"免了,免了。"十四阿哥犹豫着欲言又止,一时脸上讪讪,我摇摇头,心想,让他对十三阿哥说声谢还真是挺难的。

　　十三阿哥笑让他坐,我拿了个软垫给他,十四阿哥坐了下来。十三阿哥笑看着我说:"说吧,怎么回事?"

　　我瞟了眼十四阿哥,见他未有反应,就照实说了十四阿哥为何而来,我又是如何赶巧求了敏敏。一面说着,一面留心十四阿哥的神色,看他倒是没有反对的样子。

　　十三阿哥听完,看着十四阿哥,笑点点头:"难怪你那段时间称病躲在家里呢,我们去看你,却都被挡了。"

　　我犹豫了一下,问:"你可会告诉四王爷?"

　　十三阿哥侧头看着我问:"你是不想让四哥知道此事?"我点点头。

　　十三阿哥一面垂目思索着,一面说:"我不想瞒四哥,再说了,十四弟的事情即使让四哥知道又如何?你还担心他去告诉皇阿玛不成?这次我如此做,一半固然是顾念你我交情,可一半也是为了四哥和德妃娘娘。"他看着十四阿哥缓缓说:"四哥面色虽冷,有时行事过于刚硬,可无论怎样不至于对亲弟弟如何的。"

　　十四阿哥脸色转沉,十三阿哥忙对我笑说:"放心吧,事情到此为止。"

　　我撇了撇嘴,心想知道你十之八九不会瞒四阿哥的,不过还是忍不住试了一下:"那太子爷呢?"

　　十三阿哥笑道:"真是个糊涂人!既然不能让皇阿玛知道,当然不会让太子爷知道了。"

　　我心想,你们的心思都七拐八绕的,我少考虑一个弯弯,只怕就全错,保险起见,问清楚最好。

　　我向十三阿哥指了指他身旁几案上的茶壶,他忙转身倒了杯茶递给我,我接过一饮而尽,又递回给他。他笑问:"还要吗?"我摆摆手,他把杯子放回桌上。

　　一侧头,看见十四阿哥正面带惊异地看着我和十三阿哥。十三阿哥和我相视一笑，都笑看着十四阿哥。十四阿哥指了指我，问十三阿哥："她在你面前一向如此吗？"

十三阿哥笑看了我一眼说："她向来不讲这些，比这更没规矩的都有。"十四阿哥的视线从我们脸上扫过，低下了头。

我笑对十三阿哥说："苏完瓜尔佳王爷可是知道敏敏的心思的，你小心他找你做了女婿。"

十三阿哥极其无奈地叹了口气说："由他去吧，他若不介意以敏敏的身份做侧室，那我也只好娶了。"

我心中震动，我以为十三阿哥既然不喜欢敏敏，肯定是无论如何都不会娶她的，却忘了古代男人对婚姻的看法完全和我不一样，三个老婆和四个老婆差别不大，不过多找个院子住，多弄几个仆妇服侍而已。中意的自然要娶，不中意的娶了也无妨，大不了不去对方的院子过夜就成，于他影响不大。

想着敏敏对十三阿哥的款款深情，我瞪着十三阿哥，怒道："你若不喜欢敏敏，就不要娶她，她不是件家具，娶了往家里一摆就完事了。"

十三阿哥怔怔地看着我，无奈地说："我当然不想误她，可若皇阿玛指婚，我难道还要为此抗旨吗？"

我腾地一下站起，张嘴欲说，可又无词，最后气道："不管，反正你若不喜欢敏敏，就不许娶她。"说完急步甩帘而出，听得身后十四阿哥急急行礼告退，快步追来，随我而行。

怒气渐消，知道自己是无理取闹，事情全由我和十四阿哥而起，我却向十三阿哥发了一通莫名其妙的火，而且他所做，以现在的观点看无任何不妥，我不能用三百年后的观念来要求他的。心头悲哀又渐生。侧头对十四阿哥说："十四阿哥请回吧，我要去找敏敏格格。"

十四阿哥问："你要去劝敏敏不要嫁给十三哥？"他等了一会儿，见我只顾走路，并不搭腔，又说："我也不希望敏敏嫁给十三哥。"

我侧头看他，他目光扫了一下周围，低声说："太子爷现在和蒙古人不和。前年皇阿玛召集满蒙贵臣议太子之事，以苏完瓜尔佳为首的蒙古八大部都对太子爷不满。敏敏是苏完瓜尔佳王爷的心头宝，如果她嫁给十三哥，只怕对八哥不利。"

我长出口气，对他无奈地摇摇头，一面快走，一面说："十四爷赶紧

回吧,这些事情不必告诉奴婢。"

十四阿哥猛地拦在我身前,急道:"我以诚心待你,你为何如此?先头看你和十三哥相处,才自觉这些年我一直看低了你。如今我愿诚心相交,你却如此态度,我哪里比不上十三哥?你可别忘了,你是从八哥府中出去的。"

我绕过他,继续前行,说道:"十三阿哥既不会对我说先前的话,也绝不会说出这样的话,这就是差别。"

十四阿哥再没出声,只呆呆地站在原地。

一路快步,走到蒙古人的营帐,人还未到敏敏帐前,已听见隐隐的哭闹声,不禁放慢了脚步。正在诧异,看见一个人掀帘逃出,又紧跳了几步,才堪堪避过一只飞出来的花瓶,"哗啦"一声,瓶子落地,摔得粉碎。

我忙向出来的男子请安,是敏敏的兄长苏完瓜尔佳·合术。他疑惑地看了我一眼,尴尬地说:"姑娘请起。"

我问:"格格可在?"

他纳闷地干笑道:"姑娘请回吧,这会子见她,只能是触霉头。"

他话音未落,敏敏已经掀开帘子,扑了出来,一面哭着,一面怒道:"你们都恨不得赶我走,现在连人都不让我见了。"

她哥哥再不敢多说,匆匆而去。我忙上前拉着敏敏进了帐篷,满地狼藉,能砸的都砸了,能掀的也都掀了,想找个帕子让她擦脸,恐怕也是不能指望的了,只得掀开帘子,对外面守着的丫头吩咐:"去打盆水,拿帕子来。"

敏敏坐在毯上,只是哭,我坐在她身旁静静陪着。丫头在屋外轻声叫:"水备好了。"

我起身端了盆子进来,拧了帕子,递给敏敏,说道:"擦把脸,好好说话,光这么哭能有用吗?"

敏敏抽抽搭搭地抹干净了脸,我看她平静了很多,才问:"怎么了?"她话未出口,泪又下来了。哭了一小会儿,才断断续续地说:"我阿玛求皇上过几日给我指婚。"

我问:"谁?"

她哭着说:"是伊尔根觉罗族的庶出小王子,他们几日后来觐见皇上。"我茫然地想着，只知道也是蒙古八大显族之一，其余没概念。

敏敏说完，哭得越发伤心，说着："反正我是不嫁的，我就是一根绳子勒死自己也不嫁。"

我沉默了好一会儿，紧挨着她坐了，低声说："格格，告诉你个秘密。"敏敏并未留心，仍是低头流泪，我缓缓地低声说："其实去年在草原上时，和我好的是八阿哥。"敏敏"啊"了一声，抬头看着我。

我嘴角含着丝浅笑，凑在她头边，从我们在贝勒府相识，低声讲起，讲了他多年的照顾，讲了我的感动，讲了去年在草原上的一幕幕，讲了他想当太子，讲了我不想卷入皇位之争中，求他放弃，讲了八福晋，讲了他的儿子，讲了八福晋娘家的显赫，讲了如今的恩断义绝。敏敏只顾着听，早忘了哭泣。

我微笑着拧干帕子，帮她把脸上的泪拭干，柔声问："你真准备嫁给十三阿哥吗？做个侧福晋，住在一座小院子里，天天盼着他下朝后能记起你，过来看你吗？说句狠话，你又不是十三阿哥心爱的女人，以你这一点就着的性子，如果和别的福晋起了争执，你可想过十三阿哥会帮你吗？你真能抛开这里的蓝天绿草，而去选择住在一座小院子里，从此后只能仰头看着个四方的狭窄天空？我知道这样说有些残忍，可是，敏敏，你认真想想你阿玛身边的妃子，除了得宠的一两个外，其余的过的都是什么样的日子？你可曾想过，有朝一日你就是她们中的一个？"

敏敏怔怔发呆，我叹道："你阿玛如今这样，并不是真的就想让你嫁给那个什么王子，不过是想绝了你对十三阿哥的念头，你知道王爷今儿个为什么那么着急地拦住我们吗？他并不是怕说出来你我为了十三阿哥争风吃醋而有失面子。"

敏敏想了会儿："不是为了怕丢面子，那是为了什么？"

我微笑着说："你是你阿玛的心头宝，你哥哥也就你这么一个亲妹子，你不仅仅是你，你还是蒙古的整个苏完瓜尔佳部落。皇上一直在笼络蒙古各个部落，如果他的儿子能娶你，他会很乐见其成，今日的事情，一旦挑破，皇上只怕就顺水推舟地把你和十三阿哥的婚事定了。苏完瓜尔佳王爷再不情愿，却也不能反对了。你阿玛是为了保护你，才着急地出头，把所有事情揽下来的。"

敏敏呆呆地听着，我叹道："敏敏，你是个很幸运的女子，你有一个真心疼你的阿玛，将来苏完瓜尔佳族的王爷是你的同胞哥哥，他也对你呵护有加。你若留在草原上，绝没有人敢欺负你。很多美丽的女子都没有这个福分，她们的父兄会利用她们的婚嫁来换取自己的政治利益。太子爷对你的美丽也是动了心思的，可你阿玛只装不知。也许换成别的父亲，只怕想着太子爷可是下一位皇帝，也许自己的外孙就是将来的皇帝，巴巴地就把女儿嫁过去了。敏敏，你出身显贵，这样的事情肯定也是听过、见过的。"

我一面想着姐姐令人伤心的命运，一面难过地说："相比那些有爱女之心，却无能力决定女儿命运的；或者那些有能力护女儿周全，却为了私心而不肯尽力的，你是多么幸运。你阿玛有能力保护你，也愿意尽心保护你。敏敏，你身份尊贵，容貌出众，相较那些随风漂泊的薄命女子，你是如此得天独厚，你应该努力欢笑的，眼泪不属于你！一哭二闹三上吊，女人的这些法子只会对深爱自己的人管用，只有他们才会心软、心疼，才会伤痛欲绝。不爱你的人，看着你的尸身，大不了掬一把同情泪，说一声'真是可怜'，过后风花雪月依旧。敏敏，难道你的刚烈是用来伤害你阿玛的吗？"

敏敏茫然地摇着头，我嘴角含着丝笑说："不过，你若不想嫁给那个什么王子的，倒是可以假装寻死觅活地要挟你阿玛，只要你断了对十三阿哥的念头，我估摸着还是管用的。"

敏敏呆呆地只是出神，我在一旁静静陪着她，该说的话都说完了，如果她能明白，自然最好，如果她不能明白，我也无能为力了。毕竟她的事情还是她做主。

大半日后，她幽幽地说："那我以后不能和十三阿哥在一起了？"

我轻声道："是。"

"那我以后还会碰到像十三阿哥这样的人吗？"

我柔声说："敏敏，月亮和星星很难说哪个更好的，如果你不要只是为错过月亮而低头哭泣的话，也许会看见繁星满天呢！那也是不逊于月亮的美景。"

敏敏凝视着我问："那你呢？你会忘了八阿哥，忘了月亮，去找星星吗？"

我面色坚定地点头道："会的，我会睁大双眼去找的，只要那颗星星是属于我的，我不会错过。"

敏敏看了我半晌，眼含泪意说："可我还是想哭。"

我柔声说："那就哭吧，只是不要哭泣太长时间就可以了，记得哭完后，赶紧擦干眼泪看看天空，莫要错过了属于你的星星。"

话音未落，敏敏已经扑进我的怀里放声大哭起来。我搂着她，无意识地轻拍着她的背，眼中也是蓄满泪水。大睁双眼，半仰着头，不让它们落下。

第十八章

罗带飘舞月中仙

第二日见到康熙，内心惴惴，因为不知道苏完瓜尔佳王爷和康熙都商议了些什么，总觉得不是儿女私情那么简单。

康熙忙于批阅公文，对我好似并未多加留意，我只得小心谨慎地服侍着。一天下来，康熙始终未曾发话，仿佛昨日的事情从未发生过。我心里不但没有安心，反倒越发害怕，只怕现在越平静将来暴风雨来得越猛烈，可是又无计可施，只得也装做一切如常的样子。

晚上去见敏敏，她的两只眼睛红肿如核桃。我摇头叹气说："可真是没法见人，难怪一直躲在帐内。"

敏敏歪靠着软枕，说："果如你所料，阿玛答应去求皇上不给我指婚了，说让我自个儿在草原上好好挑一个。不过，阿玛说，那个伊尔根觉罗·佐鹰，他倒是很中意。"

我点点头，笑看着她，没有说话。她忽而嘴角带着丝笑说："阿玛对你满口夸赞，说难怪皇上这么看重你。"

我诧异地看着敏敏，敏敏直起身子说："我跟阿玛说，我想通了，不想嫁十三阿哥了。阿玛以为我哄他，只是骗他不要给我指婚而已，我就把你对我说的话全告诉阿玛了。"

我大惊，忙问："我和八阿哥……"

敏敏截道："我虽莽撞，可又不傻，这件事情除了你我，绝对不会再让别人知道的。"我释然地点点头。

她继续说道："我一面哭着一面对阿玛说，我都想明白了，十三阿哥他都不中意我，我嫁他也没什么意思，我不嫁了！阿玛听后连声惊叹，说我是个有福气的人，交了你这么个朋友，还说不用我假装抹脖子了，他不会逼我嫁给佐鹰王子的。"

我笑看着她，因为她的放手，她的确是一个有福气的人。

她忽地说："若曦，我叫你姐姐可好？"

我笑着说："叫吧，不过只许私下里，人前可不许的。"她忙应了，又柔柔叫了声："姐姐。"两人握着彼此的手都笑了。

她笑容未散，脸色又转黯然，我叹道，又想起了。毕竟知易行难，明白道理的人很多，可到真正做时又有几个能做到呢？敏敏能如此，已经很是难得了。

她沉默了半晌，忽地说："姐姐，我想我即使找到星星，恐怕也不会忘记他的歌声和笑容，我也不想他就此忘了我。我想跳支舞给十三阿哥看，我只想着，以后每当他看到别人跳舞时就会想起我，想起有这么个人给他跳过舞。"

我了然地点点头，柔声说："我一定帮你设法让十三阿哥永远不会忘记他所看到的。"敏敏凄然一笑，靠在了我怀里。

这段时间我忙得头一挨枕头，就一无所觉，再睁眼时，天已大亮。人未起床，脑子里就开始仔细思量，何样的衣裙，什么颜色相配，如何搭建舞台，怎么让工匠们明白我想要的效果，何处以现在的工艺必须放弃、何处可以折中。

每日当完值，就去找敏敏。敏敏的哥哥合术被我们使唤得团团转，老是苦恼地问："你们究竟想干什么？"敏敏一撇嘴，他又忙陪着笑脸连声说"好"。苏完瓜尔佳王爷却是凡事必应、所要必给，不问原因，只是笑笑地由着我们折腾，康熙面前也是他去说的话，方便着我们闹。

一日众人都在，我正在奉茶，康熙看着我笑说："你整日风风火火的，工匠们被你使唤得大兴土木，今日要绸子，明日要缎子，摊子铺得这么大，回头要玩不出个花样，倒要看看你脸往哪里搁？别带累朕被嘲笑，身边都没个能拿得出手的人。"

我俯身笑回："到时就要万岁爷帮奴婢了，只要万岁爷说好，谁还敢笑奴婢呢？"

康熙笑斥道："若不好，朕第一个骂你。"

我笑着躬了躬身子，未说话。苏完瓜尔佳王爷倒是笑道："若不好，第一个要骂的肯定是敏敏，都是敏敏爱胡闹。"

康熙笑看了我一眼，望着伊尔根觉罗·佐鹰王子问："去年冬天下雪，冻死了不少牛羊，今年可有防备？"伊尔根觉罗·佐鹰王子忙细细回复。

我一面托着茶盘出来，一面想着，未见前，从未想到这个佐鹰王子是这样的男子，与潇洒不羁的十三阿哥、明朗英挺的十四阿哥并肩而立时，竟然未有丝毫逊色。相貌说不上出众，可是眉目间蕴涵的豪爽精明，举止的从容大度，让人一看就想起翱翔九天之上的雄鹰。苏完瓜尔佳王爷的眼光是极好的，只是不知道他与敏敏有无缘分。

整日忙个不停，不知不觉中已经两个多月了。蒙古人明天就走，今日晚上，康熙设宴为蒙古人送行。

以康熙为中，苏完瓜尔佳王爷侧坐一旁，其他众位阿哥、王子，随行大臣们四散而坐。康熙仔细打量了一下四周，笑问我："你忙活了两个多月，怎么黑魆魆的，什么也看不分明？"

我躬身笑道："还未点灯，待点灯后，就清楚了。万岁爷如果想看了，奴婢命他们开始。"

康熙笑看向苏完瓜尔佳王爷和佐鹰王子，两人都忙躬身笑说："随皇上兴致。"康熙向我点点头，我看了眼李德全，他也向我点点头。因为过一会儿这边的篝火和灯要全部熄灭，所以事先请示过康熙，李德全特意加强了侍卫，此时康熙身边就有四个在近身护卫。太子爷及众位阿哥入席时都诧异地打量过，但见康熙谈笑如常，才又各自平静。

我拿起事先备好的铜铃铛，躬身面朝康熙说："皇上，奴婢要命熄灯了。”康熙点点头，我拿起铜铃摇了三摇，一瞬间灯火俱灭，整个营地变得黑魆魆。众位阿哥和官员们事先没有预料到居然是瞬时完全黑暗，不禁发出惊讶之声。我心笑，要的就是这个效果，这才不枉费我训练多时的心血。

待大家适应了黑暗后，我静了静心神，又摇了摇铜铃。随着两声脆响，一片幽幽蓝色在前方慢慢亮起，起伏波动，仿若碧涛，令人想起月夜下的大海。

若有若无的马头琴声，如丝如缕地缠绕在迷离蓝色中，闻之不禁心神恍惚。一轮明月从海面缓缓升起，月牙、半月、满月，台下众人仰头看着悬于空中的圆月，隐约可闻惊异之声。

马头琴声渐渐清晰起来，好似随着月亮的升起，那个拉琴的人儿也从苍茫夜色中走近了大家。随着几声鼓响，一个体态秾纤得衷、修短合度的女子出现在圆月中。她步步生姿，摇曳生香，金钗步摇微晃，广袖长带轻舞，最后缓缓定格成一个敦煌莫高窟中反弹琵琶的飞天姿态，仿若将飞而未翔，欲落而迟疑。

隔着月亮，她的身姿只是一个黑色的剪影而已，就已经让人觉得翩若惊鸿、宛若游龙，令人心向往之；但又是那么仙姿灵秀、孤高清冷，使人自惭形秽。

琴鼓声戛然而止，全场落针可闻。众人抬头凝视着月中仙子，疑问于她是归去或是来兮？极度的静谧中，乍起琵琶裂帛之声，人人心中惊动。

惊未定，仙子已长袖展动，罗带飘舞，身姿或软若绵柳随风摆，或灼似芙蕖出渌波，或灿若朝霞，或缓若清泉；仿佛兮若轻云之蔽月，飘飘兮若流风之回雪。动无常则，若危若安；进止难期，若往若还。

观者无不动容于月中之舞，琵琶渐渐转慢，声越去越低，几近不可闻。月儿缓缓落下，光芒渐渐黯淡，仙子舞动的身姿慢慢迷蒙。终于，月中仙随着月儿消失在黑暗中，只余台上无声流动着的幽蓝波涛，迷离恍惚，恰似众人此时的心情。

我游目四顾，只见近前的太子爷满脸的色授魂与；九阿哥目大瞪、口微张；伊尔根觉罗王子虽面色如常，但身子却情不自禁地微微前倾，似乎想要抓住那逐渐逝去的月儿。我看着十三阿哥赞叹激赏的神情，不禁微微笑了起来。从此后，你见了月亮，只怕总会偶尔掠过敏敏的身影吧？

我拿起铃铛摇了三下，台上的灯光顿时暗去，整个世界又沉浸在了黑暗中。大家这才回过神来，黑暗中传来轻重不一的叹气声。康熙猛地赞道："好一个月中舞！"座下之人纷纷大声附和。

我在暗中向康熙躬着身子道："敏敏格格还要再唱一支曲子。"

康熙叹道："曲子竟然还放在舞后，难不成还能更好？"

我笑道："更好可不敢说，只望能博万岁爷一笑。"

正说着，听到台子那边传来两声铃响。我笑问："皇上，可以开始了吗？"

康熙说："开始。"

我拿起铜铃摇了两下，铃声刚落，密集的鼓声响起。随着鼓声，百盏点亮的灯笼缓缓上升。居中的灯笼大如磨盘，往四周而去渐小，外围的不过拳头大小。待得灯笼升至高空，遮在台前的幕布随着一声重重的鼓声迅疾而落，映入众人眼帘的是株株怒放着的红梅，隐隐有微风吹来，枝条随风而动，竟有片片花瓣随风回旋着缓缓飘落，一片静谧夜色中暗香浮动。

明知这个季节，台上的不可能真是梅花，可众人仍然禁不住轻嗅起来，有人低低叫道："真是梅香"。

笛声渐起，声音越拔越高，越去越细，直至云霄，忽地一个回落，猛然不可闻。众人心中猛地一个空落，正在失望，忽见梅林深处，一位身披滚边白兔毛大红斗篷的盛装丽人正打着青绸伞逶迤而来，身姿轻盈，体态婀娜。笛声再次响起，她一面走着，一面唱道：

> 真情像草原广阔
> 层层风雨不能阻隔
> 总有云开日出时候
> 万丈阳光照亮你我
> 真情像梅花开过
> 冷冷冰雪不能淹没
> 就在最冷
> 枝头绽放
> 看见春天走向你我
> 雪花飘飘北风啸啸
> 天地一片苍茫

一剪寒梅

傲立雪中

只为伊人飘香

爱我所爱无怨无悔

此情长留心间

丝丝哀恸深藏其中，却哀而不伤，志气高洁，宛若红梅历经风雪，虽有凋零，却仍然傲立枝头。

随着歌声，上悬的灯笼一圈圈熄灭，台上的灯光慢慢变暗，天上开始下起了雪，洁白雪花纷纷飘落，在空中回旋而舞。敏敏傲然而立在红梅间，人花同艳。纯白的雪，艳红的梅，组成了一个白雪红梅的琉璃世界，而敏敏是整个世界中最亮丽的景致。

敏敏歌声渐低，若有似无，其余灯笼俱灭，只留中间的灯笼照在敏敏和梅花上。她扔掉了伞，半仰着头，目视着半空中飘飘荡荡的雪花。灯光下，她的脸色晶莹剔透如玉琢，嘴角含着丝笑，眼神迷茫，神色凄凉，缓缓伸手去接雪。

刹那间，灯灭声消。黑暗中，我的眼前只剩下了她似凄迷似快乐，像个孩子一样去接雪的身姿。敏敏感情毕现的神情狠狠地撞到了我心上，脑中浮现着很多年前的那场雪，我也是穿着一身大红羽绉面斗篷，如一个找不到家的孩子般，迷茫地行走在雪地里，他踏雪而来，挽起了我的手。心思百转千回，一时呆了过去。

"若曦！"李德全大声叫道，我猛地啊了一声，他责备道："想什么呢？皇上叫了好几声了。"

康熙笑说："不要说她了，朕也是听得出了好一会子神。"

我忙说："奴婢这就亮灯。"说完，摇动手中的铃铛，起先灭了的灯和篝火都再次点亮。

敏敏换了衣服出来行礼，不同于往日颜色鲜艳明媚的服装，此时她只穿了一身月白裙衫。可是不但无损于她容貌的亮丽，反倒淡极始知花更艳，越发瑰艳无双。

康熙看着苏完瓜尔佳王爷叹道："朕很多年未曾如此专注地看过歌舞了。"

苏完瓜尔佳王爷骄傲地笑看着女儿，口中却连连说道："皇上过誉了。"

敏敏静静地立在苏完瓜尔佳王爷身旁，神色沉静，姿态娴雅，自始至终未曾瞟过十三阿哥一眼。我心叹道，不过两个多月的时间，她就不再是那个举止随心的小女孩，现在的她已经是一个曾经心痛的小女人，也许她变得更有风情，但是单纯的快乐也已经远离了她。是否宝石总是要经过痛苦的磨砺才会光彩四射呢？

佐鹰王子细看了敏敏几眼，垂目沉思。我笑想，这只雄鹰的心今夜怕是就遗落在敏敏身上了，只是他将来能否捉住敏敏的心呢？

康熙看着敏敏笑说："来给朕说说，你那些月亮、雪的都怎么弄的。"敏敏看了我一眼，笑回道："起先的幽蓝灯光和起伏水波是用蓝纱覆地，下有蓝色小灯笼，灯光透过蓝纱照出来，在一片黑色中，看上去就是幽幽蓝色，再命人在台子下面用扇子轻扇，自然就有水波浮动的感觉。月亮也是同理，用竹篾搭好圆圈，绷上淡黄纱，周围附着小灯笼，灯笼的罩子是用银线织的，只向着月亮的那面用透明薄纱，这样光不外泄，全打在黄纱上，在夜色中就如一轮圆月了。升起和降落是用绳子固定好，背后有人控制。我实际上是在背后搭建的平台上跳舞的，底下的众人透过月亮看过去，却好似在月亮里跳舞。月亮明暗事先试验过，通过每根蜡烛的多少就可以决定了。红梅是用真树，配上上等的宫绢扎成的花，在灯光下看着也就似幻似真。梅花香是极品的梅花露，特命人在暗处用火加热，再用扇子送出香气，自然就是梅香浮动。雪花是用近乎透明的薄丝裁剪而成，再混杂一些细碎棉花，上头宫女轻洒，再用大扇子用力扇就可以了，灯光一点点变暗，也是为了让雪花看上去更真。"

敏敏一口气没停歇地说完，康熙听得微怔，瞟了我一眼道："难为你和若曦的这番心思了。"

敏敏笑笑未说话，我忙俯身说："其实就是材料齐全，都要上等，然后多练，讲究所有人之间的配合，说白了很简单，这些场面也就是砸银子，最后好不好，关键还在敏敏格格。"

康熙笑道："你别忙着谦虚了，砸银子也要砸到点子上才行。早知道你有这本事，宫里的宴会歌舞倒是该让你去操持。"

我忙赔笑说："奴婢也就这么点儿本事了，不过是程咬金的三板斧，已经黔驴技穷，万岁爷就莫要为难奴婢了。否则只怕下回万岁爷看完歌舞要责备奴婢，怎么只是把月亮换成太阳，嫦娥变成乌鸦了呢？"

话音刚落，下头的阿哥大臣们都笑起来，康熙笑斥道："看把你精乖的，明摆着是偷懒，都有那么一箩筐的话。"

我低头笑回："奴婢不敢。"

康熙笑着又夸赞了敏敏几句，赏赐了她一柄玉如意。苏完瓜尔佳王爷目视着敏敏磕头领赏后，笑对康熙道："臣想赏若曦件东西。"

康熙笑道："再好不过，朕今次就省下了，这丫头专会从朕这里讨赏，这些年也不知道算计走了多少好物件。"

苏完瓜尔佳王爷一面笑着，一面从怀里拿出块玉佩递给侍立一旁的太监，太监双手捧着递给我，我忙跪下谢恩。苏完瓜尔佳王爷看了眼敏敏，说道："同样的玉佩敏敏手里也有一块，敏敏本来还有一个孪生姐姐，她们出生后，本王喜难自禁，恰好又得了块美玉，特命人去雕琢两块玉佩，没想到玉佩未成，她姐姐就夭折了。"说完，苏完瓜尔佳王爷轻叹了口气。众人未料到这块玉佩竟然是这么个来历，全都神情微惊，定定凝视着我。

我磕了个头，手捧玉佩对苏完瓜尔佳王爷说："这块玉佩寄托了王爷的思女之情，奴婢实在不敢接受。"

苏完瓜尔佳王爷笑了笑说："本王既赐给了你，就没有什么敢不敢的了。"说完，看着康熙。康熙微笑着对我说："收下吧。"我又磕了个头，收起了玉佩。

场面冷寂，各位阿哥都面带思索地凝视着我。我实在琢磨不出这块玉佩具体代表了什么，苏完瓜尔佳王爷如此做，到底向康熙传递了个什么意思？还是他们早有默契？疑惑地看向敏敏，她只是甜甜地向我一笑，满脸的欣悦欢喜。我心中一暖，暂时抛开了疑虑，也向她甜甜一笑。

夜色渐晚，康熙毕竟年龄已大，耗不得太晚，吩咐了太子几句后，李德全陪着先走了，苏完瓜尔佳王爷也随着一同离去。他们一走，席上气氛反倒越发轻快起来。佐鹰王子和十三阿哥相谈甚欢，两人豪迈时击箸而歌，时而蒙语，时而汉语，兴起时一仰脖子就是一碗酒。

合术王子和九阿哥、十四阿哥对上了，三人划拳喝酒，谈笑宴宴。四阿哥带着丝笑意看着十三阿哥和佐鹰王子，时而与他们举碗一碰。八阿哥反倒是和太子爷低声笑语。其他众位蒙古大臣和此次随行的大臣也是各自喝酒谈笑。

我缩在阴暗处，看着眼前的一幕，虽知道自己是痴心妄想，但还是禁不住盼望时间能驻留在这一刻，只有欢笑，没有争斗。

"姐姐，你在想什么？"敏敏不知何时站在了我身侧。我看着灯火明亮处的他们，喃喃道："'原来姹紫嫣红开遍，似这般都付与断井颓垣。良辰美景奈何天，赏心乐事谁家院。'"

敏敏低声问："什么意思？"

我轻声道："只是感叹你明天就要走了，相聚的快乐时光太短暂。"

敏敏轻叹一声，说道："不知明年能否见到？"

两人各自有各自的伤感，都沉默了下来。

我整了整精神，对敏敏说："回去坐好，我送你一份离别礼。"

敏敏问："什么？"

我推推她，示意她回去："我去年答应过你的。"她听后，出了会子神，轻叹口气，转身快步而去。

我找人寻了笛子，轻握在手，朝十三阿哥的随身小厮三才招了招手，他忙匆匆而来，俯身请安。我笑说："去请十三爷过来一下。"

三才听完，又急急而去，在十三阿哥耳畔低语。十三阿哥侧头对佐鹰王子笑说了两句，又向太子爷行了个礼，大踏步而来。

十三阿哥带着酒气，笑说道："你今日这事可办得够漂亮，够狠毒的，待回去，我再和你算账！"

我一笑说道："敏敏明日就要走了，你给她吹支曲子吧，此一别，不知何时得见，就算是送别吧！"

十三阿哥点点头，伸手接过笛子，问："吹什么呢？她可有特别中意的曲子？"

我想了想说："就吹晚上她唱的那首歌。"

十三阿哥握着笛子沉思了一会儿，说道："没有刻意记谱子，怕吹不全。"

我一笑，低声哼了起来，慢慢哼完一遍，问："可记全了？"十三阿哥点点头。

十三阿哥携笛而回，笑向太子爷请安，说："臣弟想吹支曲子助兴，

可好？"

太子爷笑说："有何不可？都知道你笛子吹得好，可是总不肯轻易为人吹奏，今日难得你主动，我们倒是可以一饱耳福了。"在座各位都拍掌叫好。

十三阿哥一笑起身，横笛唇边，面向敏敏，微微一点头，婉转悠扬的笛声荡出。敏敏一听曲音，面色震动，定定看着十三阿哥。十三阿哥不愧是音律高手，只听过两遍，可梅之高洁不屈、伊人之深情尽现笛音中。

在座之人都是面带惊异，只有四阿哥、八阿哥和十四阿哥面色如常。毕竟这是敏敏晚上刚唱过的曲子，此时十三阿哥吹来，平添了几分暧昧。一曲未毕，敏敏已是眼中隐隐含泪，痴痴地看着十三阿哥。佐鹰王子看了看十三阿哥，又静静地注视着敏敏，面色柔和，眼神坚定似铁却又夹杂着心疼怜惜。我看着佐鹰王子，嘴角不禁微微上弯了起来，没有嫉妒，没有瞧不起，只是心疼怜惜，这是个奇男子！

尾音结束，十三阿哥向敏敏弯了弯腰，又从头吹起，敏敏站起，随音而唱：

> ……
> 雪花飘飘北风啸啸
> 天地一片苍茫
> 一剪寒梅
> 傲立雪中
> 只为伊人飘香
> 爱我所爱无怨无悔
> 此情长留心间
> ……

我在歌声中，向外走去，未辨方向，只随意拣着人少的地方走。歌声渐低，越去越远，终不可闻。我脑中忽地浮现"音渐不闻声渐消，多情总被无情恼"。人若无情，也许才真正能远离烦恼！

顺着山坡而上，一口气攀到最高处，看着不远处的营地，篝火点点，巡逻士兵的身影隐隐，又半仰头看向天空中的如钩残月，不禁长叹了口气，欢聚过后总是分外冷清。

忽听得草丛间窸窸窣窣的声音，侧头看去，四阿哥正缓步而来，我忙俯身请安，他抬了抬手让我起来。

两人都是默默地站着，我不喜欢这种沉寂的感觉，总是让人觉得压迫，想了想问道："王爷可熟悉佐鹰王子？"

四阿哥说："佐鹰王子的人你既然见过，心中也应大致有数。他才能出众，只不过是庶出，生母地位低贱，并不受伊尔根觉罗王爷看重。去年冬天，伊尔根觉罗人畜冻死不少，春天又为了草场和博尔济吉特起了冲突，这次来觐见皇阿玛不是什么讨好的差事，所以才会落到他头上，不过……"他顿了顿说，"倒是因祸得福，将来怕是要让伊尔根觉罗王爷和大王子头疼了。"

我听得似明白非明白，不知道福从何来，隐约感觉应该和将来谁继承王位有关，想着敏敏，叹道，真是哪里都少不了权力之争，只是不知道康熙和苏完瓜尔佳王爷究竟是如何想的呢？转而又想到敏敏还不见得会中意佐鹰王子，我现在想那么多干吗？

正在胡思乱想，四阿哥说："只是为他人做嫁衣裳！难道你就真想一个人过一辈子吗？不要和我说什么尽孝的鬼话，你的脑袋可不像是被《烈女传》蛀了。"

我沉默了一会儿，不知为何，也许因为晚上的一幕幕仍然激荡在脑海里，情感大于理智，也许是觉得一个懂得放小船赏荷的人应该懂的，竟然不由自主地说出了心里话："我太累了！这些年在宫里待着，步步都是规矩，处处都有心计，凡事都是再三琢磨完后还要再三琢磨，可我根本不是这样的人。我只想离开，想走得远远的，想笑时就大声笑，想哭时就放声哭，怒时可以当泼妇，温柔时可以扮大家闺秀。嫁人，现在看来，不过是从紫禁城这个大牢笼，换到一个小牢笼里，还不见得有我在紫禁城里风光，我为什么要嫁？这些年宫里的争斗看得实在太多了，后宫里的那些事情，王爷只怕也略知一二，可更阴暗的，都是你们男人不知道的。四王爷，我没有骗你，想着嫁人后的妻妾之争，我真觉得不如剪了头发去做姑子。"

四阿哥静了一会子，语气平淡地说道："你的身份让你不可能自己决定这些事情，皇阿玛对你越是看重，你的婚事就越是由不得自己。就拿今儿晚上的玉佩来说，苏完瓜尔佳王爷言语间流露出视你为女的意思，敏敏和合术也待你比对太子爷还好。现在虽摸不透苏完瓜尔佳王爷究竟最终打的是什么算盘，可皇阿玛如果想要给你指婚，只怕更是要左右权衡、郑重考虑。你若指望着能像其他宫女一样，到年龄就被放出宫，我劝你趁早绝了这个念头，不如仔细想想如何让皇阿玛给你指一门相对而言能令自己满意的婚事，才更实际。"

我一面听着，一面怔怔发呆，心只是往下掉，我最后的一点儿希望居然被他几句话就残忍地打碎了！原来不管我怎么挣扎，最终都不免沦为棋子，禁不住苦笑起来，悲愤地说："我若不想嫁，谁都勉强不了的。"

四阿哥平静地看着我，淡淡说："那你就准备好三尺白绫吧！"停了会儿，又加了句："还要狠得下心不管你的死是否会激怒皇阿玛，是否会牵累到你阿玛和你的整个家族。"

我茫然地想，难道真有一日，我要为了拒绝婚事而搭上自己的性命吗？虽然以前也曾拿此要挟过八阿哥，可那只是一个态度、一个伎俩而已。从小到大，从未想过自杀，也一直很瞧不起那些自杀的人，父母生下他，辛苦养大他，难道是让他去了结自己性命的吗？总觉得事在人为，凡事都有回旋的余地。毕竟能有什么比生命更宝贵呢？不仅仅是为自己，更是为了父母，为了爱自己的人，活着才有希望。

他缓缓说："宫里是最容不得做梦的地方。早点儿清醒过来，好好想想应对之策，否则等到事到临头，那可就真由不得自己了。"

我不甘心地问："我不嫁，真的不可以吗？我不嫁，不会妨碍任何人，为什么就非要给我指婚呢？"

四阿哥冷冷地说："你是听不懂我的话呢？还是你根本不愿意明白？决定这件事情的人是皇阿玛，你只能遵从。"

我根本不愿意明白？我是不是一直在下意识地哄着自己面前是有幸福的？要不然这日子该怎么熬呢？

过了好久，四阿哥淡淡问："你心里就没有愿意嫁的人吗？就没有人让你觉得在他身边，不是牢笼吗？"

我怔了一会儿，摇摇头。他盯了我半晌，转头凝视着夜色深处，再未说话。

两人一路沉默着慢步而回，行礼告退时，我诚心诚意地对他说道："多谢四王爷。"他随意挥了挥手让我起来，自转身离去。

第十九章

木兰花开有情无

康熙四十九年九月　畅春园

自从八月从塞外回来后，令康熙忧心的事情就不断。福建漳、泉二府大旱，颗粒无收，当地官员却私自贪吞赈灾粮草，以致多有饿死之人。康熙闻之震怒，命范时崇为福建浙江总督负责赈灾，又调运江、浙漕粮三十万石去福建漳、泉二府，并免了二府本年未完额的税赋。

此事余波未平，九月又爆发了户部亏蚀购办草豆银两的案件。历经十几年，亏蚀银两总额达四十多万，牵扯在内的官员，从历任尚书、侍郎，到其他相关大小官员，共达一百二十人。康熙听完奏报，当即就怔在龙椅上，半晌未曾做声。

我们底下侍奉的人是小心再小心，谨慎再谨慎，唯恐出什么差错，招来杀身之祸。一日，收拾妥当茶具，出了茶房，未行多远，就见十三阿哥脸色焦急，正对王喜几个太监吩咐事情，说完后，几个太监立即四散而去。

什么事情能让十三阿哥如此着急？不禁快走几步，请安问道："发生什么事情了？"

十三阿哥急道："皇阿玛要见四哥，可四哥人却不知在哪里。"

我闷道："你都不知道王爷的行踪？"

他脸色隐隐含着悲愤，对我低声道："你今日未在殿前当值，不知道头先发生的事情。众人商讨如何处理户部亏蚀的事情，四哥和皇阿玛意见相背，被皇阿玛怒斥为'行事毒辣，刻薄寡恩，枉读多年圣贤书，无仁义

君子风范'，当时就斥令我们跪安。"

我诧异地"哦"了一声，想着他一贯韬光养晦、城府深严，怎会和康熙正面冲突？

十三阿哥说道："我和四哥跪安出来后，他说想一个人静静，所以我就先行了。人刚出园子，王公公就匆匆寻来，说皇阿玛又要见四哥。守门的侍卫都说未曾见四哥出来，想必还在园子里，所以赶紧命人去寻。"抬眼看了看四周，急道："也不知道一时之间，寻到寻不到？我要去找他了。"说完，提步就走。

静一静？我心中微动，一把拽住十三阿哥，说道："你随我来。"

十三阿哥忙跟了来，一面问："去哪里？"

我未答话，只是急走，待到湖边时，弯身去桥墩下看，果然，那只小船不在了，心中松一口气，转身笑对十三阿哥说："四王爷只怕是在湖上呢！"

举目看向湖面，不同于上次一片翠绿和才露尖尖角的花苞，现在满湖都是荷花，虽已经由盛转衰，略带残败之姿，但仍是一湖美景。

十三阿哥顾不上问我如何知道四阿哥在湖上，立在拱桥上，望着一望无际的满湖荷花，叹道："这如何去寻？"

我无奈地道："只得寻了船去撞撞运气了。"说着，急步跑出去叫了人去找船。

待得太监们搬了船来，十三阿哥抢过船桨就上了船，我也急急跳了上去，未等我坐稳，他就大力划了起来。

他划着船，我不停地叫着"四王爷"，小船兜来绕去，却始终未曾听到有人答应。两人都是心下焦急，他越发划得快了起来，我扯着嗓子，只是喊"四王爷"。

"四……"忽地看到四阿哥划着船正从十三阿哥身后的莲叶中穿出来，我忙对十三阿哥叫道："停，停！"一面指着后面。

十三阿哥转身喜道："可是寻着了，皇阿玛要见你。"

四阿哥缓缓停在我们船旁，我忙躬身请安，他扫了我一眼，神色平静地对十三阿哥淡淡说："那回吧！"说完，率先划船而去。

十三阿哥坐于船上却是身形未动，我正想提醒他划船，他猛地紧握拳头狠砸了一拳船板，小船一阵乱晃，我慌忙手扶船舷。

他面色沉沉，拳紧握，青筋跳动，过了一小会儿，他缓缓松开了拳头，拿起桨，静静划船追去。

我凝视了十三阿哥一会儿，又转头看向前方那个背影，腰杆笔直，好似无论任何事情都不能压倒，可瘦削的背影隐隐含着伤痛落寞。

晚间在房中想了半日，终是去找了玉檀，淡淡问："白日万岁爷因何斥责四王爷？"

玉檀低声回道："商讨如何处理户部亏蚀的事情时，太子爷、八贝勒爷都说念在这些官员除此外并无其他过失，多年来也是兢兢业业，不妨从宽处理。万岁爷本已经准了由太子爷查办此事，四王爷却跪请彻底清查，严惩涉案官员，说从轻发落只是姑息养奸，历数了多年来官场的贪污敛财，并说其愈演愈烈，民谣都唱'九天供赋归东海，万国金珠献澹人'。皇上因此大怒，斥骂了四王爷后，喝令四王爷和十三阿哥跪安。"

我点点头，又问："那皇上后来召见四王爷时又说了些什么？"

玉檀纳闷地说："没有多说，只吩咐四王爷和十四爷协助太子爷查清此事。"

我轻叹了口气，看来康熙并不是完全不理解四阿哥的想法，所以才会派四阿哥也参与调查此事，希望能对贪污之风有所遏制，可理解归理解，他最终仍然是偏于太子爷和八阿哥的做法。

一个多月后，一个人在园中闲逛，看着碧蓝的天空，想着秋天，正是适合登高远眺的季节，可惜康熙因为诸事缠身，今年只怕没什么好兴致游玩了。一面想着，一面沿着楼梯，登上阁楼。

还未上到二层，就看到四阿哥背负双手，凭栏迎风而立，袍角飞扬，十三阿哥侧趴在栏杆上，两人都只是沉默地看着外面。

我忙收住步子，想静静退下楼去，但十三阿哥已经回头看向我。只好上前躬身请安。四阿哥恍若未闻，身未动、头未回，十三阿哥朝我抬了抬手，拍了拍他身侧的位置示意我坐。

我向他一笑，起身走到他身侧，看着楼下将黄未黄，欲红未红，颜色错综的层林道："是个赏景的好地方。"

两人都没有搭腔，我只得静静站着，正想要告退，十三阿哥忽地问道："若曦，你觉得对贪污的官员是否该严办？"

我"啊"了一声，不解地看向十三阿哥，十三阿哥却仍然是脸朝外趴于栏杆上，看不到他的表情。想着这次的贪污案件，我笑道："奴婢一个宫女，怎么知道如何办？十三阿哥莫拿我取笑了。"

十三阿哥回头似笑非笑地看着我说："你别给我打马虎眼，你脑子里装了多少东西，我还约莫知道的。"说完，只是盯着我。

我蹙着眉，想了想说："自古'贪污'二字之后紧跟的就是'枉法'，窃取民脂民膏固然可恨，更令人痛恨的却是'枉法'。为了阿堵之物，总免不了上下勾结，互相包庇，违法乱纪，更有甚者杀人性命，瞒天过海都是有的。"

十三阿哥淡淡说："别耍太极了，回答正题。"

我琢磨了一下，觉得十三阿哥今日不大对劲，我已经两次回避了话题，以他的性格和对我的了解，他早就该撂开了，可他仍然不依不饶地追问，显然是要听我的真实想法。虽然我的真实想法并不妥当，可眼前的人是十三阿哥，不管妥当不妥当，真是大逆不道，他既然真想知道，那么我自然会告诉他。

十三阿哥见我一直不说话，笑问道："想好了吗？"

我微笑道："严惩不贷！姑息一时，贪污之风一起，只怕吏治混乱。吏治混乱比贪污更可怕，官若不是官，民不聊生后自然也民不能是民了。"

十三阿哥带着丝笑，点点头，向我勾了勾手，我俯身倾听，他问："如果犯事的是九哥，你会如何？"

我怔了一下，说："该怎么办就怎么办呗。"

十三阿哥扯了扯嘴角低低说："你该不会真的相信'王子犯法与庶民同罪'吧？"

唉！十三阿哥今日是非要把我逼到墙角不可！想了想，认真地对十三阿哥说："让他把拿去的银子都还回来，狠狠打他一顿板子，让他半年下不了床，再罚他去街头乞讨三个月，尝尝穷苦人是怎么过日子的。从此也知道一下将心比心。至于说从犯，全都重重惩罚，给其他人个警醒，没有人护得了违法乱纪之人，从此后只怕他就是想贪也没得贪了。"

十三阿哥的表情有几丝释然，看了一眼四阿哥，笑着点点头道："亏你想出这种法子，倒是不顾念你姐夫。不过，你可要记住你今日所说的话。"

我定定看了他一会儿问："这次的事情，牵扯到九阿哥了吗？"

他说："目前没有，今日皇阿玛已经说了'此事到此为止，对牵涉官员免逮问，责限偿完即可'。"

康熙竟然如此处理这么大一桩贪污案件，只让官员还回银两就可以了？我不禁愣在那里。十三阿哥叹道："光账面上就查出了四十多万两银子。一亩良田只要七至八两银子，一两多银子可就够平常五口之家吃穿一月了。"

我脑子里下意识地一过，惊道："大约够二百万人吃穿一个月。"想着这几年的天灾和饿死之人，再无话可说。现代的官员贪污虽然可恨，可是毕竟生产力发达了，不会因他们贪污就饿死人，如今可真是拿百姓的性命换了银钱享受。

四阿哥此时好像才回过神来，侧头看着十三阿哥淡淡说："事已经完结，多想何益？"

十三阿哥手敲着栏杆，张口欲言，却又止住，静谧中，只有笃笃的敲杆声越来越急促。

我随在他二人身后下了阁楼，正要行礼告退，四阿哥淡淡对十三阿哥说："你先回吧。"十三阿哥笑睨了我一眼，点点头转身大步离去。

四阿哥吩咐了声："随我来。"快步向林子走去，我睨了一会儿他的背影，随他而去。

他进了林子，转身站定，一面从怀里拿出一个小木盒递给我，一面说："本想着从塞外回来就还给你的，连着这么多事情耽搁了。"

我看着他手中的木盒，约莫知道里面是什么，原来兜了一个圈子，我又兜回了原地。

他看我只是看着木盒，却未伸手接，也不说话，手仍然固执地伸着。两人僵持半响，我轻声说："我不能收。"他手未动，只是定定地凝视着我，目光好似直接盯在了我的心上，点点酸迫。

他忽地惊诧地望着我身后，失声叫道："十四弟！"我一惊，顾不上其他，看着眼前的木盒，瞬间反应就是赶忙夺过，急急藏在了怀里，又定了定心神，才鼓起勇气转身请安。

没有人？！我一时有些呆，仔细扫了一圈四周还是没有人。脑中这才反应过来我是上当了，猛地转身看着他叫道："你骗人？"一瞬间不是生气，而是不敢相信。

他眼中带着嘲笑讽刺道："竟然真的管用，你就这么怕十四弟？"

我喃喃道："不是怕，而是……"摇摇头，没有再说。

沉默了一会儿，忽地反应过来，忙掏出盒子，想还给他。他斜睨了我一眼，快步而去，我紧跑着追过去。他头未回，说道："你打算一路追着出园子吗？那恐怕十四弟真的就看见了。"

我脚步一滞，停了下来，只能目送着他大步流星而去的背影。

康熙五十年　紫禁城

元宵节刚过，宫里的花灯还未完全撤掉，人人眉梢眼角仍然带着节日残留的喜气和闲适。

"这灯倒真是花了工夫的。机关精巧，收拢方便，就连上头的画只怕都是出自大家之手。"我一面细细看着手里的走马灯，一面笑对十阿哥和十四阿哥说道。

十阿哥笑道："知道你会喜欢。"

十四阿哥哼了一声道："赶紧多谢几声十哥吧，这可是他从人家手里强抢来的。"

我诧异地看着十阿哥，他瞪了十四阿哥一眼说："就知道拆我的台，灯笼可是你先说要的，也是你说拿给若曦玩的。"

十四阿哥撇了撇嘴，嘲笑道："可听得主人说原只是摆出来让大家赏的，多少钱都不肯割爱，我也就罢手了。最后可是你摆了身份，端了架子，说'爷就是看上了'，逼得对方硬是让给了你，我都替你寒碜，当时就赶紧溜了，还好意思在这里说。"

我听明白了事情来龙去脉，把花灯塞给十阿哥，气笑道："在我手里不过是件可有可无的玩意儿，对人家而言却是心头宝，赶紧还回去吧。"

十阿哥又瞪了十四阿哥一眼，说道："拿都拿来了，怎么还回去呢？你就收着吧！"

我还未搭腔，一旁一直沉默着的九阿哥淡淡道："不过一个灯笼而已，拿了又如何，又不是没给钱，何必这么矫情？"

我只作未闻，对十阿哥笑说："赶紧还回去。"

十阿哥看我态度坚决，皱着眉头无奈地收了起来，叹道："还就还吧，白花了那么多工夫。"

我嗔怪十四阿哥道："你人在旁边也不劝一下？"

十四阿哥指着十阿哥道："你问问他，我劝是没劝？可也要他肯听呀。我看这世上，他莽劲上来时，除了皇阿玛，就只三个人的话，他还听得进去。偏偏我不在其中。"

我和十阿哥异口同声地笑问："哪三个人？"一旁的九阿哥也生了兴趣，凝神静听。

十四阿哥笑看着十阿哥说："八哥。"十阿哥未说话，十四阿哥又指着我说："若曦。"十阿哥看着我嘻嘻一笑，没有搭腔。我笑瞪了十四阿哥一眼。十四阿哥强忍着笑对我道："最后一个是你小时候的冤家对头，现今的十福晋了。"

十阿哥脸色一下子很是尴尬，瞪着十四阿哥。

我笑瞪了眼十阿哥，岔开了话题，问："今年灯市可热闹？有什么好玩的事情？"

十四阿哥淡淡道："年年都差不多，没有多大新奇的。"十阿哥却是笑着讲起来今年元宵节的热闹，九阿哥不耐烦地催着要走。

三人正要离去，十三阿哥大赶着步子而来，一面挽着袖子，一面铁青着脸，直冲九阿哥而去，挥拳就打。十四阿哥忙赶着拦住了他，叫道："十三哥，宫里可不是打架的地方！"

九阿哥跳开了几步，看着十三阿哥冷笑道："十四弟，放开他！今儿我倒是要看看他有多大的胆子。"

十三阿哥气极，欲挣脱十四阿哥上前，却被十四阿哥紧紧拦抱住。我忙问十阿哥："到底怎么了？"

十阿哥茫然地摇摇头道："谁知道呢？"忽而又笑道，"今儿有热闹看了。"我瞪了他一眼，这个唯恐天下不乱的人。

我瞟了眼四周，现在还没有人，不过若再这么闹下去，只怕很快康熙就知道了，忙推着十阿哥说："你赶紧把九阿哥拉走。"十阿哥有些不情愿，被我恶狠狠地一直瞪着，才拖着步子上前，双手扯抱着九阿哥，向宫外走去："他要发疯，九哥还陪着他疯不成？何必跟他一般见识，我们出宫还有事情呢。"一面说着，一面两人拉扯着远去。

十四阿哥紧紧抱着十三阿哥，直到看不见两人的身影，他才松了手，一只手却仍是扯着十三阿哥的胳膊。十三阿哥怒道："你干吗挡着我打那个畜生？"

十四阿哥叹道："你在宫里和他打起来，事情真闹大了，只怕对绿芜姑娘不好。"

十三阿哥这才慢慢平静下来，气道："我昨晚上才知道此事，今日冷不丁见到他，火气冲头，只想照着他脸抡上几拳。"

我听得云山雾罩，怎么又扯上绿芜了？忙问道："究竟怎么回事？"十四阿哥看着我，脸色尴尬，没有搭腔。十三阿哥静了一会儿，对十四阿哥诚恳地说："十四弟，这次多谢你。"

十四阿哥讪讪地说："我上次还未谢你，你也就不必谢我了。何况此事本就是九哥酒醉之过。"

听着他俩的对话，看着十四阿哥尴尬的表情，又想着九阿哥好色的性子，心中大惊，不敢置信地问道："九阿哥对绿芜怎么了？绿芜不是早几年就脱籍赎身了吗？况且就是未赎身前，她也是卖艺不卖身的呀？"

十四阿哥尴尬地瞟了我一眼道："你个未出阁的姑娘家，打听这么多干吗？"

十三阿哥说："元宵节晚上的事情。那个浑蛋撞见绿芜，色胆包天，竟对绿芜用强，幸亏十四弟撞见，救了下来。"

我看着十四阿哥气道："知道九阿哥好色，没想到竟到如此地步，随便碰上个美貌姑娘就胡来，他个黑了心的混账东西！"

十四阿哥厉声呵斥道："若曦！"

我住了嘴，仍是气，对着十三阿哥说道："干脆你找几个人，哪天在外面偷偷截住九阿哥，麻袋一罩，神不知鬼不觉地暴打他一顿。"

十四阿哥气道："闭嘴，若曦！绿芜既然安好，此事最好的解决方法就是'大事化小，小事化了'，哪有越闹越大的道理？难道你要全京城都知道吗？最后只怕原本没有的事情都能被传成有。你让绿芜今后如何做人？"

十三阿哥沉默了半晌，对十四阿哥说："你回去跟他说清楚，如果他再敢胡来，我就是拼着被皇阿玛责打也先把他做了。"

十四阿哥只是一连地点头，说道："绝不会有下次。"十三阿哥又向十四阿哥说了声"多谢"，犹带着怒气匆匆而去。

等他走了，十四阿哥指着我骂道："你是吃了熊心豹子胆吗？阿哥你都敢骂？你有几个脑袋能被砍？"

我瞪了他一眼，没有说话。他放软声音说道："其实也不能完全怪九哥，那天晚上他多喝了几杯，恰巧身旁的人有知道绿芜出身风尘的，又被有心人激了几句，说'是十三爷罩着的人，看不上九爷'，九哥一时糊涂就有些失控了。"

我仰天冷笑两声，讥讽道："如此说来倒是绿芜和十三阿哥的错了，今日可真是长见识。"说完，转身就走。

十四阿哥在身后气道："我倒成'猪八戒照镜子，里外不是人'了，为了救绿芜，九哥气了我几天，如今你又气。早知如此泼烦，索性撒手不管倒好。"

我顿了脚步，想着十四阿哥的立场，转身回去，赔笑道："我也是气糊涂了，还是要多谢你的。"

他冷哼了一声未说话，我又赔笑道："要不你骂我几句，解解气。"

他指着我道："真是个……"摇摇头，吞了声，叹道："懒得和你夹缠！"说完转身而去。

我静静想了一会儿，忙追了上去。他听得脚步声，回身等着我，问："还有什么事情？"

我道："九阿哥的性子只怕不是那么容易撂开手的……"

话未说完，十四阿哥截道："既然救了，就要救彻底。这事我已经求了九哥，又让八哥也特地和九哥说了，他再怎么样也要给我们些面子。"

我忙躬身行礼，说道："多谢。"

他笑说："你和绿芜也就见过一次，怎么就对她这么上心呢？"

我道："她品性才情都是拔尖的，虽说我和她没什么深交情，不过，不要说还有十三阿哥，就是我们都是女人，也没有只看着的道理。"

十四阿哥摇头叹道："还是改不了这个脾气，一点儿也不顾着自个儿身份，随便就把自己和个风尘女子相提并论。"说着，两人都想起小时候在八贝勒书房为了绿芜吵架的事情，相对着笑起来。

他含笑道："你和十三哥倒真是坦荡荡的。"

我道："十三阿哥为人光风霁月，对绿芜也非你们所想。因为敬其才华，怜其身世，才多年维护，就像风雨交加中，为一朵美丽的花撑把伞，并不是想把花摘回家，而只是为了让这份美丽得以保存而已。"

他笑道："可我看绿芜对十三哥绝非仅朋友之义，当晚我怕九哥的手下暗中使绊，亲自送她回去。她路上求我千万莫让十三哥知道这件事情，说不过是受了点儿委屈而已，并无大碍，十三爷是个急公好义的脾气，不愿因自己而让十三爷惹上麻烦。那般光景下，换成一般姑娘哭都哭断肠了，她却一句抱怨也无，只是一心为十三哥考虑。"

我低头默想了会儿，叹了口气，遇到十三阿哥不知是她的幸或是不幸？这一片心思，只怕连她自己都永远不会想承认的。

十四阿哥也叹了口气，说道："你别光为别人叹气，自己的事情，自己也多想想，眼见着要到放出宫的年龄了，与其等着皇阿玛给你指婚，不知道嫁个什么人，不如自己趁早筹划，主动求皇阿玛给你赐婚。"

他的意思竟和四阿哥的建议一样，看来明眼人都知道这才是最好的，并且是唯一的出路。

他看我不说话，又说道："八哥真对你很好的。你嫁给他，他肯定不会束缚你，不管是出去骑马游玩，还是元宵节与我和十哥一块儿去看热闹，他肯定都依你，也不用年年锁在宫里，只能听十哥给你讲外面的事情。其实年年的热闹都不一样，否则我也不会年年都去凑热闹，只不过看着你的样子，觉得越给你说得多，你心里越难受……"

"别说了！"

他沉默了下来，我强笑了笑，道："我要回去了。"

他温和地说："你去吧，我也要出宫了。"

第二十章

事事堪惆怅，断柔肠

才刚立夏，天还未完全转热，康熙就吩咐筹备去塞外。虽说塞外之行年年都有，可每次去，我都很开心，毕竟离开紫禁城后，规矩少了很多，斗争也好像远了很多。纵马驰骋在蓝天白云下，享受着温暖的阳光，和煦的风，淡淡的青草香，我会觉得生活还是美好的，心还是轻快的。

此次去塞外随行的阿哥有太子爷、五阿哥、七阿哥、八阿哥、十四阿哥、十五阿哥等九位阿哥。除了偶尔和十四阿哥谈笑几句，其余的我一概能避则避，实在避不开请安就走。

这段日子似乎是我过得最清静的日子，不当值的时间，我总是一个人独自骑着马在草原上荡来荡去。兴起时打马狂卷过草原，累时卧在马背上由着它缓缓而行。很多时候一个人一匹马，从太阳初升到晚霞满天，嚼着干粮、喝着水，这里看看、那里赏赏，自得其乐的一整天就过去了。玉檀笑说："姐姐整日和马待在一起，好似越发不愿意和人说话了。"

我低头一笑，想着，连我自己都不知道何时变成这样的了。记得从小到大，我是个最耐不住寂寞的人，总是要呼朋引伴、三五成群的。初到深圳工作时，身边没有朋友，下班后都不敢回屋子，总是泡在酒吧。就是在贝勒府时，也是要丫头们陪着玩的，可就那样还要大叹"无聊呀无聊"，我似乎一直没有学会一个人的时间该如何打发。

时光容易把人抛，绿了芭蕉，红了樱桃，几番红绿之间，我已经悄悄改变，竟然开始享受一个人的清静。其实，此生如果能这样清清静静地过完，那就是我的福气了。

今年，苏完瓜尔佳王爷和敏敏都未来，只合术王子来觐见康熙，不过，敏敏托合术王子给我带了一封信。信未读完，我已经捂着肚子笑倒在毯子上。信中说，自从去年八月辞别康熙后，佐鹰王子连自个儿部落都未回，一路追着她而去，在她阿玛的邀请下又住进了王府中。信中全是讲佐鹰王子如何整天跟着她、如何讨好她，她又如何拒绝、如何摆架子捉弄他，佐鹰王子又是如何和她斗智斗勇，通篇读下来，好似敏敏仍未动心，可字里行间流露着她对佐鹰的赞赏，以及不经意的快乐。

我隐隐地觉得，只怕这就是敏敏的星星了，而敏敏是不会错过他的，因为佐鹰王子不会允许敏敏错过他。我似乎已经看到他们的幸福就在不远处等着了。

捧着信，一读再读，心情变得格外的好，我终于能在自己身边见到一段两情相悦的幸福了，没有指婚、没有强迫、没有委屈、没有利益，一切就是他和她。

看完信，跑出帐篷，牵了匹马就冲向了大草原，一边策马疾驰，一边笑着，敏敏的幸福让我忍不住地想为她欢笑。直到觉得累了，才慢了马速，趴在马背上休息，仍是嘴角含着笑意。

忽地听到马蹄声，睁眼看去，只见八阿哥正策马慢行在马侧。我脸上的笑意立退，忙坐直了身子，一面给他请安，一面说："奴婢还有些事情要做，贝勒爷如果没有其他吩咐，奴婢就告退了。"

他盯着我，淡声说道："刚才在山坡上一直看着你，很长时间未见你如此高兴了。"

我不知道说什么，只能低头沉默着。他眺望着远方，凝声问道："你真的放下了？"

我心中隐隐抽痛，面上却是静静回道："放下了。"

"你心里有别人了吗？"

我知道他误会了，但是误会就误会吧，嘴里只淡淡回道："没有。"

他侧头盯了我一会儿道："再过三年就到出宫年龄了，难道你愿意由着皇阿玛给你指婚？"

我随口道："明日事来明日愁，事事不由人，何必多想？"说完躬身告退，他嘴角带着丝冷笑点点头，挥了挥手让我走。我一扬鞭子打马而去。

未跑出多远，见十四阿哥正勒马立在山坡上，遥遥看着这边。想着此时撞上去，以他的脾气只怕又是一顿骂，索性假装未曾看见，自骑马回了营地。

把马送回马厩，缓步向自己帐篷行去，心中酸涩难言，正自低头默走，忽听得："若曦，想什么呢？"抬头看去，见合术王子和太子爷正笑吟吟地立在不远处，忙躬身请安。

不知道是因为敏敏，还是那块玉佩，合术王子待我格外与众不同，平时都是直呼我的名字，一如叫敏敏，又一再让我在他面前不要那么拘谨客气，我却是他说他的，我做我的。

合术王子笑道："瞅了你半晌，竟一无所觉。"

我赔笑道："是奴婢失礼了，请太子爷、王子责罚。"

他叹道："一句玩笑话，又没有怪你，就赶着赔罪，何必如此谨慎多礼呢？敏敏若有你一半，阿玛和我就不用那么烦心了。现在你在御前侍奉，没有机会，待将来出宫了，接你到蒙古好好玩一段时间，也改改你这个脾气。"

太子爷笑道："现在是没有机会，皇阿玛到哪里都带着她。不过再过两三年，她就到出宫的年龄了，皇阿玛也该给指门婚事了，王子若要请，怕不能只请一个人的。"合术王子微微笑了下，没有接话。

怎么大家都这么关心我的婚事，人人心中都惦记着？还觉得我不够烦，赶着个儿地提醒我？不想再说，扯了扯嘴角挤了丝笑，行礼告退，太子爷笑瞅了我一眼，让我退下。

秋风渐起时，康熙决定拔营回京，坐在马车中想着明年太子爷就要被二废，不禁叹道，明年的日子就没有这么好过了，得打起精神，面对这一场宫廷风暴了。又想着可能的指婚，更是愁上眉梢。我究竟该怎么办？

康熙五十年九月　畅春园

康熙从塞外回来后，就直接住进了畅春园。离各位阿哥的府邸都近，倒是方便了各位阿哥进进出出。

今日恰巧碰上十四阿哥，看他也不忙，遂叫住他，向他细细打听十阿哥和十福晋之间的事情。自打上次在御花园中康熙命各位阿哥陪同行乐，十阿哥却称病未来，此事就一直搁在心头，一直想找十四阿哥问个分明，却总没有合适机会，不是碰到时我忘了，就是想起时，却不合适问。

他嘲笑道："若不是从小在一块儿都知道，还真又要误会你了，哪儿有你这样的？这么关心人家夫妻间的私事，都不知道你脑子里整天想些什么？"

说归说，却还是笑讲了他所撞见的趣事。我一面听着，一面想，都是直肠子，脾气都急，都受不得气，却也都不失为真性情的人，还真是一对欢喜冤家，吵吵闹闹地过日子。

两人正在说笑，玉檀脸色焦急地跑到近前，匆匆给十四阿哥请了安，看着我欲言又止。我敛了笑意，问道："出什么事了？"

她看了十四阿哥一眼，盯着我说："头先太子爷……太子爷……和万岁爷要姐姐，求万岁爷赐婚。"

我脑子轰的一声炸开，脚发软，身欲倒，玉檀忙扶住我。耳侧全是嗡嗡的轰鸣声，玉檀似乎仍在说话，我却一句都没有听见，只想着，我究竟作了什么孽，老天竟对我一丝垂怜也无？

待我回过神来时，发觉自己已经坐在屋中。玉檀带着哭音道："好姐姐，你可别吓我。"

我无力地指了指茶杯，她忙端过来，让我喝了几口。我只觉茫茫然、空落落，不知道该想些什么，又该做些什么，随口问："十四阿哥呢？"

玉檀道："十四爷听完，气得脸色铁青，拔脚就走了，只吩咐我寸步不离地守着姐姐、看好姐姐。"

玉檀安慰说："姐姐，你先莫急，万岁爷这不是还没有点头吗？"

我发了半晌呆，觉得不能这样，事情绝对不能这样！对玉檀说："你仔细把今日的事情从头到尾，一点一滴地讲一遍，连皇上的一个眼神都要告诉我。"

玉檀道："太子爷来了后，芸香姐姐命我去奉茶。我端了茶盘进去时，太子爷正跪在地上，对皇上说'若曦早已到了适婚年龄，她性格温顺知礼，品貌俱是出众的，所以儿臣斗胆，想求皇阿玛做主，将她赐给儿臣做侧妃'。皇上沉默了好一会儿才说'若曦在朕身边多年，一直尽心服侍，朕也知道她该嫁人了，只是朕年纪大了，身边的确需要她这样心思剔透、知道冷暖的人。朕私心里本想多留她一段时间，再给她指门好婚事，赏赐一笔丰厚的嫁妆，让她风风光光地嫁人，也不枉她服侍朕一场。今日事出突然，朕要考虑一下……'然后，我茶已上好，再没有道理逗留，只能退出。因当时心中震惊，怕脸色异常，让皇上和太子爷瞧出端倪，一直都未敢抬头，所以不曾留意过皇上和太子爷的神情。"

细细琢磨，太子爷的心思我倒是大概明白，不外三个原因：一是康熙，二是蒙古人，三是我阿玛，其中蒙古人的因素显然居多，满朝皆知蒙古人和太子爷不和，太子爷为了巩固自己的太子之位，一直想和蒙古人修好。

可我对康熙的心思一丝头绪也无，如果康熙准了，我该如何，难道真要嫁给太子爷吗？或者抗旨吗？难道真要如四阿哥所说预备三尺白绫吗？

我知道所有人的结局，却唯独不知道自己的结局，难道这就是老天为我预备的结局吗？想着想着不禁悲从中来，忍不住趴在榻上哭起来。

玉檀晚上执意要守在我屋中，我无力地道："放心回吧！难道你还真怕我夜里悬梁自尽吗？万岁爷既然还没有点头，那事情还没有到绝路。再说了，即使到了绝路，我也不甘心就此认命，你容我一人静静。"玉檀见我话已说至此，只好回了自己屋子。

我躺在床上，前思后想，眼泪又汩汩而落，当年看十阿哥赐婚时悲怒交加，如今才知道何止是悲怒，更有彻骨的绝望。

披衣而起，缓缓走到桂花树旁，想着太子爷往日的嘴脸，再想着他见到敏敏的样子，只觉恶心至极，抱着桂花树，脸贴在树干上，眼泪狂涌而出。我是不是全错了？我的坚持是否最终害了自己？不管四阿哥、八阿哥，或是十阿哥，都比嫁给太子爷强！

四阿哥、十四阿哥、八阿哥都提醒过我，可我总怀着一份侥幸的心理，觉得还有几年呢，却不知道，我不惦记，自有人惦记，如今却是后悔也晚了。思一回，哭一回，不知不觉间天色已初白。

"姐姐怎么只穿着单衣？"开门而出的玉檀一面惊叫，一面几步跨过来扶我，刚碰到我身体，又叫道："天哪，这么烫手！姐姐到底在外面站了多久？"

我晕乎乎地被她扶到床上躺好。她一面替我裹被子，一面道："姐姐，你再忍忍，我这就去找王公公，请大夫。"

玉檀服侍着我吃了药，人又昏沉沉地迷糊着了。说是迷糊，可玉檀在屋子里的响动我都听得分明；说清醒，却只觉得眼皮重如山，怎么都睁不开。

不知道躺了多久，嗓子烟熏火燎地疼着，想要水喝，张了张嘴，却出不了声，觉得玉檀好似坐在身旁，却手脚俱软，提醒不了她，只是痛苦地皱眉。

"要水？"一个男子的声音，说着就揽了我起来，将水送到了我嘴边，一点点喂给我。喝完水，他又扶着我躺好，低头附在我耳边道："皇阿玛既然还未下旨，事情就有转机。"

我这才辨出来是四阿哥的声音，心中一酸，眼泪顺着眼角滑落。

他用手帮我把眼泪擦干，道："别的事情都不要想，听太医嘱咐，先养好病。玉檀被我命人支开了，估摸着就要回来，我不好多待。"说完，就要走。

我却不知道手上哪里来的力气，拽着他的袖子不肯放。也许只因为知道他是雍正，是未来的皇帝，所以盲目地认定这世上若有一人能救我，则非他莫属。

他不得已回身又坐下，低头凝视着我。我说不出来话，只是掉眼泪。他冷冷地说："你这人，早先给你讲了那么多道理，一句都没听进去，如今事情发生了，拽着我的袖子做什么？"

我清醒过来，他是未来的皇帝，不是现在的皇帝，话再说回来了，即使他有办法，又凭什么为我去得罪太子爷？放开了他的袖子，闭上了眼睛，只有眼泪仍顺着眼角滑落。

他弯腰帮我把眼泪擦去，低沉沉的声音响在耳侧："我现在没有办法给你承诺，因为我也不知道自己有没有办法，要你的人毕竟是太子爷，但我不会不顾你。"说完，帮我把被子掖好后开门离去。

吃了四服药，玉檀晚上又多加了被子替我捂汗，到第二日时，虽还头重如山，烧却已经退了，人清醒了不少。

昨日一天未进食，今日中午，玉檀才端了清粥，喂给我用。用完后，她服侍着我漱了口，又替我擦了脸，才收拾了食盒子出门而去。

我大睁着眼，盯着帐顶，想着如果康熙真有意赐婚，我究竟能做些什么，才能让康熙不把我赐给太子爷呢？知道太子爷明年就会被废，如果我能熬到那时候，康熙应该就不会赐婚了。可如果康熙真有意，我怎么可能拖那么久？

正在琢磨，忽听得推门声，以为是玉檀回来了。我未加理会，仍在前思后想。

"看着比昨日好些了。"

竟是男子的声音，我忙转头看去，十四阿哥正站在床边低头看着我。我撑着要坐起来，他忙拦住，道："好好躺着吧，没有那么多的礼。"说完，随手拽了个凳子坐在床边。

他静了一会儿，忽地蹲在床边，在我耳边低声说："知道太子爷为什么要娶你吗？苏完瓜尔佳王爷奏请皇阿玛给佐鹰王子和敏敏赐婚，奏章今日刚到，他消息倒是灵通。"他低低冷哼了一声说："其中曲折改日再和你细说。今日只问你，可想嫁给太子爷？"我摇摇头。他说："八哥现在不方便过来看你，他让我转告你，想办法在皇阿玛面前拖几天，十天左右，事情就会有转机。"

我心中又是惊又是喜，只是拿眼盯着十四阿哥，他坚定地点点头，我带着哭音道："多谢。"

他惊道："嗓子怎么烧成这样了？和鸭子一样了。"

我扯了扯嘴角，想笑却因心中太过苦涩，终只是静静地看着十四阿哥。

十四阿哥恨铁不成钢地叹道："早先让你自个儿趁早拿主意，你不听，如今到了这个地步，才知道后悔，嫁给八哥总比嫁给太子爷强了千万倍吧？"

我的眼中有了泪意，十四阿哥忙住了口："你好好养病，什么都别挂心。我回去了，这几日恐怕都不能来看你，照顾好自个儿。"

他前脚刚走，玉檀就端了一碗冰糖秋梨进来。我问她："你不用当值了吗？"

她回道："李谙达知道姐姐病了，特意让我照顾姐姐。"说完，想喂我喝糖水。

我道："不想喝。"

玉檀赔笑道："姐姐喝一些吧，这个最是润嗓子了。"我摇摇头，示意她拿走。她又劝了几句，见我一无反应，只好搁到了一边。

这个转机究竟是什么呢？而且十四阿哥只说是转机，就是说并不一定就会如何，不过，至少现在有条路暂且可以走了。如果只拖几天，应该还是可以，即使康熙要给我赐婚，也不可能急到我病中就下旨，让我带病接旨。想着心稍微安定了些。

　　正暗自思量，玉檀端了药进来，搁在桌上后，扶我起来。我拉住她的手，示意她坐在我身边，说道："玉檀，这药我是不能喝的。"她惊诧地看着我，我继续低声说："这么多年，我一直拿你当亲妹妹看，也不瞒你，我不想嫁给太子爷，眼前没有别的法子，只能借病先拖着，但又不可能装病，李谙达一问太医就什么都知道了，所以药你照常端来，再避过人倒掉。"

　　玉檀咬着嘴唇盯了我半晌，最终点点头。我笑着握握她的手，她却猛地侧转头拭泪，双肩微微抽动，一面低不可闻地喃喃自语道："为什么会这样呢？连姐姐这样的人都……"

　　唉！她将来又是什么命运呢？待到年龄出宫时，早已经过了适嫁年龄，以她的出身又没有家庭的依靠。如不嫁人，只能跟着兄弟过一辈子，那是何等的难堪？如果嫁人，却只怕很难觅得良人。她这样心思聪慧灵巧的女子，放在现代只要肯努力，哪里不是出路呢？可现在我只看到黑魆魆的将来。女人都是水做的，那是因为这个社会除了"从父、从夫、从子"的"三从"，再没有给女人别的出路，个人的坚强在整个男权社会中，只是螳臂当车，女人怎能不落泪？

　　昨天虽然一整天没有吃药，但今日感觉还是好了一些。估计是我平日常在院内跳绳，还经常在临睡前做仰卧起坐的缘故，当时只想着健康最重要，我一个人在宫里，万一病了吃苦的是自己。古代医学又落后，看《红楼梦》，一个小小的伤寒都有可能随时转成绝症痨病，所以一直比较爱惜自己的身体，可如今却开始后悔。特别是当太医诊完脉后，笑对我说："再缓四五天，好好调理一下应该就大好了。"我心内苦痛至极，脸上还得装做闻之开心。

　　玉檀端药去了，我正歪靠在榻上发呆，听到敲门声，随口道："进来。"

　　推门而进的是小顺子，他快步走到榻边，一面打着千，一面对我低声说："爷让我转告姑娘一个字，拖！"说完，转身匆匆跑了。

　　我想了半晌，心中拿定了主意。

　　晚上打发了玉檀回房歇着，估摸着她睡熟了，随手披了件衣服，打开门站到院子中，九月底的北京，深夜已经有些清冷。

　　独自一人在风中瑟瑟站了一会儿，想着上次先是突闻噩耗伤心，再是吹了冷风着凉，最后发烧只怕是心理因素居多。这次这样有心理准备地光吹风，怕是不行。

转身进了屋子，拿了个脸盆，又去舀了盆冷水，举着盆子，兜头将水浇下，把自己从头到脚全身浸透。迎风而立，强逼着自己平举双手，闭上眼睛，紧咬牙关，身子直打寒战。

"好姐姐，你怎么这么作践自己呢？"玉檀一面叫着，一面冲上来想拖我进屋。

我推开她说："不用管我，自己回去睡吧。"

她还要强拖我，我道："你以为我愿意作践自己吗？可这是我现在唯一想出来的自救法子。你若再阻拦才是在害我，枉我平日还把你当个知心人了。"

玉檀松了手，看着我只是默默流泪。我没有理会她，转身又给自己浇了一盆水，在风口处站了半夜，天还未亮时，我已经又烧起来，头变得晕沉。

玉檀扶我进屋，替我擦干头发，换了衣服，盖好被子，我还不停地叮嘱她："先不要急着请太医，待我头发干了，你摸着再烫一些的时候再叫。"因为担着心事，多日未曾好好休息，强撑着又清醒了一会儿，终于迷迷糊糊地睡了过去。

此番一病，是病上加病，古代又没有退烧的良方，昏沉沉三四日后，人才清醒过来，又调养了四五日才开始慢慢恢复。想着虽不好，可已经不需要玉檀终日照顾，又惦记着所谓的转机和康熙的态度，遂吩咐了玉檀回去正常值日当班和一切留心。她乖巧地点点头，表示一切明白。

眼看着已经十月，却仍然一无动静，玉檀只告诉我说，李德全向她问过我的病情，神色无异常，只是嘱咐她平时照顾好我。我心内惴惴，这病来得突然猛烈，又是这么巧，康熙心中究竟会怎么想呢？

距十四阿哥来看我已经十五日过去，却仍是没有见到什么转机。一日正坐在屋中愁苦，玉檀匆匆而进，掩好了门，紧挨着我坐了，低声说："听说今日朝堂上，镇国公景熙爷旧事重提，恳请万岁爷调查步军统领托合齐父子在多罗安郡王马尔浑王爷治丧期间宴请朝中大臣和贪污不法银款的案子。"

我细细想了一遍，景熙是安亲王岳乐的儿子，八福晋的母舅，和八阿哥同在正蓝旗，肯定是八阿哥的支持者；而步军统领托合齐是太子爷的人，这是对太子爷发难了。难道这就是所谓的转机？

"可打听了万岁爷如何说？"

玉檀回道："因为这次奏报说有迹象显示参加结党会饮者约有一二十人，除去步军统领托合齐、都统鄂善、刑部尚书齐世武、兵部尚书耿额等大人外，多为八旗都统、副都统等武职人员。万岁爷很是重视，下令先由三王爷负责调查，如果确如镇国公所奏，再交由刑部详审此案。"

当然要详审了！自从复立太子后，康熙就一直担心胤礽有可能逼宫篡位。而此次参与会饮者的这些人多为武职，掌握一定军事权力。特别是步军统领一职，从一品，有如京师卫戍司令，对保证皇帝的人身安全负有直接责任。康熙怎么可能放心让他们私下结交呢？一旦查出任何不利于太子的言词，太子爷再次被废就指日可待了，而八阿哥既然选择了此事发难，就绝对不会无的放矢。

想着，嘴角不禁逸出一丝笑，悬在头顶的那把剑终于暂时移开了。既然康熙对太子爷的疑心将要转为现实，就断没有再把我嫁给他的道理。如果确如他们所想，如今我可是和蒙古两大显族都有关系，哪儿能把这么好的资源白白浪费在太子身上？

一直以为二废太子的斗争要到明年，没想到竟然从现在就由暗处转到明处了。八阿哥只怕早就布置停当，只是在等待时机而已，不然不会一出手就言之凿凿；四阿哥既然能派人通知我拖延时日，就是说他也知道有朝堂上的这一天，看来他这次是要和八阿哥合作扳倒太子。

只是我又在其中扮演了什么角色呢？想来是催化剂。没有我，此事也迟早发生，但因为我牵扯到蒙古人，牵扯到康熙的态度，所以从某种程度上，事情也许比他们预定的提前发生了。

手头没有历史书，我不知道这些是否在按照我所知道的历史发展。心中困惑，到底是因为我，历史才如此，还是因为历史如此，才有我的事情呢？

笑容仍在，却渐渐苦涩，我躲来躲去，没想到却落到了风暴中心。以前一直是旁观者的角色，看着各人走向他们的结局，如今自己也被拖进了这幕戏中，将来我该何去何从？以后不是不出错就无事的局面了，而是只怕我不动，风暴都不会放过我了。下一次不见得会有这次这么幸运，到了必须考虑如何保全自己的时候了！